T4-AJT-104

HEINRICH SCHLIER

GRUNDZÜGE
EINER PAULINISCHEN
THEOLOGIE

HEINRICH SCHLIER

GRUNDZÜGE EINER PAULINISCHEN THEOLOGIE

HERDER

FREIBURG · BASEL · WIEN

Imprimatur. – Freiburg i. Br., den 12. April 1978
Der Generalvikar: Dr. R. Schlund
Herstellung: Freiburger Graphische Betriebe 1978
ISBN 3-451-18159-2

Inhalt

Vorüberlegung

Wir beabsichtigen, in dieser Abhandlung eine paulinische Theologie in ihren Grundzügen anzubieten.

Wer diesen Titel aufmerksam liest, wird auf seine Eigenart gestoßen sein; es heißt nicht: *die* Theologie des Apostels Paulus in ihren Grundzügen darzulegen. In dieser Formulierung – „die Theologie des Apostels Paulus in ihren Grundzügen" – käme deutlich zum Ausdruck, daß wir die Theologie des Apostels Paulus aus seinen uns erhaltenen Briefen historisch rekonstruieren und damit einen Teil der sogenannten Theologie des Neuen Testamentes darlegen wollten. Aber das ist nicht eigentlich unser Ziel; solche historische Deskription der Theologie des Apostels Paulus ist vielmehr unsere Voraussetzung. Wir wollen hier nicht die historische Theologie des Apostels Paulus aus seiner überlieferten Verkündigung als solche erheben, sondern wir versuchen, eine Theologie darzubieten, die paulinisch ist, das heißt, die vom Kerygma der paulinischen Briefe inhaltlich bestimmt ist und mit der Theologie des Apostels Paulus einen sachlichen Zusammenhang hat. Wir bemühen uns, eine Theologie in ihren Grundzügen zu entfalten, die in der Verkündigung der Briefe des Paulus gründet, von ihm bewegt und von ihm begrenzt wird, sich also nach ihm ausrichtet. Unsere Absicht ist, kurz gesagt, nicht eigentlich eine historische, sondern – wenn man so unterscheiden darf – eine systematische; sie ist nicht Beschreibung der Theologie des Apostels Paulus, sondern eine gegenwärtige theologische Besinnung, die ständig auf das Kerygma der paulinischen Briefe bezogen ist und eine gegenwärtige Aussprache mit ihm darstellt.

1. Wir wollen also in eine aus dem Kerygma des Apostels Paulus gewonnene und von ihm genährte theologische Besinnung

eintreten. Das wird nur möglich sein, wenn wir uns bei unserem Vorgehen ständig in einer Auseinandersetzung mit den Schriften des Apostels Paulus befinden. Diese Auseinandersetzung ist freilich eigentümlicher Art. Wenn wir sie zunächst abgrenzen – also negativ formulieren –, so kann man sagen: sie ist kein Dialog – um einen heute vielgebrauchten und mißbrauchten Begriff zu verwenden – im echten Sinn; denn dieser schließt mindestens dreierlei ein: 1) einmal die lebendige Rede und Widerrede; 2) den grundsätzlich gleichen Ausgangspunkt, die Erkenntnismöglichkeit derer, die miteinander reden, und 3) vor allem das Entspringen der Wahrheit aus der sie nach und nach enthüllenden These und Antithese. Einen solchen Dialog führen wir hier nicht. Denn einmal gibt es in diesem Fall keine fortdauernde Rede und Widerrede. Der eine Gesprächspartner hat ja geredet, und seine „These" – wenn wir so sagen dürfen – steht nun ausgesprochen da, liegt sogar schriftlich vor; der eine Partner kann nicht mehr im Gespräch fortschreiten, in Antwort und Frage, in Frage und Antwort. Wir müssen vielmehr beides aus dem Perfectum seiner Aussagen entnehmen, aus diesem Dictum und Scriptum heraushören und herauslesen und aus ihm Entnommenes und Vernommenes mit unserer Frage und Antwort ständig bedenken, ihm nachdenken und es durchdenken. Dieses Gespräch gibt dem einen Partner, in diesem Fall uns, weite Freiheit, entläßt ihn aber auch in eine große Einsamkeit, in die Einsamkeit gegenüber einem Schweigen, gegenüber einem Schweigenden, der freilich kein Verstummter ist, aber der sozusagen mit seinem gesprochenen Wort nun schweigend auf unsere Ant-wort wartet. Dieser Sachverhalt eines sehr einseitigen Dialoges, der deshalb im strengen Sinn des Wortes gar keiner ist, liegt im übrigen in aller Auseinandersetzung mit überlieferter Geschichte vor.

Aber bei unserer theologischen Besinnung auf dem Grund des von Paulus einmal Gesagten und Geschriebenen kommt noch ein anderes Moment in Frage, welches das Wesen eines echten Dialoges sprengt: die absolute Ungleichheit der miteinander Redenden hinsichtlich ihrer Erkenntnis, ja hinsichtlich der Möglichkeit ihrer Erkenntnis. Jedenfalls ist diese Ungleichheit die Behauptung des einen Gesprächspartners, des Apostels, die von der anderen Seite bisher jedenfalls immer anerkannt wurde: Der, mit dem wir uns in unserer theologischen Besinnung nachdrücklich auseinandersetzen, der Apostel Paulus also, nimmt die Autorität unmittelbarer Erleuchtung und Sendung durch Gott und die einer grundlegenden charismatischen Geistbegabung in Anspruch. Wir werden notwendig noch darauf zu sprechen kommen; vorläufig verweisen wir nur auf drei Sätze Pauli. Gal 1, 1 schreibt er: „Paulus, Apostel nicht von Menschen, auch nicht durch einen Menschen, sondern durch Jesus Christus und Gott den Vater, der ihn auferweckt hat von den Toten." Gal 1, 11 f heißt es: „Denn ich erkläre euch, Brüder: das Evangelium, das von mir verkündet worden ist, ist nicht ein menschliches Evangelium. Denn auch ich habe es nicht von einem Menschen empfangen, noch bin ich unterrichtet worden, sondern durch Enthüllung Jesu Christi (habe ich es empfangen)." Und endlich sagt er 1 Kor 2, 12 f: Wir haben „den Geist, der von Gott ausgeht", empfangen, „damit wir erkennen, was uns von Gott geschenkt worden ist. Das verkündigen wir euch nicht mit Worten, die von menschlicher Weisheit belehrt sind, sondern mit Worten, die der Geist gelehrt hat, und legen, was der Geist sagt, denen, die mit dem Geist begabt sind, aus." Dies also ist die Situation des Apostels und unserere nach seiner Überzeugung.

Es ist der Apostel, der eine Unterredende, der nun gesprochen hat und sein Wort in seinem Anspruch stehen läßt, geschrieben hat und die Schrift in ihrer Anschrift stehen läßt, so wie er es schon damals stehen ließ nicht zur Diskussion, sondern zur Annahme und Aneignung im Hören, Gehorchen, Begreifen, Erkennen, Durchdenken. Damit kommen wir zum dritten Sachverhalt, der deutlich machen kann, daß bei einer theologischen Besinnung grundsätzlich kein Dialog im echten Sinn geführt wird. Die Wahrheit entspringt hier nicht erst der Unterredung, die Wahrheit ist nicht sozusagen die aus den beiden Unterredungen sich loslösende und freigebende Mitte, sondern schon ein für allemal von dem einen apostolischen Unterredenden gesagt. Freilich, sie ist gesagt, um nun von dem anderen Unterredenden, also von uns, vernommen, ergriffen, begriffen zu werden. Die Wahrheit liegt also nicht in dem Sinn offen zutage, daß sie nur von uns wiederholt, rekapituliert, rezitiert oder zitiert zu werden brauchte – so liegt sie nicht vor uns. Die Wahrheit muß durch diese Verhüllung im Menschenwort des Apostels hindurch gehört und dann bedacht, durchdacht und in die Sprache und ins Wort gebracht werden. Das alles bedeutet nicht, daß sie erst im Laufe des Dialogs mit jedem anderen Partner entstehen müßte, sie entsteht als Wahrheit nicht erst in einem dialektischen Bedenken und Durchdenken mit dem Apostel, sondern wird nur aus der Verborgenheit einer damaligen Aussage ins Licht jeweilig heutigen Verständnisses gerückt.

Mit anderen Worten: die geistige Auseinandersetzung, unsere theologische Besinnung, die in stetem Bezug auf das paulinische Kerygma von diesem ihre Bestimmung erfährt, ist im Grunde nichts anderes als der Vorgang einer Übersetzung dessen, was der Apostel gesagt hat, mit allem, was dazugehört, einer Übersetzung – aber vielleicht muß man sagen im Blick auf jene „historische Theologie" des Paulus –, einer weitergeführten Übersetzung und daher einer von unserem Interesse an dem ausgesprochenen Sachverhalt vorgetriebene, aktualisierte Übersetzung. Denn natürlich kann auch die Deskription der paulinischen Theologie im Sinne einer historischen Reproduktion nie ohne Übersetzung geschehen und daher nicht ohne Überführung aus dem damaligen Horizont des Verstehens und der Sprache in den gegenwärtigen. Aber eine von den paulinischen Texten hervorgerufene und maßgeblich durchdrungene theologische Besinnung führt, vom Interesse an der Sache geleitet, solche erste historische Übersetzung weiter und in gewisser Weise zu Ende. Sie hat das von Paulus Gesagte im Ohr und bemüht sich, eine verständige Rede in dem, was sie sagt und meint, zu vernehmen und zu verstehen, und zwar so, daß sie sich, durch uns reflektiert, in unseren Gedanken und unserer Sprache artikuliert.

2. Noch ein Zweites: Welchen Sinn hat ein solcher Versuch, die Grundzüge einer von Paulus bestimmten Theologie darzulegen? Es hat, ganz allgemein gesprochen, den Sinn zunächst eines Experimentes, aber nicht eines willkürlichen (weil man auch heute gern in der Theologie experimentiert), sondern eines nützlichen, unter Umständen sogar eines für das heutige Selbstverständnis des Glaubens notwendigen. Denn dieses Selbstverständnis weiß sich durch die traditionelle dogmatische Schultheologie nicht mehr so recht angemessen und lebendig zum Ausdruck gebracht. Die Gründe können hier dahingestellt

bleiben, sie sind ja auch vielfältiger Art und reichen schon weit zurück. Erst recht können wir nicht urteilen, ob ein Abschied von einer bestimmten traditionellen Theologie nur ein Nachteil für das Glaubensverständnis ist oder nicht. Gewöhnlich – was nur die Naivität eines unentwegten Fortschrittsglaubens übersehen kann – ist mit solchen geistigen Umbrüchen, in denen wir auch heute auf diesem Gebiet ohne Zweifel stehen, immer auch viel Nachteil verbunden und wird immer viel Schaden zugefügt. Manchmal versinkt mit einer bestimmten Art von Denken eine ganze Welt. Wie dem auch sei – die Tatsache, daß der Glaube sich weithin nicht mehr durch die Schultheologie, die ja im Aufriß, in Thematik, Denkform und Begrifflichkeit vielfach noch aus der Scholastik und Neuscholastik resultiert, sich nicht lebendig reflektiert weiß, läßt sich nicht leugnen. Man überlege nur – denn dieser Sachverhalt ist ein symptomatischer –, welcher Hiatus zwischen den Aussagen einer Schultheologie und der Katechese und Predigt besteht. Natürlich ist der Gradunterschied der Glaubensreflexion, der zwischen Katechese und Theologie vorhanden ist, notwendig von der Sache gefordert, aber er darf doch nicht so groß werden, daß man mit der Katechese und Predigt ein anderes Land betritt, wenn man von der Schultheologie herkommt, und es ist ein Anzeichen dafür, daß etwas nicht stimmt, wenn zum Beispiel die Entwicklung des Katechismus das einfache Glaubensverständnis möglichst von Schultheologie zu reinigen sucht oder die Predigt nur dann noch etwas sagt, wenn sie die Schultheologie vergißt.

Noch einmal: wir reden nicht davon, wie vieles mit dem Unverständlichwerden der Schultheologie auch verlorengeht – es geht sicher viel verloren, insofern sie das Mysterium ausgebreitet hat und immer noch ausbreitet. Aber wir müssen nüchtern und ohne Furcht die Tatsache feststellen, daß die Grundstruktur ihres Denkens uns recht fremd geworden ist, so daß sie den Glauben nicht mehr genug stärkt, die Hoffnung nicht mehr recht beflügelt und die Liebe kaum mehr zum Brennen bringt und deshalb im ganzen nicht mehr vom Geist des Geheimnisses durchweht und von seiner lebendigmachenden Kraft getragen ist. Das spürt und weiß man schon allgemein und geraume Zeit. Das Bewußtsein eines solchen Geistesbruchs, eines solchen Bruchs im Denken bestimmt auch schon bei aller verständlichen schultheologischen Grundhaltung die meisten Verlautbarungen des Vaticanum II. Diesem Mangel der Schultheologie zu begegnen hat man auch schon immer wieder kräftige Versuche unternommen und unternimmt sie ständig. Die große theologische Denkarbeit – um nur den einen Namen für viele zu nennen – etwa Karl Rahners dient, wenn ich recht verstehe, dem Ziel, in der Kontinuität der großen dogmatischen Theologie die Scholastik und Neuscholastik durch neue Grundinterpretation, sozusagen von verschiedenen Seiten her, aufzulockern und sie darin zu überwinden, da sie, in Einfacheres und Überblickbareres zurückgeholt, wieder anfängt, Neues, das doch das Alte ist, zu sagen. Das ist gewiß *ein* notwendiger und ein, wie man am Beispiel sieht, gangbarer Weg in unserer Situation.

Ein anderer ist meines Erachtens der, der sich von der neuen und überraschenden Regung des katholischen Glaubensbewußtseins mit der Heiligen Schrift weitergehen läßt. Er erscheint der Allgemeinheit wahrscheinlich ungewohnter als jener erstgewählte, erscheint manchem Theologen, dem in differenzierter Schultheologie Geübten, etwas dilettantischer oder auch gewagter, wenn nicht gar verdächtiger, und andererseits erscheint er manchem strengen Exegeten zu unwissenschaftlich, weil er die philologisch-historische Arbeit nicht mehr als solche ausbreitet, sondern schon hinter sich hat und hinter sich läßt oder weil der strenge Exeget meint, Exegese müsse dort aufhören, wo das Interesse an den Sachverhalten beginnt. Aber sei dem, wie es sei. Gewiß kommt der Sache nach der Versuch einer theologischen Besinnung in unmittelbarer Auseinandersetzung mit der Heiligen Schrift aus Ursprünglicherem und hat von daher die Chance des Einfacheren und Verständlicheren. Es ist der Weg, den auch wir hier zu gehen versuchen: eine Theologie aus unmittelbarem Bezug zur Schrift und in der vorhin charakterisierten Auseinandersetzung mit ihr bzw. – in unserem Fall – mit einem Teil von ihr in ihren Grundzügen zu entwerfen, wobei vielleicht auch nur die Grundzüge fragmentarisch dargeboten werden können. Dabei wird die theologische Tradition nicht prinzipiell geleugnet und verworfen, sie steht durchaus im Hintergrund, aber sie wird beim Vorgang der Abhandlung ad experimentum suspendiert. Deshalb nimmt ein solcher Versuch auch nicht in Anspruch, die dogmatische Schul- und Fachtheologie zu ersetzen. Denn dann ginge der Theologie gewiß, wie ich vorhin schon sagte, ein großer Reichtum verloren, der sich in der Glaubensbesinnung der Kirche seit Jahrhunderten angesammelt hat und den man nicht einfach fortwerfen kann, wenn man nicht selber verarmen will, den man nicht einfach preisgeben darf, um nicht die Dinge zu simplifizieren und zu reduzieren.

Aber ein Versuch einer Theologie unmittelbar aus dem Grund alles Grundes, aller Glaubensbesinnung, in Auseinandersetzung mit der Heiligen Schrift kann wohl in Anspruch nehmen, der dogmatischen Fachtheologie kritisch zu Hilfe zu kommen. Sie kann zum Beispiel versuchen, Fragezeichen an ihren Aufriß zu stellen – als Versuch! –, auf Lücken aufmerksam zu machen und sie vorläufig zu füllen, falsch gesetzte Akzente wieder zurechtzurücken und gefährlichen Entwicklungen Einhalt zu gebieten u. a.; sie kann aber vor allem demonstrieren, daß sich das Glaubensverständnis der Kirche von der Schrift her im Grunde einfacher und doch nicht leichtgewichtiger und unsachgemäßer sehen läßt. Die Schultheologie wird sich nicht als *die* Theologie etablieren, wenn wir ein heute notwendiges Fragezeichen an sie machen und heute jedenfalls unumgängliche Korrekturen vornehmen.

Aber vielleicht ist dies schon zu programmatisch gesagt; es ist ja immer alles offen, und weil alles offen ist, müssen Versuche gemacht werden, daß eine paulinische Theologie, eine im Übersetzungsgespräch mit den Schriften des Apostels Paulus hervorgerufene und von ihm geleitete Theologie, die offene Geschichte der Glaubensbesinnung an diesem Punkt wieder fruchtbar macht. Daß wir für unsere Abhandlung gerade die paulinischen Schriften als Maßgeber wählen, ist mehr oder weniger zufällig, *mehr* zufällig, sofern wir auch die johanneischen Schriften heranziehen könnten oder – freilich kaum ebenso aussichtsreich – die lukanischen; *weniger* zufällig insofern, als wir mit Paulus bekanntlich den Theologen unter den neutestamentlichen Schriftstellern wählen, der, mehr als mancher andere Autor, selbst schon in die theologische Reflexion eingetreten ist, nicht auf allen Gebieten und in jeder Weise, aber auf großen Teilgebieten der theologischen Besinnung (Anthropologie, Soteriologie, Ekklesiologie und

Eschatologie). Zudem hat die Theologie des Apostels Paulus oder wenigstens ein Teil seiner theologischen Begrifflichkeit die Glaubensbesinnung der späteren Kirche vielfach bestimmt, ist dort freilich auch oft mißverstanden worden und hat vielfach als mißverstandene das populäre Glaubensdenken durchdrungen.

3. Noch ein Drittes ist zur Einleitung zu sagen. Wir wollen diese Bemerkungen nicht abschließen, ohne auf die allgemeine Situation der theologischen Besinnung heute und also auf die großen, jeder theologischen Besinnung zur Zeit vorgegebenen Schwierigkeiten einzugehen, die natürlich auch solchem Versuch begegnen. Wir tun das nicht, um unseren Versuch aktueller zu machen, sondern um auch auf solche Weise die Dringlichkeit neuer Bemühungen zu bekräftigen, abgesehen davon, daß solcher Hinweis auf die Situation im allgemeinen, an der dann auch die Theologie Anteil hat, den Finger legen kann auf das Verwoben- und Verbundensein der Glaubensbesinnung mit der jeweiligen geistigen Lage der Zeit und auf die Tatsache, daß die Theologie in jeder Weise eine geschichtliche, das heißt also auch eine von der Geistessituation der jeweiligen Zeit bestimmte ist. Mit diesen Schwierigkeiten also, durch deren Aufweis versuchen wir, uns die gesamte Situation theologischer Besinnung etwas zu verdeutlichen. Aber wir meinen nicht die innertheologischen, auch nicht die hermeneutischen Schwierigkeiten im engeren Sinn, sondern diejenigen Schwierigkeiten, die aus der existentiellen Verdunkelung eines Verstehenshorizontes für die Theologie erwachsen, die Schwierigkeiten, die aus der Tatsache resultieren, daß wir schon relativ deutlich in einem endzeitlichen Geschichtsalter leben. Wir wollen nur ein paar dieser fundamentalen Schwierigkeiten nennen, nicht aber unsere gesamte Geschichtssituation analysieren.

Jederman weiß, daß das sogenannte mittelalterliche Corpus Christianum zerbrochen und damit die Einheit dessen, was wir nicht gerade glücklich mit „christlicher Weltanschauung" bezeichnet haben, verlorengegangen ist. Freilich hat man eigentlich erst in unserer Zeit, in der Zeit nach dem Zweiten Weltkrieg, diesen Vorgang dadurch theologisch zu rechtfertigen versucht, daß man ihn dem Phänomen des menschlichen Pluralismus zuordnete und auch von einem weltanschaulichen Pluralismus als einer Selbstverständlichkeit und Notwendigkeit spricht. Dabei aber übersieht man, daß dieser aus der Spaltung der sogenannten Konfessionen und aus der Abscheidung einer – wenn man es so sagen darf – „westlichen" Konfession von dieser kirchlichen Konfession allmählich erwachsene Pluralismus von einem Prozeß begleitet, sogar getragen wird, der nichts anderes als eine zunehmende Entfernung oder Entfremdung des allgemeinen Vorverständnisses von christlichem Glaubensverständnis darstellt. Dieser Prozeß des sich jetzt festigenden Pluralismus, den man mit Recht oder Unrecht als selbstverständlich oder notwendig bezeichnet, hat noch im Untergrund einen anderen Charakter, nämlich er ist begleitet, wie ich sagte, von einer zunehmenden Entfernung und Entfremdung des Vorverständnisses für die christlichen Dinge. Man kann sich das verdeutlichen, wenn man erwähnt, wie für das allgemeine und öffentliche Empfinden bestimmte christliche Grundbegriffe, und das, was sie begreifen, weithin unverständlich geworden sind. Die heutige gesamte Geisteslage kann gerade mit theologischen Grundbegriffen und theologischen Grundphänomenen – z. B. mit Gnade, Sünde, Vergebung – schwer etwas anfangen; auch etwa Schuld, Reue, Buße sind sehr fremde Worte und daher im Hintergrund fremde Phänomene geworden und vieles andere auch. Nicht als ob, solange die – wenn auch gespaltene – Christenheit geistig dominierte, damals der allgemeine Geist eben das, was Sünde, Schuld, Buße usw. meint, immer aktuell in seiner Tiefe begriffen oder gelebt hätte – keineswegs. Aber der gesamte Geist hatte doch einen *Sinn* dafür; ihm hatte dieses alles noch Sinn. So konnte das damit gegebene Vorverständnis jedenfalls zum Verständnis aktualisiert werden, und es bedurfte nicht erst der Erweckung des Sinnes für diese Dinge. In der Zeit aber, da sich unter dem Schild des Pluralismus ein, vom Christlichen her gesprochen, Indifferentismus stark macht, der teils zur Nivellierung, teils zur Abstoßung solcher Begriffe, teils zur Ausprägung von Gegenbegriffen führt, kann der Theologe nicht mehr mit einem Sinn für diese Dinge rechnen sondern hat nun die schwere Aufgabe, bei der Reflexion und Explikation dieser Sachverhalte zugleich immer auch den Sinn dafür zu erwecken.

Wenn es zum Beispiel für das allgemeine Bewußtsein, und zwar überall in der Welt und besonders in ihrem maßgebenden Teil, theoretisch und praktisch feststeht, daß das, was rettet, die Leistung ist – moralische Leistung zunächst und nun immer mehr die rein technische Leistung jeder Art –, so ist da natürlich ein Vorverständnis für die Gegeben-heit der Dinge – die Schöpfung –, für das gewährende Geschick – die Geschichte –, für Gabe überhaupt, für Geschenk, für Gnade höchstens noch ein seltenes Relikt. Oder wenn das allgemeine theologische Bewußtsein anfängt, wie selbstverständlich mit einer immanenten Welt und einer entweder atheistischen oder pantheistischen Welt zu rechnen, dann ist es überall schwer, den theologischen Gottesgedanken noch zu vollziehen. Dann muß, wenn man ihn erfassen will, zugleich auch der Sinn dafür erweckt werden. Schon der Sinn für die theologischen Phänomene ist also weithin stumpf geworden. Solche Wirklichkeiten sind so weit in die Ferne gerückt, daß sie kaum mehr gespürt und jedenfalls nicht mehr recht verstanden werden, da die Ausrichtung unsicher geworden ist. Diese Dinge, dort in der Ferne und verfremdet in ihrer Gestalt, ziehen nicht mehr die Aufmerksamkeit der Besinnung auf sich, und so ist der allgemeine Sinn von ihnen weit entfernt.

Aber das sogenannte pluralistische Zeitalter, in dem wir leben und das zugleich eine Einheit insgeheim im Verlust des Sinnes für das Christliche zu gewinnen beginnt, hat noch ein anderes Kennzeichen, das für jeden theologischen Versuch relevant ist. Es ist das allgemeine Bewußtsein der Wirklichkeit, wie sie der Glaube sieht, nicht nur entfremdet oder verfremdet, sondern es befindet sich das Allgemeinbewußtsein auch mehr oder weniger auf der Oberfläche oder im Untergrund in einer aufgebrachten Reaktion gegen die Theologie, besser gesagt: gegen ihren Gegenstand. Dieses allgemeine Aufgebrachtsein hat immer noch verschiedene Formen und verschiedene Stärke: Abneigung, Ablehnung, Gegnerschaft, Feindschaft gegen das Christliche, aber bei allen verschiedenen Formen auch immerhin eine eigentümliche, den Christen, der die Bibel liest, freilich nicht überraschende Grundstimmung des Geistes. Der Weltgeist, der Zeitgeist, ist auf verschiedenen Ebenen und in verschiedenen Schichten – etwa auf der literarischen, wissenschaftlichen, gesellschaftlichen, politischen – als Allgemeingeist in eine eigentümliche Grundstimmung des Aufgebrachtseins gestellt. Diese Grundstimmung – Apk 12, 12 nennt sie „die Wut" – ist sich ihres Grundes keineswegs immer bewußt, ja es gehört eigentlich zu ihr, daß sie im Grunde ohne Grund ist, so wie die Angst im Grunde grundlos ist. Das Aufgebrachte expektoriert sich deshalb auch in rein profaner Form, zum Beispiel als Ablehnung des Bestehenden als Bestehendes, getarnt – wie es bei Menschen immer ist – durch humanitäre, politische oder „allgemeine" Gründe. Aber sieht man genau zu, so regt sich zutiefst in dieser Grundstimmung ein Antichristliches, das ja auch im praktischen und politischen Atheismus zur Aussprache und Auswirkung kommt. Man tut dem Atheismus keine Ehre an, wenn man das verschweigt und verharmlost, er gewinnt nur an Gewicht, wenn man betont, daß er, als Grundstimmung genommen, sich gegen das Christliche wendet, und andererseits ist seine Beschönigung nicht, wie es manchem zu sein scheint, schon christliche Liebe.

Natürlich hat solche Grundstimmung des Aufgebrachtseins seine historischen Gründe, unter denen oft ein Versagen der Christenheit eine große Rolle spielt, aber auch die Nennung solcher Gründe darf uns vor der eindringlich-eindeutigen Sicht der jetzigen Situation gerade bei der theologischen Aufgabe nicht blind machen. Man sehe vielmehr die oft verhüllte Abneigung, aber auch die offenere Feindschaft deutlich und klar und erwäge, was sie für den Glauben bedeutet. Dieser Geisteslage gegenüber besteht nicht nur die Aufgabe einer Neuerweckung des Sinnes für das Christliche, sondern auch die Notwendigkeit eines Durchbruches durch die Sperrmauer solchen antichristlichen Geistes, der – vergessen wir das nicht! – formal ein hochintellektueller ist und sich als solcher politischer und gesellschaftlicher Mittel bedient. An diesem Punkt sieht man, welche Last auf der heutigen Theologie liegt und daß es natürlich mit der theologischen Besinnung allein nicht getan ist.

Welche Tiefe ein solches Aufgebrachtsein als Grundstimmung der Modernität erreichen kann, sei noch an einem Beispiel deutlich gemacht. Es durchdringt und bestimmt dieses Aufgebrachtsein, von dem her das allgemeine Dasein in solche Grundstimmung gestimmt ist, auch und gerade das Denken der Zeit. Das moderne Denken gibt zu einem Teil seinen bestimmenden Grund zu. Ein komplexes Phänomen dieses Aufgebrachtseins des modernen Geistes in diesem Sinne ist u. a. der ja schon länger und immer wieder aufgekommene *Utopismus*, der bereits in die Theologie eindringt, das heißt jene bedrängende Überzeugung, die Eigentlichkeit des Menschen und seiner Welt sei in einer Zukünftigkeit gegeben, in einer Zukunft auf dem Weg der Evolution und zugleich aufgrund kollektiven Planens der zu sich gelangenden zukünftigen Gesamtmenschheit. Er ist das säkulare Erbe eines unterschwellig die Geschichte durchziehenden Chiliasmus. Diese Utopie hat noch verschiedene Gesichter; es gibt verschiedene Formungen, Strukturen, aber die Gesamterscheinung ist unverkennbar, ebenso die allmähliche Annäherung der verschiedenen Wege, auf denen er noch geht. Für ihn ist die Wirklichkeit eben nur darin gegeben, daß sie wird; die Gegenwart wird immer nur als das, wovon man sich abstößt, verstanden, immer nur als das, was man hinter sich lassen muß, als das Bestehende, wogegen man protestiert, nur als ein ungerechtfertigtes Vorläufiges, eine Vorläufigkeit, die höchstens darin berechtigt ist, daß sie eine Stufe zur Endzeitlichkeit darstellt.

Das scheint auch in der christlichen Eschatologie gegeben zu sein. Die *christliche* Eschatologie kennt aber 1) die Zukunft weder als Geschick der Entwicklung noch als Leistung, noch als beides im Wechselspiel, sondern als unvorhersehbare und unverfügbare kritische Überwältigung und Erfüllung alles Gegenwärtigen und Zukünftigen durch den Anbruch und Ausbruch der Herrschaft Gottes. 2) Für die christliche Eschatologie ist die Zukunft immer auch schon mitten in der Gegenwart wirksam, im Gestern, Heute und Morgen des gegenwärtigen Jesus Christus, und realisiert sich auch immer schon gegenwärtig, nämlich in der Liebe. 3) Die christliche Eschatologie setzt voraus, daß der Mensch und seine Welt gerade als die, wie er es versteht, gegebenen gut sind und nicht erst gut sind im Entwurf; sie setzt voraus, daß das Sein gut ist und nicht erst das Werden. Ganz einfach gesprochen: „Und Gott sah, daß es gut war" (Gen 1,10.12 usw.); es heißt nicht: Und Gott sah, daß es gut wird. Gut ist nicht – wie der Utopismus meint – lediglich jene Tendenz der Schöpfung, des Menschen und seiner Welt, über sich hinaus und jenes imaginär evolutive und sozial militant erreichbare Darüberhinaus, dem deshalb, weil nur *es* gut ist, alle Opfer der Menschheit und der Einzelmenschen dargebracht werden müssen, sondern gut sind der Mensch und seine Welt von ihrer Herkunft und ihrem Sinn als Gabe her.

Aber lassen wir das jetzt! Es ist gesagt, daß jene erwähnte Grundstimmung und dieser Utopismus sich gegenseitig unterstützen und ergänzen. Man kann, wenn man seine Struktur durchschaut, sagen: Der Utopismus erzeugt geradezu jene aufgebrachte Grundstimmung, und diese wiederum verstärkt und verschärft den Utopismus. Gewiß ist diese Grundstimmung nicht der einzige Impuls des Utopismus, nicht einmal sein eigentlicher, sondern ist vielmehr der Ausstand des Endgültigen, der vom eigenmächtigen Menschen mißverstanden wird als Leere und Unerfülltheit. Aber jene Grundstimmung ist sozusagen der existentielle Impetus des Utopismus, jener θυμός, der sich auch als die Grundstimmung des Ungenügens des Menschen in sich selbst, des seine Geschöpflichkeit nicht verwinden könnenden Menschen, enthüllt. Jenes Aufgebrachtsein gibt den inneren Tendenzen der evolutiven Weltplanung seinen Geschmack, es verleiht ihnen den Charakter einer permanenten Revolution.

Wir gehen wohl nicht fehl, wenn wir solchen Zustand nicht nur als verwirrend für die theologische Besinnung bezeichnen, sondern in seiner letztlich zugegebenermaßen antichristlichen Tendenz eine Strömung sehen, die nur unter Aufbietung aller Kräfte von dem schlecht und recht zusammengezimmerten Floß neuer und alter Theologie zu überwinden ist. Wir sehen, welche Schwierigkeiten eine solche Theologie hat, die nicht nur gegen das Vorverständnis angehen und den Sinn wieder erwecken muß, indem sie sich besinnt, sondern die auch die Mauer durchbrechen muß, die tief in das Leben der Zeit fundiert und gewiß nicht von heute auf morgen zu überwinden ist.

Die Schwierigkeit der Glaubensbesinnung unserer Tage liegt vor allem noch in einem: im Dahinschwinden des Wortes und der Sprache im weiteren Sinn und, dem zuvor, in der Wandlung des Wortsinnes, des Sprachsinnes – um nur wiederum ein freilich wichtiges Symptom dieser Vorgänge zu nennen. Die Sprache dient mehr und mehr der Information; die Sprache wird als Information verstanden: Sprache wird Information. Sprache ist natürlich *auch* Information, aber die Sprache verbirgt sich sozusagen darin, eine Information *allein* zu sein. Die Sprache lebt im Wort, das Wort aber wird nicht mehr – ich rede jetzt von einer Grundtendenz – in erster Linie als Aussage, in der sich die Wirklichkeit aussagt, vernommen, verstanden, überlegt, gesprochen, sondern als Instrument des vermittelnden Weitersagens. Die Sprache berührt – und hier zeigt sich ein Zusammenhang mit jenem grundsätzlichen Utopismus – das Gegebene und Sich-in-ihr-Auslegende nur mehr flüchtig, faßt es sozusagen nur im Fluge und wendet ihre ganze Kraft der Mitteilung zu. Aber als solche Sprache wird sie ganz von selbst eingeebnet, wird sie ungenauer, da die Wirklichkeit nur im Flug berührt wird – sie wird unbestimmt und vor allem willkürlich reduzierte, routinierte, mechanisierte Gebrauchssprache, Chiffre- und Ziffernsprache, auf die Planung und Verwaltung der zukünftigen Welt nützlich aus- und eingerichtet. Und zuletzt entschwindet sie fast ganz – nicht nur in den Naturwissenschaften, sondern bereits auch in den Geisteswissenschaften; sie entschwindet in Formeln und graphischen Darstellungen. Zwischen diesen bleiben gelegentliche echte Aussagen noch bestehen, aber sie sind – wie der anschauliche Begriff sagt – „abgegriffen" und deshalb aussageunfähig, deshalb nicht mehr als Lebendiges zu gebrauchen und wirksam.

Die Dichter haben es schwer in dieser dürftigen Zeit; sie können, wollen sie von der Wirklichkeit reden, nur noch gebrochen reden. Aber oft wollen sie schon nicht mehr von ihr reden, sondern – schon etwas melancholisch – eine Avantgarde der verweltlichten Welt sein. Schwerer haben es noch die Philosophen, sofern sie noch Denker sind. Sie müssen tief in den Brunnen der Sprache hinabsteigen, um das aussagen zu können, was sie sagen wollen. Am schwersten haben es die Theologen. Sie sind ja einerseits an das die Wirklichkeit in ihrer unverborgenen Gültigkeit lichtende Wort gebunden, sollen aber andererseits eben dieses gesagte Wort heute zur Sprache bringen. Das Gesagte ist nach unserem Urteil mit dem Schwinden des allgemeinen Sinnes für diese Dinge seltsam unwirklich geworden, und seine Begriffe, die gar nicht ersetzt werden können, sind in ihrer Abgegriffenheit Wenig- oder Nichtsbegriffe. Einem ursprünglichen Neusagen des Gesagten steht eben der allgemeine Gegensinn des modernen Geistes, den ja jeder von uns teilt, entgegen und die Sprachsituation, die Flucht des Wortes in einen zumindest einseitigen Zweck, in die Information.

Was ist da zu tun? Mir scheint folgendes: einmal, sich dieser gegenwärtigen Geistes- und Lebenssituation bewußt zu werden; sie sich nicht zu verschweigen, sich ihrer vielmehr klar gewiß zu werden, weil nur dann, wenn ich die Dinge sehe, wie sie sind, erst die Frage nach den Mitteln, sie zu heilen, entsteht. Zweitens: Es gilt aber für den Theologen immer schon und heute in einem besonderen Maße, einen Akt der Entscheidung zu treffen – es steht ja zur Zeit alles beim einzelnen (vielleicht nicht mehr lange). Jener Akt meint die Absage an jene geheime Grundstimmung und Grundtendenz eines allmählich zur Reife kommenden, sich selbst seiner Eigenart oft nicht bewußten antichristlichen Geistes und das Sich-Zusagen dem unbeweisbaren, unberechenbaren, unverrechenbaren und unverfügbaren Wort der Schrift. Drittens: Von daher gilt es, das Hören und Verstehen dieses Wortes mit allen hermeneutischen Mitteln auszubilden, bis dahin, daß dieses Wort wieder als gehörtes zu hören gegeben werden kann, mit anderen Worten, daß es wieder zu sagen anfängt.

Damit steht man dem apostolischen Wort der Schrift fast wieder wie jene „Gerufenen", nämlich wie die Christen des Anfanges, gegenüber, und doch besteht ein fundamentaler Unterschied – denn die Zeiten wiederholen sich nicht, sondern die Zeit schreitet fort zu ihrem Ende –, nämlich einmal: Die vielfältige Erfahrung der Kirche, ihres Lebens ist Dokument ihres Glaubensvollzuges und ihrer Glaubensgesinnung; diese vielfältige Erfahrung läßt sich, auch wenn man von ihr ad hoc abstrahiert, nicht auslöschen, nicht ungeschehen machen. Denn wenn heute auch alles auf den einzelnen zukommt und ankommt, es ist doch immer der einzelne, der, wenn auch in concreto kaum spürbar, faktisch von der Gesamtheit der Glaubenden und ihrem Glauben getragen ist, getragen von der großen Tradition, insofern er sich auf sie denkend und handelnd einläßt, sofern er sich tragen läßt. Insofern ist die Situation heute immer noch leichter als etwa für die Christen der paulinischen Gemeinde. Man stelle sich nur die Situation dieser Christen in den paulinischen Gemeinden vor! Dieses Wort wird ihnen absolut neu gesagt, und sie haben nur dieses Wort, und alles andere, was sie sonst hören, gesagt bekommen und in ihrer Umgegend sehen, ist gegen dieses Wort. Insofern als wir noch Tradition haben und in irgendeinem Sinn von daher kommen, haben wir es noch leichter. – Aber andererseits ist es unendlich schwieriger geworden. Denn die Menschheit ist weithin vom Evangelium erreicht, und nicht nur die Annahme des Evangeliums, sondern vor allem auch seine Ablehnung wirkt auf die Menschen konkret. Die Naivität der Unschuld des Heiden ist dahin. Alles ist voll Schuld. Es bedarf dringend eines Neuen, das durchdringt. Im Grunde war es freilich immer so, denn immer war μετάνοια, Umkehr, gefordert. Aber die Geschichte, auch die Endgeschichte, hat immer neue Überraschungen. Gott ist der Überraschende.

Wir können uns heute trotz der Geistesbedrängnis und Dringlichkeit ihr gewachsen sehen, uns ohne letzte Sorge in der theologischen Besinnung dem Wort anheimgeben und in entschiedener Gewißheit mit ihm umgehen. Wir machen deshalb den Versuch, ein wenig auf es einzugehen.

I

Der Gott, der Gott ist

Wir beginnen mit diesem Kapitel, weil es der Theologie schon ihrem Namen nach erstlich und letztlich um Gott geht. Es geht ihr erstlich und letztlich nicht um den Menschen und auch nicht erstlich und letztlich um die Welt, es geht ihr um Gott. Natürlich geht es ihr auch um den Menschen und die Welt, aber – so könnte man sagen – gerade um dieser willen geht es der Theologie allem zuvor und allem danach zuerst und zuletzt um Gott. Also schon hier fällt in gewissem Sinn eine Entscheidung für den theologischen Ansatz, ja innerhalb einer theologischen Besinnung eigentlich *die* Entscheidung. Ist Theologie Theologie, oder ist sie Anthropologie oder Kosmologie? Daß es erstlich und letztlich in der theologischen Besinnung um Gott geht, das muß natürlich nicht immer ausdrücklich gemacht werden. In den Briefen des Apostels Paulus zum Beispiel gibt es nirgendwo eigentlich – oder vorsichtiger: kaum – eine thematische Besinnung auf Gott, sowenig wie sonst im Neuen Testament. Es gibt dort keine Gotteslehre im ausdrücklichen Sinn. Und doch ist für Paulus und das ganze Neue Testament Gott Anfang und Ziel alles Denkens und Lebens, A und Ω aller Texte.

1. Der nahe Gott

Für Paulus ist Gott einfach da; er ist ihm gewiß. Man kann nicht einmal einfach sagen: Er ist ihm gewiß, denn das klingt so, als gebe es für den Apostel überhaupt die Möglichkeit einer Ungewißheit über Gottes Dasein. Gott ist für ihn selbstverständlich. Aber auch das muß man recht verstehen, denn es könnte so scheinen, als sei

Gott dem Apostel nur ein selbstverständlich überkommener Gott und nicht ein immer neuer und überraschend erfahrener Gott, als sei Gott ein gewohnter Gott und nicht ein immer wieder ergriffener Gott. Aber als solcher *ist* er ihm selbstverständlich. Gott ist für ihn immer neue Selbstverständlichkeit, immer unbezweifelbare Gewißheit. Gott ist da. Gottes Dasein ist evident, Gott ist.

Dieser Gott ist *der nahe Gott*, der gegenwärtige Gott. An diesen Gott richten sich ja die Gebete. Wem auch sollen sie sonst gelten? „Dreimal habe ich den Herrn gebeten, daß er (der Engel des Satans) von mir ablasse, und er hat gesagt: Meine Gnade ist dir genug" (2 Kor 12, 9). „Wir beten zu Gott, daß ihr nichts Böses mehr tut" (2 Kor 13, 7 u. a.). Unter den Gebeten gelten vor allem Dank und Lobpreis dem Gott, der da gegenwärtig mich angeht. Sie – Dank und Lobpreis – durchziehen die Apostolischen Briefe. Wenn Paulus am Anfang seines römischen Schreibens etwa so formuliert: „Zunächst danke ich meinem Gott durch Jesus Christus für euch alle" (Röm 1, 8), oder nach Kolossae schreibt: „Wir danken Gott, dem Vater unseres Herrn Jesus Christus, alle Zeit für euch in unseren Gebeten" (Kol 1, 3), dann schreibt er, wie auch gewiß fromme Heiden in ihren Briefen geschrieben haben, die zunächst ihren Göttern dankten; Paulus übernimmt also das Schema einer frommen Sitte. Und wenn er bei anderen Briefen beginnt: „Gepriesen sei der Gott und Vater ..." (2 Kor 1, 3), und wenn er dort, wo innerhalb seiner Ausführung Gottes Name fällt, sofort einfügt: „... der gepriesen ist in Ewigkeit. Amen" (Röm 1, 25 u. a.), so ist das der Lobpreis des frommen Juden. Aber wenn Paulus diesen Lobpreis aufnimmt und dem Vater Jesu dankt und ihn preist, dann sieht man daraus, wie selbstverständlich Gott dem Apostel ist, so selbstverständlich, wie er den frommen Heiden und Juden war – so selbstverständlich und doch eben nicht selbstverständlich in dem Sinn, daß er ihn nur mitbrächte, sondern ihn neu anreden kann als den selbstverständlich anwesenden Gott.

Aber man kann dem Genannten noch mehr entnehmen, und zwar schon etwas von der Eigenheit dieses Gottes. Man sieht nämlich, wie dieser Gott ein Gott ist, der dem Menschen nicht nur persönlich gegenübersteht, sondern ihn persönlich angeht, so wie jemand, zu dem man persönlich reden kann, den man bitten, dem man danken, den man rühmen kann, weil er es vernimmt. Man sieht, wie sich alles vor diesem Gott abspielt. Warum dankt er Gott, betet ihn an, lobpreist ihn? Weil er da ist, vor dessen Augen als dem nahen Gott sich alles abspielt, weil dieser Gott unser Dasein umsteht, es vor Augen hat. Dies wird wiederholt ausdrücklich vom Apostel gesagt. Wenn er der Gemeinde gedenkt, so gedenkt er ihrer „vor Gott" (1 Thess 1, 3); wenn er sich ihrer freut, freut er sich „vor Gott" (1 Thess 3, 9); wenn er redet, redet er „vor Gott" (2 Kor 2, 17; 12, 19). Nach den Pastoralbriefen bezeugt er „vor Gott" (2 Tim 2, 14), bestärkt er den Timotheus „vor Gott" (2 Tim 4, 1), gebietet er ihm „vor Gott" (1 Tim 6, 13), der also sozusagen das Forum ist, vor dem sich alles abspielt. „Gott ist Zeuge", betont der Apostel ja auch wiederholt, denn Gott kann als der nahe, selbstverständliche, gegenwärtige, uns angehende Gott alles bezeugen und läßt sich auch als Zeuge anrufen. „Denn Gott ist mein Zeuge, dem ich im Geist mit dem Evangelium von seinem Sohn diene, da ich unaufhörlich euer gedenke" (Röm 1, 9). „Ich rufe Gott als Zeugen an" (2 Kor 1, 23 u. ö.). „Ihr seid Zeugen und Gott" (1 Thess 2, 10), Zeuge nämlich für das heilsgerechte und untadelige Auftreten des Apostels unter ihnen. Mit anderen Worten: alles spielt sich vor Gott ab, dem alles offenbar ist – wie wiederholt gesagt wird – und der alles weiß. „Gott sind wir offenbar" (2 Kor 5, 11).

2. Der gebende Gott

Aber man sieht aus diesem Tatbestand, daß, wie er, dieser Gott primär der Gott ist, zu dem man beten, dem man danken und den man lobpreisen kann, so ist er auch der Gott, der ist, der gibt, der seinem Wesen nach der gebende Gott ist. Von ihm erwartet man alles, deshalb bittet man ihn; von ihm empfängt man alles, deshalb dankt man ihm. Und wenn man ihn lobpreist, so deshalb, weil er in seinem Sein und Wirken der im Geben überschwengliche ist, sei es, wie in der Eulogie am Eingang des Epheserbriefes, in einem Segen, den der Geist gewährt und der im Bereich Christi zuteil wird, oder sei es, wie in jenem Preisgesang im Eingang des 2. Korintherbriefes, im Trost in großer Bedrängnis, als Paulus eine übergroße Last tragen mußte und nahe daran war, am Leben zu verzweifeln, sich selbst das Todesurteil zu sprechen, damit sein Vertrauen ein Vertrauen zu Gott wird, der ihn aus solcher Todesgefahr befreit hat (2 Kor 1, 3–11).

Gott, das ist der Gott, vor dem und von dem her und zu dem hin alles in allem ist, durch den wir sind und leben, – so ergab es sich in den paulinischen Briefen –, ist die prägnante und mächtige Gottesformel, die aus der Tradition – sogar aus der heidnischen – kommende und doch neue Gottesformel, die selbst schon eine lange Geschichte hat, aber jetzt neu interpretiert wird, jene Formel, in der es heißt: „... von dem her und durch den und zu dem hin ist das All; ihm die Ehre in Ewigkeit. Amen" (Röm 11, 36). Damit erhebt sich der Blick von selbst über das Persönliche hinaus. Aber es ist derselbe Gott, der sich persönlich als der Gebende offenbart, und derselbe Gott, der in bezug auf das All allem, was ist, Herkunft, Anwesen und Zukunft gewährt, so daß das, was ist, in seinem geschichtlichen Sein gegebenes Sein ist. Von daher ist es verständlich, daß Dank und Lobpreis die ursprünglichen Weisen sind, mit diesem Gott zu verkehren.

Dieses seinem Wesen nach Gesetzte des anwesenden, uns nahe umwesenden Gottes geschieht nun so, daß es zugleich aus unendlicher Ferne und bis in unendliche Ferne reicht. Denn dieses Wesen Gottes um uns, dem alles, was ist, sein Wesen verdankt, übersteigt die jeweilige Geschichtlichkeit des Menschen und seiner Welt, also die jeweilige und gesamte geschichtliche Gegenwart, ins Unendliche. Ich meine damit folgendes: Gott ist nach dem Verständnis des Apostels Paulus allem und allen jeweils und insgesamt immer schon eine Ewigkeit zuvor, und unsere Bestimmung durch Gott ist eine „Zuvorbestimmung", „Zuvorerwähnung", „Zuvorerkennung", „Zuvorsetzung". In solchem Zusammenhang werden eben diese Begriffe vom Apostel gebraucht, und das πρό weist auf den Unbegrenzbaren, Ewigen, so daß die Gabe des ewigen Gottes – alles Seiende in seinem Sein, alles Sein im Seienden – aus einer unendlichen Ferne und Tiefe kommt, die der uns gegenwärtige, nahe uns umwesende Gott uns aus dieser grenzenlosen Ferne und Tiefe darreicht. Blickt der Mensch auf sich in dem Sinn, daß er zurückblickt, so kann er in die ewige Vorbestimmung durch Gott zurückblicken, eben in die unendliche, immer schon gegenwärtige Nähe und Ferne zugleich.

Aber der Gott, dem sich alles verdankt und dem wir uns verdanken, ist auch der, auf den wir und alle als auf die unbegrenzbare Zukunft stoßen, der also auch in diesem Sinn *vor* uns ist, und zwar unendlich vor uns steht. Gott ist der Gott, der immer auch und stets erwartet wird, dessen Epiphanie – die Epiphanie des anwesenden, uns umwesenden Gottes – immer auch in der Zukunft wird, immer auch die letzte, dann sich enthüllende Zukunft ist. Gott ist der, von dem gesagt ist, daß er uns auch immer bevorsteht, weil er uns auch von der letzten Zukunft her und als letzte Zukunft, als das zuletzt Zukommende umgibt, als der – wie der Apostel formuliert –, der einmal „alles in allem sein wird" (1 Kor 15, 28).

So sagen wir bis jetzt: Gott ist der Gott, der als die uns umwaltende Nähe selbstverständlich da ist, und zwar so, daß sich ihm alles, was ist, immer schon und immer noch als das, was *durch* ihn ist, verdankt. Gott ist dann der, der als der Nahe auch der eine Ewigkeit Ferne ist, der, von dem das von ihm herkommende, durch ihn anwesende und auf ihn zukommende Dasein sein Wesen hat.

3. Der eine Gott

Dieser Gott, der sich das Sein und Dasein zuweist und dem sich das Sein und Dasein zugewiesen weiß, ist damit der eine Gott. Aber diese Aussage ist nicht eindeutig, sie hat beim Apostel verschiedenen Sinn. Der nächstliegende Sinn ist der:

1. Er ist der eine Gott gegenüber den vielen Göttern (1 Kor 8, 4f). Viele Götter gibt es in der Welt, im Himmel und auf Erden, die sogenannten Götter, die aber doch für die Menschen Götter sind. Für uns gibt es aber nur einen Gott.

2. Dieser eine Gott ist – wie anderswo gesagt wird – „der Gott *aller*, der Juden und der Heiden – nach der paulinischen Terminologie –: der eine Gott aller Menschen. „Oder ist Gott allein der Juden Gott und nicht auch der Heiden? Ja, auch der Heiden Gott, da Gott nur einer ist" (Röm 3, 29f). „Denn es ist kein Unterschied zwischen Jude und Grieche. Denn ein und derselbe ist der Herr

aller" (Röm 10, 12; vgl. 1 Tim 2, 5). So wird auch jene hellenistische Akklamation aufgenommen, freilich in christlichem Sinn interpretiert, und auf diesen einen Gott bezogen: εἷς θεός (vgl. Eph 4, 6), wobei in diesem Zusammenhang noch zu bemerken ist, daß dieser eine Gott, der Eine gegenüber den vielen Göttern, als der eine Gott aller Menschen auch der einigende Gott ist, der alle, die ihn anrufen, zu sich zieht und auf sich bezieht.

3. Dieser eine Gott – im Gegensatz zu den vielen Göttern der Gott für alle Menschen – ist nun aber selbst *ein* Gott in dem Sinn, daß es keine Abstufungen seines Wesens gibt, Emanationen, sondern der, wenn er gegenübertritt, uns immer in seiner Einheit entgegentritt; der eine Gott gegenüber den Göttern, der eine Gott für alle Menschen, der einheitliche insgesamt – wenn man so sagen darf (vgl. Gal 3,20).

4. Der eine Gott ist auch der alleinige Gott, der „Allein-Gott", μόνος θεός, ist, wie in den Pastoralbriefen formuliert wird, was wir auf die Einzigkeit dieses Gottes als Gott, das Einzigartige, Singuläre des göttlichen Wesens (z. B. 1 Tim 1, 17; 6, 15) beziehen müssen.

5. Damit deutet sich aber auch schon an, daß dieser eine Gott gegenüber den vielen Göttern, der eine Gott aller Menschen, der eine Gott, der keine Emanation kennt, in sich einheitlich ist, der Gott, der der einzige Gott ist, nun auch der *wirkliche* Gott ist. Die vielen anderen Götter sind sogenannte Götter (λεγόμενοι), sind εἴδωλα genannt – wobei der Begriff εἴδωλα zwischen „Götzen" und „Götzenfiguren" schwankt. Man könnte sagen: die Götter sind nur Götterfiguren. Himmel und Erde sind aber mit ihnen erfüllt, und sie haben im Himmel und auf der Erde ständig Einfluß auf den Menschen, denn sie haben Macht; die Menschen schenken ihnen ihre Macht. Sie sind „Mächte und Gewalten", δαιμόνια (1 Kor 10, 20), aber eben als Dämonen. Als Mächte und Gewalten, als Götter, εἴδωλα, sind sie nicht Gott: Gott ist anders. Auch Gott hat Macht, er hat Allmacht, aber nicht jede Macht ist auch schon Gottes oder göttlich im Sinn des Gottes, der Gott ist. Paulus unterscheidet hier bewußt zwischen Gott und Göttern, und so schreibt er an die Christen in der kleinasiatischen Landschaft Galatien, denen der Abfall zu einem Christentum moralischer Leistung droht: „Damals habt ihr Gott nicht ge-

kannt und den Göttern gedient, die von Natur (φύσει) – in sich – nicht Götter sind. Nun aber habt ihr Gott erkannt (als ihr zum Glauben kamt), vielmehr seid ihr von Gott erkannt worden (denn das Erkennen Gottes ist immer ein Von-Gott-erkannt-worden-Sein). Wie könnt ihr wieder zu jenen schwachen und armseligen Elementen zurückkehren" (Gal 4, 9), unter denen man die mit göttlicher Macht beseelten Gestirne zu verstehen hat. Sie hatten Götter gekannt und im Kosmos die vergöttlichte Welt, die freilich gerade deshalb unheimlich war und sie in den Bann ihres Gesetzes zwang.

Aber – sagt Paulus – diese Götter sind Nicht-Götter, sind in keinem Sinn Gott, wie Gott Gott ist; sie waren nicht von Natur und an sich Götter, nicht wirkliche Götter, sie waren nur Scheingötter, gemessen an der Wirklichkeit Gottes. Sie waren nur Götter der existentiellen Phantasie, phantastische Götter, gemessen an der reellen Realität Gottes. Jener eine Gott, von dem her, durch den und zu dem hin alles ist und vor dem alles ist, was sich vollzieht, der uns sein läßt, ist nicht nur einer der Götter, die in Wirklichkeit Nicht-Götter sind, sondern der wirkliche Gott. Er ist Gott als der einfache, der wahre, der lebendige Gott, zu dem man sich kehrt, wenn man Christ ist, der allein uns der lebendige Gott ist (2 Kor 3, 3; 6, 16). „Wir haben unsere Hoffnung auf den lebendigen Gott gesetzt" (1 Tim 4, 10). Aber eben diesen kannten die Heiden nicht; ihre Götter sind Schein-Götter. Ihre Götter sind im Gegensatz zum lebendigen Gott tote Götter. Denn sie schaffen nicht Leben, sie rufen nicht ins Dasein, was nicht ist. Sie wecken nicht die Toten auf, sie sind bloße Mächtigkeiten für die Lebenden, im Grunde „Nichtse". Daher werden die Heiden auch als solche bezeichnet, „die Gott nicht kennen" (1 Thess 4, 5), oder als ἄθεοι, als „Atheisten" – das kann man auch sein, wenn man viele Götter hat, das ist man auch ohne Gott. Wenn man Gott nicht hat oder nicht erkennt, als von ihm nicht erkannt lebt, hat man viele Götter, wobei man nur bedenken muß, daß sich diese Götter immer wandeln, vor allem –, daß sie unter dem Einbruch des wirklichen Gottes in die Welt, durch sein Offenbarwerden in der Welt, schärfer, härter und vor allem abstrakter werden. Die Götter entfliehen dem Gott, der Gott ist. Aber freilich, ihre Flucht ist Flucht in die Tarnung und in die Abstraktion. Nun wird die Welt – denn sie ist ja doch in den Göttern Gott –, der divinisierte Kosmos, entdivinisiert, entgöttlicht. Es wird die Welt weltliche Welt (worüber auch Theologen entzückt sind). Aber siehe da, die weltliche Welt, was ist sie? Sie ist ein Gott und kann ein Gott werden und wird ein eschatologischer Gott, der Gott am Ende der Zeit. Der Gott am Ende der Zeit ist jener weltliche Gott (2 Thess 2, 2).

4. Der transzendente Gott

Aber gegenüber den Scheingöttern muß man hervorheben, daß dieser Gott der transzendente ist, das heißt, daß er der Gott ist, der sich in der Tiefe seiner selbst nicht verliert, wohl aber sich ihr entzieht. Gott ist nicht Mensch, er ist ihm entgegengesetzt (1 Thess 2, 13; 4, 8), er ist auch nicht der Kosmos. Gott und Welt stehen sich inkommensurabel gegenüber (2 Kor 7, 10). Gottes Weisheit ist unvergleichbar mit menschlicher Weisheit, und die menschliche Weisheit hat keine Beziehung zur göttlichen Weisheit. Die göttliche Torheit, also Dummheit Gottes, ist weiser als die Weisheit der Menschen, und die Schwachheit Gottes ist stärker als die der Menschen (1 Kor 1, 21) und zeigt die Inkommensurabilität Gottes. „Die Weisheit dieser Welt ist Torheit bei Gott" (1 Kor 3, 19). So ist der Gott, der Gott ist, der unvergleichliche Gott, der in seinem Wesen über alles hinausgeht.

Natürlich ist er deshalb auch in Zusammenhang damit der in seiner Weltüberlegenheit grundsätzlich unfaßliche Gott. Er ist der Unsichtbare (Röm 1, 20), er ist unvergänglich, unverweslich, ἄφϑαρτος (Röm 1, 23; 1 Tim 1, 17). Er wohnt in der ἀφϑαρσία, die seine Dimension ist (Eph 6, 24; 2 Tim 1, 10), er ist der ewige Gott (Röm 16, 26; 1, 20), der Anfang- und Endlose, der jenseits der verlaufenden Weltzeit seine Zeit hat – das ist mit „ewig" gemeint –, seinen Tag, seine Stunde, sein νῦν hat, seinen Augenblick, der eben keine Zeit ist und doch mehr Zeit ist als Ewigkeit. Er ist der Gott, der mit jenem Prädikat der Götter insgesamt bezeichnet werden kann (1 Tim 6, 15), welches aber einen anderen Sinn gewinnt, nämlich von Gott selbst her. Er ist der μακάριος – denn von der Seligkeit der Götter reden alle Menschen. Er ist die „Seligkeit der Seligkeiten" – ein Versuch, das Über-alles-Hinaus auch auf solche Weise deutlich zu machen.

Das sind eigentlich die einzigen Essenzurteile, die der Apostel bzw. seine Schule über Gott zu fällen wagt; dabei kann man noch betonen: meist auch nur dort, wo Paulus in traditioneller Sprache spricht, zum Beispiel in liturgischer Diktion. Aber diese Urteile zeigen, daß dieser Gott der Gott ist, der sein Wesen in Unfaßlichkeit und Unbegreiflichkeit hat in seiner Weltüberlegenheit, die alles übersteigt. Dies kommt besonders feierlich und prägnant zugleich in der liturgischen Sprache einer Stelle des 1. Timotheusbriefes zum Ausdruck. In 1 Tim 6, 14ff ist von der Epiphanie unseres Herrn Jesus Christus die Rede, „die zu seiner Zeit sehen lassen wird der Selige und allein Mächtige, der König der Könige und Herrscher der Herrscher. Er allein hat Unsterblichkeit, der in unzugänglichem Licht wohnt, das kein Mensch gesehen hat noch sehen kann. Ihm sei Ehre und ewige Herrschaft. Amen." „Der in unzugänglichem Licht wohnt" – dieser Begriff etwa ist bezeichnend. Dieses Licht, in dem er wohnt, das den darin Wohnenden verbirgt und offenbart, ist mit anderer Terminologie das Licht seiner δόξα, seiner Glorie, in der er sich nicht nur offenbart, sondern zugleich immer auch verbirgt; offenbart, soweit er sich darin auch verbirgt.

Die Glorie – der Glanz seiner Macht, die Macht seines Glanzes (eigentlich das Gewicht seines Glanzes) – ist unbegreifliche, unerträgliche Macht, Wesensglanz von der Glorie (Röm 6, 4; Eph 1, 17); es ist der ständige Machtglanz des Reichtums der Glorie (Eph 3, 16) oder der Gewalt seiner Glorie (Kol 1, 11), also der Gewalt, des Gewichtes, der Macht dieses seines ihn umhüllenden, aber auch damit schützenden und sich offenbar immer wieder entziehenden Göttlichen. Es ist die Glorie seines Mysteriums. So sagt Kol 1, 27 auch einmal: „Ihnen wollte Gott kundtun, welches der Reichtum der Glorie des Mysteriums unter den Heiden sei ...", welches Mysterium bezeichnenderweise in seiner Glorie in Christus Jesus offenbar wird. Diese Glorie ist Wesen in seiner unzugänglichen Dimension, das, was der Gott, der Gott ist, immer auch zurückbehält, das, was nicht von Gott erkannt werden kann und was sein Erkennen immer zu einem Erkennen des geheimnisvollen Gottes, eben des sich immer im Geben entziehenden Gottes, macht, also des unerkennbaren, der sich zu erkennen gibt, des sichtbaren Gottes, der unsichtbar bleibt (Röm 1, 19f).

Das unsichtbare Licht, die Glorie, in der der sich offenbarende Gott auch verborgen ist in dem Sinne, daß er unzugänglich bleibt, nennt Paulus auch einmal „die Tiefen Gottes", τὰ βάϑη τοῦ ϑεοῦ, in die Gott sich als Gott immer zugleich entzieht, die Tiefen seines Wesens, wie Paulus 1 Kor 2, 10f sagt, die nur Gott selbst durchschaut und erforschen kann, in die nur Gott eindringen kann, die nur der „Geist" – Gottes Geist, Gottes sich erschließende Macht des Geistes – erforscht, die sich nur Gott selbst erschließen kann, in denen sich Gott als Gott verbirgt und birgt. „Der Geist erforscht alles, auch die Abgründe Gottes. Denn wer von den Menschen weiß um sich selbst – um das, was der Mensch ist – außer der Geist des Menschen, der in ihm ist. So hat auch niemand Gottes Wesen (τὰ τοῦ ϑεοῦ) erkannt außer der Geist Gottes." Der Gott, der Gott ist, liegt nicht zutage, sondern ist, indem er zutage tritt, auch immer in das Geheimnis, in die Tiefen, in die Abgründe seines Wesens verborgen. Auch seine Unsichtbarkeit, Unverweslichkeit, Ewigkeit liegen sozusagen nicht einfach zutage. Der Gott, der Gott ist, reicht in seinem Wesen immer auch in das Unbekannte, Unzugängliche seines Lichtes hinein, und immer offenbart er sich aus und mit solcher Tiefe seiner selbst als der unfaßbare, unvergleichliche, wirkliche, wahre Gott, als der einzige Gott, vor dem alles ist und der alles, was ist, sein läßt, der Gott, der uns als unsere nächste Nähe umgibt, der zugleich die fernste Ferne ist. Gott kommt in solcher Tiefe vor.

5. Der offenbare Gott

Aber dieser Gott offenbart sich nun auch. Das gehört zu seinem Wesen: Er ist *offenbar*. Dieser eine und wirkliche Gott – nicht einer der Götter, sondern der Gott, der Gott ist –, der im Geheimnis seiner selbst sein Wesen hat, hat sich der menschlichen Erfahrung auch enthüllt. Er offenbart sich nämlich zunächst als Schöpfer in der Schöpfung. Er gibt sich bekannt, er ist τὸ γνωστόν (Röm 1, 19f), eben das, was Gott selbst zu erkennen gibt. Es ist der Gott, sofern und soweit er sich zu erkennen gibt; denn er behält sich eben bei diesem Sich-zu-erkennen-Geben immer auch in Unerkennbarkeit zurück, und so ist dieser Gott, der sich zu erkennen gibt, soweit er sich zu erkennen gibt, den Menschen φανερός, offenbar. Er liegt ihnen zutage, er ist offenbar in der Weise, daß er sich offenbar gemacht hat und offenbar macht, und zwar – wenn wir uns an die angegebene Stelle im Zusammenhang erinnern – so, daß er, sein unsichtbares Wesen – τὰ ἀόρατα –, seit der Schöpfung der Welt am Geschaffenen denkend wahrgenommen werden kann (Röm 1, 20). Das Geschaffene also gibt an sich selbst Gott in seinem unsichtbaren Wesen der denkenden Wahrnehmung bekannt, soweit Gott sich – muß man immer hinzudenken – zu erkennen gibt. Das Geschaffene – das All; der Kosmos, die Menschheit – fängt ihn damit nicht als den sich in seiner Unsichtbarkeit offenbar Gebenden in sich ein, bannt ihn nicht in sich selbst hinein, in sein Weltwesen. Er bleibt immer als der sich in solcher Weise offenbarende Offenbarer, der sich *selbst* offenbart. Aber eben in dieser Freiheit der Selbstoffenbarung gibt er sich zu erkennen, und zwar in der Weise, daß das Geschaffene auf ihn weist, ihn damit im Hinweis aufweist und in solchem hinweisenden Aufweis die Schöpfung auf ihn anweist und er also mit dem νοῦς wahrgenommen werden kann. Schon die Schöpfung ist eine Gabe, die auf den Gebenden, auf den sich damit zu erkennen gebenden Gott hinweist.

In welcher Weise? Nicht in der Weise, daß damit Gott bewiesen werden kann, sondern so, daß, wenn man schon von Gottesbeweisen spricht, man sich erinnern muß, daß sie sich abspielen im Denken des Glaubens. Wie kann er erkannt werden? Er kann aus dem Geschaffenen denkend wahrgenommen werden, aber nicht daraus bewiesen werden. Das ist ein Unterschied. Der Apostel Paulus, der sich in Röm 1 weithin der stoischen Terminologie bedient, trägt nicht den stoisch-kosmologischen Gottesbeweis vor. Für ihn vollzieht sich das Wahrnehmen Gottes durch das Geschaffene nicht in schlußfolgerndem Verfahren, das die Vernunft – in unserem modernen Sinn – überzeugt und das Resultat allgemein unausweichbar macht, sondern für Paulus ist dieses καθορᾶν ein Denken, das durch die Wahrnehmung dessen, was wahrgenommen werden kann – nämlich jener Hinweis der Schöpfung auf den Schöpfer –, überführt wird in Zusammenhang mit der gesamten Existenz des Menschen.

Dem entspricht dreierlei:

1. Die Weise, wie Gott sich aus dem Geschaffenen zu erkennen gibt, nämlich so, daß das Geschaffene den Aufweis und Hinweis auf Gott vollzieht und auf Gott anweist, daß das Geschaffene als von Gott Geschaffenes sich auf sich ruhen, weil aus sich erzählen läßt. „Und sie vertauschten die δόξα des unverweslichen Gottes mit einem Götzenbild" (Röm 1,23); gemeint ist: sie vertauschten das am Geschaffenen Aufleuchtende von Gottes Schöpfermacht mit einem Kreatürlichen, das als Bild eines Gottes nur auf die Kreatur selbst wiederum zurückweist, auf die eigene „Glorie" der Schöpfung weist; der Machtglanz jedoch dringt aus ihr hervor, weil sie Gottes Geschaffenes ist, so daß der Glanz, der auf der Schöpfung liegt, diesen Gott hinweisend zu erkennen gibt, dem wahrnehmenden Denken ein-leuchtet.

2. Dem entspricht ein Zweites: Auf welchen Gott weist der Glanz der Schöpfung als Schöpfung hin? Nun, Paulus sagt es selbst: auf den Gott in seiner ewigen Macht und Gottheit (Röm 1, 20) als auf Gott, den Schöpfer, in seiner unvergänglichen Allmacht, transzendenten Schöpfermacht und in seinem Gottsein.

3. Aber noch ein Drittes ist zu bedenken: Wie weist die Schöpfung auf den Schöpfer hin? Sie weist in dieser ewigen Macht und Gottheitlichkeit – wenn wir so für θειότης sagen – so auf den Schöpfer hin, daß er vom Geschöpf Dank und Lobpreis fordert. Dieser Hinweis ist also zugleich ein Anspruch, und das Eingehen auf diesen Hinweis ist eben nicht nur eine Sache der abstrahierenden Vernunft, sondern primär und zuvor eine Sache des Herzens, nämlich dessen, daß sich der Mensch in seiner Existenz Gott verdankt und sich ihm verloben will. Im Grunde offenbart sich Gott durch das, was er geschaffen hat, so, daß alles Geschaffene in sich und an sich seinen unzugänglichen Machtglanz ausstrahlt und darin in anschauendem Denken oder in schauendem Andenken, im Nachdenken, dankendes Anerkennen seines ewig-mächtigen Gott- und Schöpferseins erweckt. Das ist natürlich etwas ganz anderes als das, was jene abstrakte, das Verhältnis zu Gott kontrollierende Vernunft und jene reduzierten Gottesbeweise sagen wollen. Damit verbleibt Gott Gott und der Mensch Geschöpf. Das Verhältnis Gott – Mensch ist auch schon in diesem Bereich der „natürlichen" Wahrnehmung Gottes ein existentielles in vollem Umfang. Es gibt keine Gotteserkenntnis, die

nicht in der Weise geschieht, daß sich dabei der Mensch Gott verdanken will. Es gibt kein Nachdenken Gottes aus der Schöpfung, das nicht ein Andenken Gottes in Dank und Lobpreis ist. Dieses aber gibt es, und daraus mögen im weiteren Durchdenken der Sache auch die einen oder anderen Gottesbeweise fließen. Aber sie müssen verwurzelt sein in jenem Grundverhältnis von Schöpfer und Geschöpf.

Man kann denselben Sachverhalt mit dem Apostel Paulus auch anders beschreiben, nämlich dahin, daß Gott der Sich-offenbarende ist, sofern er seine Weisheit, σοφία, aus dem Geschaffenen erblicken läßt und auf dem Wege dieser seiner Weisheit erkannt werden kann und sich erweisen läßt. Das ist in 1 Kor 1,21a angedeutet: „Da die Welt inmitten der Weisheit Gottes (gedacht ist an die Welt als Schöpfung Gottes, der die Welt aus seiner Weisheit hervorruft) Gott nicht auf dem Wege der Weisheit erkannte" – die aus der Schöpfung aufleuchtet. Gott gibt sich also auch in der Weisheit, die aus der Schöpfung spricht und so zum Schöpfer hinspricht, zu erkennen. Der Gott, der Gott ist, der immer der unvergleichbare, unfaßbare, einige und einzige, wirkliche und wahre Gott, ist nicht nur nahe als das Gegenüber, zu dem man betet, dem man danken, den man lobpreisen kann, sondern er ist mehr als nahe: er ist offenbar, da er als Gott aus sich heraustritt, indem er schafft und so sich im Geschaffenen den Denkenden in seinem Gottsein wahrzunehmen gibt, und das heißt u.a. auch in seiner unendlichen Macht und Weisheit, durch welche sich das, was von ihm her ist – also das Geschaffene –, ursprünglich eröffnet. Alles Sein und entsprechend alles Seiende trägt in sich die Weisheit dessen, der es sein läßt, so daß diese Weisheit aus dem Sein und dem Seienden den, der es sein läßt, erkennen läßt dem wahrnehmenden Denken, dem sich Gott verdanken wollenden und ihn lobpreisenden Dank des Herzens, der zentralen Mitte des Menschen. Denn nur dann, wenn ständiges Sichauftun Gottes in dem, durch das und mit dem, was ist – nämlich seine Gabe –, geschieht, wenn ständiges Sichauslegen seiner Macht und Weisheit und seines Gottseins in diesem Geschaffenen geschieht, in der Schöpfung stattfindet, dann ist die Verborgenheit Gottes in dieser Welt und in uns erst in ihrem eigentlichen Sinn zu begreifen. Diese Verhüllung und Verborgenheit Gottes in der Welt weist nicht auf seine Abwesenheit hin – Gott ist immer anwesend, auch in der Weise, daß er sich aufzeigt in dem, was er geschaffen hat –, und es weist erst recht nicht auf seinen Tod hin, wie man heute so leicht daherredet. Gott ist der lebendige Gott, der ewige und immer, auch heute und hier, nahe und aus dem Lebendigen sich selbst kundtuende Gott, der Schöpfer.

Aber er kann natürlich auch der verborgene Gott sein, weil seiner Weise, sich dem Geschöpf zu offenbaren, nicht eine auf diese Offenbarung eingehende, also dankende und lobpreisende Antwort von seiten des Geschöpfes gegeben wird. Er als der sich in der Schöpfung und im Geschaffenen offenbar Machende, und das heißt ja gegenwärtig Schenkende, wird abgewiesen, und dafür tauchen dann andere Götter auf. Der Mensch selbst und seine Welt werden gegen ihn aufgerichtet. Wie soll man sich da wundern, wenn Dank und Lobpreis eben keine Antwort mehr sind, obwohl sie die legitime Antwort wären? Wie soll man sich da wundern, wenn Gott verborgen ist? Dieser Gott ist der verborgene Gott genannt; er kann zwar verborgen auch in einem legitimen Sinne genannt werden, insofern er sich in seiner Offenbarung durch das Geschaffene zwar nicht in die Schöpfung ergießt und verliert, so wie etwa der Schöpfergott der Gnosis, aber in das Geschaffene sich als der Offenbarende zugleich auch verhüllt. Wie soll das Geschaffene diesen Schöpfergott auch in seiner Macht und Weisheit und in seinem Gottsein und in seiner ganzen Fülle zum Ausdruck bringen können?

Das πλήρωμα, die Fülle, der Gottheit (Kol 2,9) ist nur das in Jesus Christus; in ihm wurde es σωματικῶς, leiblich, teilhaftig. Als solches bleibt es ja jedenfalls immer auch verhüllt. Offenbarung des Gottes aus der Tiefe und dem Geheimnis seines Wesens in der Schöpfung, so daß sie von seinem Gottsein, seiner ewigen Macht und Weisheit zeugt, ist ja immer auch Kondeszendenz dieses Gottes, das heißt immer auch Entäußerung dieses Gottes. Dieses Sichgeben des geheimnisvollen Gottes in der Weise der Weisheit und Macht der Schöpfung, die von ihm zeugt, ist immer auch Hingabe, und zwar deshalb, weil es ein Geben in die Schöpfung ist, die ihm dann dient als die hinweisende, ihn aufweisende und sich uns vorweisende. Die Menschen, die das nicht wahrhaben wollen, die also Lobpreis und Dank dieser Hingabe Gottes in der Schöpfung nicht wahrhaben wollen, sehen dann ja nur das Verhüllende dieser scheinbar unenthüllten Kreatur und Menschheit.

Sie sehen Gott nicht mehr! Warum nicht? Weil sie der Weisheit Gottes, die in der Schöpfung liegt, nicht mehr nachkommen bzw. vorher dieser Weisheit Gottes nicht mehr nachdenken. Sie haben keinen Blick für Gott, und ihr Denken vollzieht sich nicht im Herstellen der δόξα, die auf der Schöpfung liegt, und der σοφία, die aus der Schöpfung ruft, sondern ihr Denken vollzieht sich im Dunkel, das sofort eintritt, wo der Blick nicht mehr Anblick des Gottes ist, sondern wo er sich vom Anblick Gottes abwendet und sich zu sich selbst zurückwendet. Der sich im Geschaffenen offenbarende Gott ist also insofern legitimerweise der verborgene Gott genannt, als er nicht auf alle Fälle und nicht nach Belieben vom Menschen erkannt werden kann, sondern nur so, daß sich der Mensch nach diesem Eingehen Gottes in die Schöpfung richtet und sich in seinem Erkennen in adäquater Weise Gott zuwendet, das heißt im dankenden, Gott, den Schöpfer, lobpreisenden Anerkennen.

Deshalb wird von der Verborgenheit Gottes *auch* legitimerweise so gesprochen, daß er sich nicht auf dem Weg der Deduktion beweisen läßt. Oder: Angesichts der Furchtbarkeit der Welt und der Geschichte könne man nicht mehr von Gott reden, Gott – wenn es ihn gibt – sei jedenfalls ein absolut verborgener Gott, aber wahrscheinlich sei er ein toter Gott. Aber eine solche Rede vergißt, daß das Denken, das Von-Gott-Wissen, ein existentielles ist, und das heißt in diesem Fall, daß Gott nur dort begegnet, wo einer sich seinem Gottsein in der Weise öffnet, daß er ihn von vornherein als Gott anerkennt, nämlich im Dank und Lobpreis. „Natürliche" Gotteserkenntnis ist eine existentielle Gotteserkenntnis und setzt also voraus, daß der Offenbarung, die darin geschieht, ein adäquates Verhalten des Geschöpfes vorausgeht. Paulus sagt gegenüber dem Gerede vom verborgenen Gott: Er ist ein offenbarer Gott, aber freilich offenbar nur dem, der sich von diesem Offenbarsein in der Schöpfung weisen läßt auf Gott, den Schöpfer, das heißt ihm Dank und Ehre und Anerkennung zollt. Die Menschen – sagt Paulus in diesem Zusammenhang – können sich nicht entschuldigen mit der Verborgenheit Gottes. Sie versagen sich seinem Offenbarsein, das ja eine ständige Rede Gottes in der Schöpfung ist, ein ständiges Sagen in dem, was ist. Sie versagen sich seiner Aussage in der Schöpfung, in dem, was ist – in welcher Weise, werden wir noch sehen. Bisher sahen wir: indem sie sich nicht ihm verdanken wollen, sondern sich selbst.

Aber der Gott, der Gott ist, offenbart sich noch ganz anders. Zwar ist die Grundstruktur auch dieser anderen Offenbarung Gottes in mancher Hinsicht dieselbe wie die seiner Offenbarung durch das Geschaffene. Denn die andere Selbstoffenbarung Gottes ist ebenfalls Offenbarung des Mysteriums Gottes und als Gottes Offenbarung Hingabe Gottes. Diese Züge der Offenbarung Gottes im Geschaffenen treten in jener anderen Selbstoffenbarung Gottes nur heraus, und dazu kommt noch ein entscheidender Grundzug dieser anderen Selbstoffenbarung Gottes: diese andere und eigentliche Offenbarung Gottes ist nämlich ein Erscheinen und Begegnen Gottes in der Geschichte und durch die geschichtliche Welt. Er offenbart sich nämlich in Israel und dem Israel, und zwar indem er ihm sein Wort schenkt und worthaft in Geschick und Rede oder in Geschichte und Wort bei ihm ist. Dieser Gott im unzugänglichen Machtglanz seines Wesens, der sich mitteilt im Geschaffenen, wählt sich in der Geschichte dieses Volk Israel aus, gewährt sich ihm in seinem Bund mit ihm, schenkt sich ihm in der Fügung seiner Geschichte und offenbart sich ihm zum Verständnis dieser Fügung im ständigen Zuruf und Anruf seines Wortes. Gott, der Gott ist, tritt kraft seiner freien Entscheidung an diesen Ort der Geschichte in solcher Weise als der Gott Israels, Abrahams, Isaaks, Josephs, Moses' und Davids, aus sich heraus und begegnet darin der Welt in solcher Weise an diesem Ort der Geschichte, im Menschenwort der תּוֹרָה, der Bundesweisung und Anweisung, der Verheißung der Zusage Gottes an dieses Volk.

Das ist jedenfalls eine der tiefsten Überzeugungen des Apostels Paulus, eine selbstverständliche Grundüberzeugung für ihn, die er ständig durchreflektiert, z.B. Röm 9–11, weil sie ihm auch in Gefahr sagt, an diesem treuen Gott nicht zu verzweifeln. Hier wird dies nur summarisch mit einem zusammenfassenden Satz des Apostels im Eingang seiner großen Kapitel über das Mysterium Israels wiedergegeben; in 9,4ff sagt Paulus über die

Ἰσραηλῖται: „Ihnen sind die Sohnschaft und die δόξα (die Glorie Gottes, der Machtglanz seines Wesens im Anwesen unter Israel) und die Bündnisse (die immer neu Gott selbst und Israel bindenden Bundesschließungen) und die Gesetzgebung (die Verleiblichung der Bundesweisung Gottes in der Tora) und der Kult (der Dienst, die Gottesverehrung) und die Verheißungen (das sich immer neue Zusagen an Israel); sie haben die Väter (und in ihnen das unerschütterliche Fundament und die unausreißbare Wurzel Israels, den sich Gott und das sich seinerseits Gott geschenkt haben), und aus ihnen zuletzt kommt der irdische Christus (der als der himmlische, das heißt gekreuzigte, Erfüllung aller Zusagen Gottes an Israel ist, sogar die prägnanteste Zusage, sozusagen das Ja und Amen zu diesen Zusagen Gottes)." Aber Paulus kann dasselbe auch viel einfacher und im Hinblick auf das Entscheidende sagen (Röm 3,2), wo er auf die Prärogative Israels gegenüber den „Völkern" zu sprechen kommt. Es sind ihm „die λόγια (Orakelsprüche) Gottes anvertraut worden", Gott hat sich ihm in seinen λόγια anvertraut. Ebendies ist die andere Offenbarung, die mitten in der Geschichte stattfindet, an einem konkreten geschichtlichen Ort und in einem konkreten geschichtlichen Volk.

Der sich offenbarende Gott hat im Sinn paulinischer Theologie folgende Kennzeichen: 1) Er tritt in die Geschichte der Welt hinaus, er läßt auch sie nicht allein, ebensowenig wie er die Schöpfung nicht allein läßt – wie wir gesehen haben –, denn die Schöpfung ist von ihm geschaffen... 2) Aber nun läßt er auch die Geschichte nicht allein; er tut diese Offenbarung, das Hinaustreten, Sichbegegnenlassen, in souveräner Selbsterschließung. 3) Er schenkt sich in aufschließender Nähe der Welt an einem unberechenbaren – historisch gesagt: zufälligen – geschichtlichen Ort. 4) Er offenbart sich einem von ihm erwählten Volk, indem er sich diesem Volk zum Geschick gibt. 5) Er gibt sich diesem Volk zum Geschick und offenbart sich ihm, indem er Israel seinen Anspruch und Zuspruch im Wort der Tora, der „Weisung", und im Wort der Propheten, der Verheißung, schenkt. 6) In diesem Wort an Israel ist er offenbar und doch wieder verborgen, verborgen in der Geschichtlichkeit dieses Wortes und offenbar durch eben dieses geschichtliche Wort. Jedes Offenbarwerden dieses

Gottes im geschichtlichen Wort ist ja wiederum eine Verhüllung des Gottes kraft der verhüllenden, weil eben vergehenden, sich wandelnden Geschichtlichkeit. 7) In diesem Nahegekommensein, Begegnen, Aufgetretensein Gottes in der Geschichte bis in die Geschichte Israels und das Wort an Israel hinein ist Gottes Offenbarung in anderer Weise und in anderer Verhüllung und Enthüllung zugleich Selbstgewährung. Denn in diesem Wort, in dem er sich entbirgt und verbirgt, geschieht auch Selbstgewährung. Sein Nahesein dringt aus der Geschichte als Selbsthingabe in das Wort der Geschichte.

Aber diese Offenbarung Gottes, des einen, in seinem Geheimnis unbegreiflichen und unvergleichlichen, transzendenten Gottes, an Israel, dieser – wenn man so sagen darf – kontingente, vom Historischen her rein zufällig scheinende Aufbruch Gottes in die Nähe der Geschichte durch die Selbsteröffnung im geschichtlichen Wort, der Weisung und Zusage, und in deren Licht auch in dem von ihm gefügten Schicksal dieses Volkes – diese Offenbarung erfüllt sich, das heißt ereignet sich, in voller Klarheit und Schärfe – wenn man so sagen darf – in ihrer Eigentlichkeit und Endgültigkeit in der Person der Geschichte: Jesus von Nazareth. Dieses Sichenthüllen ist zugleich wiederum ein geschichtliches. Es findet statt – das muß man so konkret wie möglich nehmen – in einem Menschen und dessen Lebensgeschick. Nirgendwo in der Welt findet es in seiner Eigentlichkeit und Endgültigkeit statt. als in diesem einen Menschen; in ihm wird Gott gänzlich offenbar. Der Apostel Paulus expliziert diesen so formulierten paradoxen Sachverhalt als solchen mit einer Ausnahme nicht näher; diese Explikation Gottes in einem Menschen – diese Zuspitzung ist mehr der johanneischen Theologie vorbehalten. Natürlich weiß er sicher implizit von der Offenbarung Gottes auch in dieser Weise. Das kommt zum Beispiel zum Ausdruck, wo er davon spricht, daß Gott seinen Sohn gesandt hat (Gal 4, 4) oder unserem Fleisch ähnlich gemacht hat (Röm 8, 3). Aber sonst ist für Paulus diese Selbstoffenbarung Gottes in Jesus Christus entweder Gottes Offenbarung in der Geschichte Jesu Christi beziehungsweise in einem Sachverhalt, in dem des Kreuzes Christi (Röm 3, 21 f), oder die Offenbarung Gottes im erhöhten Jesus Christus an ihn, den Apostel selbst, nämlich die Offenbarung, die in das Evangelium eingeht und durch ihn, den Apostel, mittels des Evangeliums sich vollzieht (zum Beispiel Gal 1,11ff).

Eine theologische Besinnung aufgrund der paulinischen Aussagen muß diese Begrenzung bedenken, kann aber dort, wo es grundsätzlich um die Eigenart des sich offenbarenden Gottes geht, das Ganze, das explizit oder implizit Gesagte, ins Auge fassen. Daher aber ist die Offenbarung Gottes ein nicht mehr nur im Wort Geschehendes und nicht mehr nur im Geschick eines Volkes Sich-ereignendes, sondern sie hat sich sozusagen jetzt auf einen Menschen konzentriert und sich in ihm konkretisiert. Die Kontingenz dieser Offenbarung Gottes ist noch größer geworden als bei seiner Offenbarung in Israel. Jetzt ist es ein Mensch, und in diesem Menschen begegnet Gott. Jetzt hat sich Gott in einem Menschen entäußert und hört doch nicht auf, Gott zu sein, so wie es im Christushymnus Phil 2,6ff heißt: „Der in der Seinsweise Gottes war und doch nicht zu eigenem Gewinn das Gleichsein mit Gott erachtete, sondern sich selbst entäußerte und nahm Knechtsgestalt an und wurde den Menschen ähnlich und in der Erscheinung auch wie ein Mensch erfunden, und er erniedrigte sich selbst und wurde gehorsam bis zum Tode."

In diesem – historisch gesehen – zufälligen Menschen und in seiner zufälligen Geschichte tritt nun aber klarer und überhaupt eindeutiger der Sinn der Offenbarung Gottes heraus, kommt auch das Wesen dieses Gottes in seiner Eigentlichkeit zur Erscheinung: daß er als Gott der sich für die Welt Hingebende, daß er als Gott der Gott für uns und mit uns ist. In diesem Menschen Jesus von Nazareth und in seiner Geschichte erschöpft sich die Offenbarung des sich offenbarenden Gottes, sofern es die letzte, die unüberbietbare, die bis zum Ende und am Ende geltende, die endgültige Offenbarung ist, die sich durch den Geist und das Evangelium erschließt und bis zum Ende der Welt gegenwärtig sein wird. Das alles ist hier nur erwähnt, um zu zeigen, daß der Gott, der Gott ist, der eine, inkommensurable, transzendente Gott, der in der Tiefe seines Geheimnisses ruht, in seiner Macht und Weisheit. Aus dem, was durch ihn als Gewährtes ist, ruft nun auch aus der Geschichte dessen, was ist, von Israel vorbereitet und noch im Dunkel liegend, dann aber in dem einen Menschen Jesus, in dem er sich in seiner Person, Geschichte, Eigentlichkeit und Endgültigkeit offenbart, nicht mehr aufhebbar, nicht mehr revidierbar und infolgedessen auch geschichtlich nicht mehr entrinnbar.

In dieser Eröffnung Gottes, in seiner letzten Eigentlichkeit des Gottes für uns, fällt nicht nur ein helleres Licht auf die bisherigen Aussagen über Gott, sondern enthüllen sich auch noch andere charakteristische Züge, wenn man dem paulinischen Denken folgen will. Von hierher, der Offenbarung Gottes in Jesus Christus, tut sich Gott nicht nur als der hingebende Geber dessen, was ist, auf, sondern auch als der allmächtig waltende, souverän handelnde, seinen Willen und seine Gerechtigkeit durchsetzende Gott, durch den sich Gericht und Heil vollzieht.

6. Der allmächtige Gott

Er erweist sich als der allmächtige Gott, als der Schöpfer, das heißt in der paulinischen Formulierung: als der, „der das, was nicht ist, ins Dasein ruft" (Röm 4,17), dessen Schöpferwort, in dem sein Schöpferruf ergeht, auch über das Nichts Gewalt hat, und zwar so, daß er das Nichts dem Nicht-sein entreißt. Warum ist Sein und nicht Nichts? fragt der Philosoph. Weil Gott Gott ist und dieser Gott der Schöpfer ist! Weil Gott sich als allmächtiger Schöpfer offenbart, aber auch in seinen Erweisen in der Geschichte, vor allem an dem großen Paradigma Israel, das ja, recht verstanden, ein Paradigma der Menschheit überhaupt ist; er ist also allmächtig in seinen Erweisen dieser Geschichte, „mächtig, seine Zusagen zu erfüllen" (Röm 4,21), mächtig, Israel zu schlagen und wieder aufzurichten, mächtig, Israel seine Wurzel zu entreißen, nämlich seine Väter, das Ungläubige, die Heiden, in den edlen Ölbaum einzulassen u. a. m. Das δυνατός bzw. δύναται – „er ist mächtig, er kann" – fällt immer wieder in diesem Zusammenhang; allmächtig ist er vor allem aber – denn hier tritt seine Vollmacht in ihrem letzten geschichtlichen Sinn zutage – als der totenerweckende Gott.

Fast ist diese Glaubensformel, deren sich der Apostel Paulus im Zusammenhang mit den Prädikationen dieses Gottes bedient, ein Titel dieses Gottes geworden: „Er, der Jesus Christus von den Toten auferweckt hat" (Röm 8,9–11). Oder was die Auferwekkung der Menschen von den Toten betrifft: „Gott hat den Herrn auferweckt, und er wird auch uns auferwecken durch seine Macht" (1 Kor 6,14). Dieses Auferwecken von den Toten ist nichts anderes als „eine neue Schöpfung", eine καινὴ κτίσις (2 Kor 5,17), und zugleich eine Endschöpfung. Gott ruft nicht nur das Nichtseiende ins Dasein, sondern auch dieses in das schlechthinnige Leben, das heißt in die schlechthinnige Präsenz vor ihm. Und so steht an der vorhin zitierten Stelle über Gott, den Schöpfer (Röm 4,17), beides nebeneinander: „Gott, der die Toten lebendig macht und das Nichtseiende ins Dasein ruft". Aber auch abgesehen von diesem Erweis von Gottes Allmacht, ist beim Apostel Paulus oft von Gottes δύναμις, ἰσχύς, κράτος, ἐνέργεια die Rede; zum Beispiel wird der mächtige Geber erwähnt, der Gnade gibt, so daß jeder die Fülle hat (2 Kor 9,8): „Gott aber vermag – hat Macht – jede Gnade im Überfluß zu bringen"; er ist ja der Gott, der letztlich „alles in allem sein wird" (1 Kor 15,27ff). Er ist der Gott, der mit seiner Allmacht auch seine Souveränität verbindet, oder umgekehrt: er ist der souverän und frei waltende Gott.

An diesem Punkt kommt man fast an die Grenze des Gottesbegriffes – der souverän und frei waltende Gott in jeder Hinsicht, vor allem in seinem Handeln zum Heil. Er erwählt und bestimmt von Ewigkeit her nach seinem Willen, „nach dem freien Entschluß seines Willens" (Eph 1,5), er beschließt den Gang der Geschichte, wie er will, und setzt ihn durch. Er macht zum Beispiel Zeiten zu Zeiten seiner Geduld (Röm 2,3f; 9,22), aber er beendet diese Zeiten auch und führt die letzte, kritische Zeit herbei, die die Entscheidung fällen muß, weil sie gefallen ist (1 Kor 1,21). Er kümmert sich dabei nicht um die Maßstäbe, wie sie der Mensch hat – auch da zeigt er seine souveräne Freiheit. Er erwählt die in den Augen der Menschen Einfältigen, Schwachen, die sich kaum eine Generation zurückverfolgen können: die Unedlen, um die Menschen mit ihren Maßstäben zu beschämen (1 Kor 1,25ff). Er erwählt auch als Mittel seiner Rettung die Torheit des Kerygmas – man muß diese Paradoxie beachten –, damit sie die Weisheit der Welt aus den Angeln hebe (1 Kor 1,18ff). Er setzt aber selbst, was weise ist – darin zeigt sich seine Souveränität; er setzt selbst, was gerecht ist, und – noch zugespitzter – er handelt so, daß er sich dem Vorwurf der Willkür aussetzen muß. „Zu Moses sagt er: Ich werde mich erbarmen, wessen ich mich erbarme, und werde barmherzig sein, gegen wen ich barmherzig bin" (Röm 9,15). Erbarmen und Mitleid läßt dieser Gott sich nicht vorschreiben bzw. den, dem er Erbarmen zuteil werden läßt. Er erbarmt sich, wessen er will, wann er will (Röm 9,18). Er kennt kein Gesetz über sich, kennt nur das eine freie und souveräne Gesetz, das das seine ist, das sich nicht nach der Menschen Maßstab beurteilen läßt. Er setzt sich sogar dem Vorwurf der Eigensucht aus, nämlich dann, wenn er etwas vollstreckt, „damit durch dich meine Macht erwiesen und mein Name auf der ganzen Erde verkündet werde" (Röm 9,17). Aber es geht tatsächlich um seine Macht und seinen Namen, seine Geltung und Ehre, darum, daß er selbst der Gott bleibe, der unverfügbare, alles verfügende Gott, dessen Überlegenheit auch alle Vorstellungen von seinem Handeln übersteigt, alle Maßstäbe und Lehrurteile zerbricht und der nicht Gott wäre, wenn er nicht dieser Gott wäre.

Wenn man einwendet, daß damit jede Verantwortung des Menschen aufgehoben wird, wenn man fragt: „Was werde ich dann noch getadelt? Denn wer kann seiner βούλημα – seiner Willensentscheidung und seinem Entscheidungswillen – widerstehen?" (Röm 9,19), dann erhält man zuerst die Antwort, daß man als Mensch, als Gebilde des Schöpfers, mit Gott nicht rechten kann – sonst wäre er nicht Gott. Wenn man sagt: Das ist aber doch Ungerechtigkeit bei Gott, dann wird man wieder auf den Anfang gewiesen: Ungerechtigkeit gibt es nicht bei Gott, da er als der souveräne und freie in Souveränität und Freiheit Gerechtigkeit erst setzt und wir angesichts des geschichtlichen Geschehens keine Möglichkeit haben, seine Gerechtigkeit mit den Maßstäben unserer Gerechtigkeit zu messen. Vielmehr auch in dem, was die Geschichte an Willkür – für unser Empfinden – in sich zu bergen scheint, was für den Menschen an Willkür in ihr spricht, offenbart sich das Gottsein Gottes. Das ist freilich selbst nun nicht zum Prinzip zu erheben, sondern Gott ist jedem Prinzip entnommen. Das will jener Versuch des Apostels, gerade am Paradigma Israels den souveränen Gott aufzuweisen, besagen. Das ist freilich nicht anders zu erfahren als im Sichbeugen vor diesem Gott und seinem Handeln. Denn von vornherein tritt das Gottsein Gottes heraus, das noch etwas anderes ist als Allmacht und Freiheit.

Damit kommen wir dem schon näher, was der eigentliche Gott ist. Er ist auch der seinen Willen als seine Gerechtigkeit durchsetzende Gott. 1) Sein Wille, das ist zunächst die alles ins Werk setzende Kraft, die das Heil will. Und das Geheimnis seines Willens ist dies, daß das All in Christus sein Haupt gewinnen, zusammengefaßt und wieder aufgerichtet werde (Eph 1,9). Daß es sich nicht mehr selbst behaupten muß, das ist der Wille Gottes. 2) Auf den Menschen bezogen, heißt das, daß sein Wille ist, daß dieser Jesus Christus in seiner Selbsthingabe sie aus dem Bann des bösen Äons befreit (Gal 1,4) und wir seine Söhne werden (Eph 1,5), so daß er, wenn Gott seinen ewigen Willen durchsetzt, im Blick auf die Menschen nur die ewige Adoption der Menschen einlöst. 3) So ist sein Wille andererseits auch alles, was dieser Menschheit und dem Willen dient, vor allem der Dienst des Apostels und seines Evangeliums; dies ist nichts anderes als die Durchführung des Willens Gottes. Gottes Wille hat ihn zum Apostel gemacht, und nun ist also ganz konkret sein Weg der Weg, der durch den Willen Gottes bedingt ist (Röm 1,10; 15,32). 4) Der Wille Gottes, dessen Geheimnis die Behauptung des Alls in Christus und dazu das Zerbrechen des Weltbanns durch die Selbsthingabe Jesu Christi ist, ist dies, daß Gott sein Gebot, das auf Heiligkeit zielt, erfüllt sehen will.

Dieser Wille hat für Juden schon eine Gestalt in der Tora (Röm 2,18) gefunden, die „die Verkörperung – μόρφωσις – der Erkenntnis und Wahrheit ist" (Röm 2,20), die die Wahrheit enthält und zugleich den Weg, auf dem man zu ihr gelangt. Dieser Wille kommt dann später in dem Zuruf des Apostels von neuem zur Sprache; er zielt darauf, daß das Gute und Vollkommene getan werde (Röm 12,2), er zielt mit anderen Worten auf den ἁγιασμός, die Heiligung (1 Thess 4,3). Aber ist hier nicht etwas sehr Verschiedenes, ja Divergierendes in dem Begriff des Willens Gottes zusammengefaßt? Gottes Wille ist einmal der, der die Wiederaufrichtung des Alls unter der Herrschaft Christi als Erfüllung der ewigen Adoption des Menschen durch Gott sieht, und das, was dazu führt, der apostolische Dienst zum Beispiel; dieses Aufrichten ist eine Seite des göttlichen Willens, die ewige Adoption des Menschen durch Jesus Christus zu erreichen. Andererseits ist Gottes Wille der Wille in seinen Geboten und in der apostolischen

Mahnung, der die Heiligung der Menschen will. Also ist er einmal der Wille Gottes, der sich im Heilsgeschehen vollzieht, und zweitens, der sich in den Geboten und Mahnungen ausspricht und uns mit Heiligung erfüllt.

Aber es ist nichts Disparates oder Widersprüchliches, es ist ein einheitlicher Wille Gottes, sofern ja in der Heiligung, im Vollzug des Guten und Vollkommenen, jene von Gott gewollte Selbsthingabe Jesu Christi, die uns aus dem Weltbann befreit, ihr Ziel erreicht. Gottes Wille ist letztlich – vom Menschen her gesehen – diese Befreiung des Menschen aus seiner Gebundenheit an sich und die Welt, durch sich und durch die Welt. Was Gott will, ist dieses! Und dazu will er das Heil durch Jesus Christus, und er setzt es durch seinen Heilsweg. So kann sein Wille einmal als der Wille zur Heiligung des Menschen und in Hinsicht auf das Ziel des Menschen gesehen werden, ein andermal als Wille zu unserer Befreiung durch die Selbsthingabe Jesu Christi in Hinsicht auf das Mittel, dieses Ziel zu erreichen. In beidem waltet der eine Wille als der eine Wille zum Heil. Der Menschen Geschick ruht in dem Willen Gottes als das Geschick dessen, der seine Heiligung will durch Jesus Christus. Wir könnten freilich von Paulus her auch sagen: In beidem waltet Gottes unerschütterliche, unwandelbare, zuverlässige oder wahre Treue als seine Gerechtigkeit – δικαιοσύνη. Dieser Begriff, der im Horizont des paulinischen Denkens so bezeichnend auftaucht – die δικαιοσύνη τοῦ θεοῦ –, meint primär nichts anderes als die Recht und Gerechtigkeit schaffende, weil Recht und Gerechtigkeit seiende Bundestreue Gottes, jene πίστις τοῦ θεοῦ (Röm 3, 3), von der im Zusammenhang auch gesagt wird, daß sie seine Wahrheit (ἀλήθεια) ist (Röm 3, 7).

7. Die Gerechtigkeit Gottes

Gottes Wille ist diese Gerechtigkeit, und diese Gerechtigkeit, in der sich Gott zunächst in Israel und dann in der Menschheit offenbart, ist seine unwandelbare Treue, die Treue seines Bundes, der Bund seiner Treue. Damit setzt Gott nach seinem Willen immer die Gerechtigkeit selbst, Gerechtigkeit Gottes als der Wille seiner Bundestreue, als der Wille zu Israel und dann zu seiner

Schöpfung im ganzen. Gottes Gerechtigkeit gibt damit immer erst Gerechtigkeit kund und erwirkt damit immer erst Gerechtigkeit. Gerecht ist, was Gott will; was Gott will, ist gerecht. Anders gibt es nicht Gerechtigkeit. Solche Gerechtigkeit ist gesetzt und gegeben im Zuspruch und Anspruch an Israel und in seiner davon bestimmten und darauf reagierenden Geschichte, bezeugt durch Gesetz und Propheten. Sie ist aber erschienen, πεφανέρωται, in Jesus Christus, dem Sühnenden, wie Röm 3,21 ausgeführt wird, und damit im Anspruch und Zuspruch, der eingeht in das die Gerechtigkeit begegnen lassende oder enthüllende, vergegenwärtigende Evangelium (Röm 1,16). In diesem Jesus Christus, in seiner Erscheinung und Offenbarung, in der Hingabe für uns in Kreuz und Auferstehung, zieht die Gerechtigkeit durch Zuspruch und Anspruch den auf sich selbst sich einlassenden Menschen aus sich hervor, zieht die Menschen in sich hinein und macht sie gerecht, rechtfertigt sie. Darin, daß es gerechtfertigte Menschen, nämlich die Glaubenden, gibt, die auf die Gerechtigkeit Gottes eingehen, wird die Gerechtigkeit, Treue, Wahrheit Gottes letztlich realisiert. Darin kommt dann der eine Wille Gottes in der Welt zustande, sein Wille, der auf die Heiligung der Menschen durch Jesu Christi Selbsthingabe zielt, setzt sich durch als seine Gerechtigkeit. Es erweist sich Gott als gerecht und gerecht machend in einem Menschen, nämlich in Jesus Christus (Röm 3,26).

Aber weil Gott diese Gerechtigkeit – wir müssen völlig absehen von unserem Begriff der Gerechtigkeit –, seinen gerechtmachenden Willen, in seiner Treue und Wahrheit setzt, in der Gabe Christi und in ihrem Anspruch, bezeugt von der Verheißung und Weisung, weil diese Gerechtigkeit Gottes sein Wille zum Heil, der Heiligung, ist, ist auch Gott der über seinen Willen wachende und seine Gerechtigkeit hütende Gott. Dieser sein Wille und diese seine Gerechtigkeit haben als solche für den Menschen seinen kritischen Charakter, gerade die Gewalt des Richtenden und des Gerichtes in sich. Dieser sein Wille und diese seine Gerechtigkeit sind nicht eine Idee von Wille von Gerechtigkeit und nicht ohnmächtiger Wille und harmlose Gerechtigkeit ohne Folge. Sie – die Gerechtigkeit Gottes als sein Wille – ist erschienen in Jesus Christus zur Heiligung des Menschen in Gerechtigkeit und Willen des sie eifersüchtig in ihrer Reinheit und Kraft vor Versehrung bewahrenden, allmächtigen und souveränen Gottes.

Deshalb ist Gott auch der vergeltende und richtende Gott. Er ist es nicht trotz seiner sich in all seinem Tun bewährenden Bundestreue, nicht trotz seines Heilswillens, sondern *wegen* seiner heilsetzenden Gerechtigkeit, damit eben dieser Ausfluß seiner Treue zur Schöpfung und zu Israel als Gerechtigkeit und in der Kraft seines die Gerechtigkeit fügenden Heilswillens bestehen bleibe. Seine Gerechtigkeit, im Zuspruch und Anspruch seiner Selbstoffenbarung in Jesus Christus erwiesen, will um der Menschen willen angenommen und getan werden. Ebendeshalb trägt sie kritische Kraft in sich, die kritische Kraft des darin dann auch – nämlich bei der Abweisung der Gerechtigkeit – vergeltenden und richtenden Gottes.

So ist Gott nicht nur der Gott, vor dem alles, was die Menschen tun und sind, offenbar ist und wird, nicht nur der Gott, der alles weiß (2 Kor 11, 31; 12, 2.3), der alles durchschaut (1 Kor 3, 20), sondern auch der die Herzen erforscht, also die zentrale, dem Menschen selbst und den anderen verborgene Mitte (Röm 8, 27), Gott, der aufdeckt (Röm 2, 16), der prüft (1 Thess 2, 4) und der dann vergelten, das heißt bestrafen oder belohnen wird (zum Beispiel Röm 12, 19), und zwar zukünftig vergelten wird, das heißt – wie Paulus formuliert – „am Tage des Zornes und der Offenbarung des gerechten Gerichts Gottes" (Röm 2, 5 ff), an dem endgültig „einem jeden vergolten wird nach seinen Werken", so daß die eigentliche, letzte, entscheidende Krise des Lebens in Hinsicht auf Person und Tat immer noch aussteht, solange wir leben (2 Kor 3, 14); aber er ist nicht nur der zukünftig vergeltende, strafende und belohnende Gott, sondern der auch schon gegenwärtig, das heißt innerhalb unseres Lebens und der Geschichte kritisch begegnende Gott. Man kann sich den Sachverhalt am besten im Zusammenhang mit einem vom Apostel Paulus hierbei oft verwendeten, von ihm selbst aus dem Alten Testament übernommenen Begriff klarmachen, nämlich an der ὀργὴ τοῦ θεοῦ, dem Zorn Gottes.

Diese ὀργὴ τοῦ θεοῦ ist natürlich nicht ein Affekt oder eine Eigenschaft Gottes, sondern meint sein Zorngericht, das Gericht voll Zorn, das Verderben und Untergang oder – wie es auch heißt – Vernichtung und Tod bereitet (Röm 9,22; 2,5.12; Phil 1,28), das der Gegensatz ist zur ζωὴ αἰώνιος, zum ewigen Leben, oder zur σωτηρία, zum Heil (1 Thess 5,9; Phil 1,28). Dieser Zorn wird sich in der Zukunft als die vernichtende Kraft des göttlichen Heilswillens, wie er in Jesus Christus erschienen ist und in seinem Anspruch zu Wort kam oder in seiner Weisung und Zusage an Israel zur Sprache gekommen ist, erweisen. Weil es ein Heilswille oder eine Gerechtigkeit Gottes ist, die nicht harmlos, nicht unwirksam ist, wird diese selbst sich sozusagen Vernichtung und Untergang verschaffen. Dieser Zorn wird sich als die tödliche Macht des abgewiesenen Heilshandelns Gottes, der verworfenen Gerechtigkeit und Wahrheit seiner Bundestreue erweisen. Aber er ist als der versehrende Zorn auch jetzt schon wirksam, „denn offen begegnet – ἀποκαλύπτεται – Gottes Zorngericht allem Frevel und aller Ungerechtigkeit der Menschen, die die Wahrheit – nämlich Gottes offenbare Wirklichkeit in der Schöpfung – in der Weise von Ungerechtigkeit niederhalten" (Röm 1,18). Fragt man aber, in welcher Weise solcher Groll des Weltgerichtes jetzt schon vom Himmel herab ausbricht, dann erhält man die Antwort: in der Weise, daß Gott die Menschen in ihr Begehren entläßt, durch das sie sich gegenseitig zerstören. Denn dieses Begehren eröffnet eine Flut sich steigernder Laster und Untaten (Röm 1,24).

Mit anderen Worten: Der Zorn Gottes läßt in der Menschengeschichte seine Verderbens- und Vernichtungsmacht begegnen, etwa in der Weise des Verfalls des menschlichen Miteinanderlebens, welcher Verfall immer eine Folge der Abweisung der Wahrheit und Wirklichkeit Gottes und zugleich eine Preisgabe durch Gott an die Götter ist, also an die Menschen selbst und an die Welt als Gott. Ist das in Röm 1,18 ff im Blick auf die Selbstversehrung der heidnischen Welt gesagt, so gilt es analog auch von der nachchristlichen Welt, die sich aber dadurch unterscheidet, daß sie glaubt, daß ihre Versklavung Rettung wäre und nicht Preisgabe, daß sie Freiheit wäre und nicht Sklaverei, daß sie Erhaltung des Lebens wäre und nicht Selbstruin. Das, was sich schon in der menschlichen Geschichte vollzieht, weist aber nicht nur der Menschen Unrecht auf, sondern in einem damit auch schon den

Groll Gottes, der sie daran preisgibt, der sie in ihre Verworfenheit verwirft (Röm 1,24ff).

Erst wenn man dies bedenkt, versteht man die paulinische Rede von der χάρις und ἀγάπη Gottes. Sie meint nicht, daß Gott der unerbittliche, unbestechliche, seine Gerechtigkeit behauptende, gerechte Richter wäre, sondern daß er dies in seinem eigentlichen Wesen nur wider Willen ist, daß sein eigentlicher, innerster Wille seine Bundestreue ist, der Wille zum Heil, freilich zum Heil der Heiligkeit, der ja das unaufhörliche und endgültig waltende Zorngericht, das ihm die Menschen sozusagen durch ihr Versagen aufnötigen, letztlich in Jesus Christus durchbrechen will und fortwährend durchbricht. Unser Rettergott will, „daß alle Menschen gerettet werden und zur Erkenntnis der Wahrheit gelangen" (1 Tim 2,4). Das meint in diesem Zusammenhang: zur Erfahrung der Wirklichkeit kommen. Als solcher offenbart sich Gott durch das Gericht seines versehrenden Willens hindurch immer aufs neue, und in allem offenbart sich dies als sein ihm eigenes Tun. Seine Gerechtigkeit, seine Gerechtes setzende und Wahrheit eröffnende Bundestreue, besteht in ihrer das Äußerste enthüllenden Erscheinung Jesu Christi, der uns annimmt, das heißt, der uns auf sich nimmt und aushält, in dem uns umsonst alles gewährt wird (Röm 8, 32).

In diesem Zusammenhang, den wir natürlich noch zu klären haben, wird nun auch noch von dem Gott, dessen Zorngericht zu fürchten ist, der deshalb selbst zu fürchten ist, als dem gesprochen, der nicht nur der geduldige (Röm 2,4; 9,22) und der gütige (Röm 2,4) und strenge (Röm 11,22), sondern auch der erbarmende Gott ist (Röm 9, 16; 12, 1 u. a.). Bezeichnend ist der unvollendete Satz, der in Röm 9,22ff im Blick auf Israel und die Völker gesprochen ist: „Wenn nun Gott, der seinen Zorn aufweisen und seine Macht erfahren lassen will, in großer Geduld die Gefäße des Zornes, die reif sind zum Untergang, getragen hat und wenn er den Reichtum seiner Herrlichkeit erfahren lassen wollte an den Gefäßen seines Erbarmens, die er im voraus zur Herrlichkeit bereitet hat...", dann ist er doch inmitten seines Zornwesens, seines Gerichtes, nicht nur der geduldige, sondern auch der erbarmende Gott, dessen Gnade – χάρις – und Gabe – δωρεά –, nämlich die Gnade in der Gabe des einen Jesus Christus, die unvergleichlich die Verfehlungen der Menschen übersteigen und überschwenglich sind (vgl. Röm 5, 12f). Er ist der Gott, der zu Israel, das sein Gericht erfährt und das es wiederholt erfahren hat, gerecht ist (Röm 10, 21), und er ist der Gott, von dem Isaias im Blick auf dieses Volk „zu sagen wagt", wie Paulus ausdrücklich formuliert: „Ich ließ mich finden von denen, die mich nicht suchten, und wurde offenbar denen, die nicht nach mir fragten" (Röm 10, 20).

Grundlos und alle Tage neu ist die überschwengliche Gabe seiner suchenden Neigung zu allen Menschen. Sie bestimmt durch die Wolke seines Zornes hindurch sein Heilshandeln auch im einzelnen, er, „der uns nicht zum Zorngericht, sondern zum Erwerb des Heiles durch unseren Herrn Jesus Christus gesetzt hat" (1 Thess 5, 9), der uns zum Heil erwählt (2 Thess 2, 13), bestimmt (Eph 1, 4), erkennt (Gal 4, 9; 1 Kor 8, 3), der uns gerufen hat und ruft (1 Thess 5, 24; 1 Kor 1, 1.26), der uns als die Gerufenen neu schafft (Eph 2, 10), der uns duldet, der uns mit seinem Geist versiegelt (2 Kor 1, 21f), der uns in solcher Weise rechtfertigt, so daß unser Leben endlich ein gerechtfertigtes ist (Röm 8, 30), der uns Weisheit und Einsicht schenkt (Eph 1, 8), der uns Gaben verleiht (2 Kor 6, 4ff), der uns nicht über die Kraft versucht werden läßt (1 Kor 10, 13), der uns behütet und bewahrt (1 Thess 5, 23), der sich der Schwachen im Glauben annimmt (Röm 14, 3), der uns beisteht (2 Tim 4, 16f), der uns tröstet (2 Kor 1, 3) und der uns als der Gott des Trostes Trost und als der Gott der Hoffnung Hoffnung gewährt (Röm 15, 13), der unser Begreifen, Denken und Empfinden übersteigt, der Friede gibt als der Gott des Friedens (Phil 4, 7) und der uns in jeder Weise segnet (Eph 1, 3).

In all diesem ist er der Gott des Zornes, der sozusagen unfreiwillig seinen Zorn walten lassen muß, weil es seine Gerechtigkeit und Treue zum Heil des Volkes Israel und der Menschen verlangen. Er ist der Gott der Liebe, der sich in Jesus Christus erwiesen hat und ständig auf uns gerichtet ist (Röm 5, 8) und uns mit sich in Christus in unzertrennlicher Liebe verbindet, diese seine Liebe durch seinen Geist in unsere Herzen eröffnet u. a. m. Das heißt: in alldem ist er Gott *für* uns – ὑπὲρ ἡμῶν (Röm 8, 31); in alldem ist dieser Gott aus Gnade, nicht um unserer Natur und Leistung willen der Vater – der πατήρ (1 Thess 1, 1), „unser Vater" (1 Thess

1,3 u.a.). In alldem ist er derjenige, der in seiner Zuneigung uns in seiner Treue bewahren will. Aber in allem ist er auch der Gott, der alles zur Verherrlichung tut und geschehen läßt und dem deshalb Ehre und Dank gebührt. Denn seine Gerechtigkeit, Bundestreue, das ist seine Wahrheit, ist des Menschen Heil und Gericht, so daß – wie es einmal der Hymnus in Eph 1,4ff erkennen läßt – in seinem Heilshandeln die Gnade im Lobpreis ihrer selbst aufglänzt, daß er der seine Gerechtigkeit, die eigentlich in seinem innersten Wesen seine Liebe und Gnade ist, und Allmacht und Souveränität durchsetzende Gott ist, der sein Gottsein schon im Geschaffenen, dann im Wort der Weisung und Zusage an Israel und in der Verfügung über sein Geschick offenbart, der sich zuletzt und endgültig in Jesus Christus als der Gott, der für uns ist, in Hingabe eröffnet, freilich – vergessen wir das nicht – auch als solcher, der immer im Geheimnis seiner selbst noch verborgen bleibt und der auch in all seinen Entscheidungen und Wegen immer der unerforschliche, sozusagen der nicht aufspürbare Gott ist, der eine, wahre, lebende, wirkliche Gott unter den Göttern, vor dem alles offenliegt, der allen von Ewigkeit her zu Ewigkeit nahe ist und gegenübersteht als der, dem die Antwort der Anerkennung und des Dankes gebührt, weil alles, was ist, sich ihm verdankt als dem, von dem her, durch den es ist.

II

Die Welt, wie sie vorkommt

Was ist nun diesem Gott gegenüber im Horizont paulinischen Denkens von der Welt und dem Menschen zu sagen? Beginnen wir mit ein paar Vorbemerkungen, die zunächst die formale Struktur von Welt und Mensch betreffen, wie sie im Licht paulinischer Aussagen erscheint.

Welt ist zunächst alles, was nicht Gott ist, das All, τὰ πάντα. Der wirkliche und lebendige Gott gehört nicht, wie in der Stoa, zur Welt, und sie umfaßt ihn auch nicht, sondern das All umfaßt alles, was im Himmel und auf Erden, in Geschichte und Natur, in Vergangenheit, Gegenwart und Zukunft, und zwar in seiner Gesamtheit und Einheit (Röm 11,36; Phil 3,21; Eph 3,9; 4,10; 1 Tim 6, 13) ist. Zu diesem All gehört natürlich auch die Gesamtheit der Menschen, die unter Umständen auch selbst mit „All" bezeichnet werden können (vgl. Gal 3,22; Röm 11,32), der Mensch – das, was paulinisch und schon alttestamentlich „Fleisch und Blut" heißt –, die Einzelmenschen, aber auch ihre Gesamtheit und die ihr zur Verfügung stehende Schöpfung überhaupt (Röm 1,25; 8,19; Kol 1,15), aber nicht nur diese sichtbare, sondern auch die unsichtbare, nämlich das, was Macht und Gewalt hat, was das über die Menschen hinausgehende Mächtige des Alls ausmacht, seien es Götter oder Dämonen, seien es kosmische Gewalten der Gestirne, seien es auch mächtige Strömungen des Geistes (Eph 2,1ff), sei es das, was mächtig ist, wie sich als Gegenwart die Gegenwart, als Zukunft die Zukunft, als Höhe die Höhe, als Tiefe die Tiefe erfahren läßt (Röm 8,38f).

Das Weltliche ist also keineswegs auf den Menschen reduzierbar und erschöpft sich auch nicht – abgesehen von Gott, der nicht

Welt ist – in dem, was wir Natur und Geschichte nennen. Zum Phänomen des Alls der Welt gehören – formal – auch die Himmel und Kräfte dieser Welt, etwa in der Weise eines mächtigen Namens – ὄνομα – oder auch in der Weise der vielen anonymen, nicht greifbaren und doch durchaus wirksamen Herrschaften oder auch der Macht etwa der Tiefe der Zeit und des Raumes.

Das eigentliche Äquivalent ist nicht das „All", sondern der Begriff des Kosmos, ὁ κόσμος. In ihm kommt das Moment des Allumfassenden nicht zur Sprache, aber er deckt sich der Sache nach mit dem Begriff des Alls weithin. Κόσμος ist zum Beispiel der Ort, an dem es Götter und Herren im Himmel und auf Erden gibt (1 Kor 8,4), er ist aber auch die ganze Welt, die οἰκουμένη (Röm 1,8; 9,17; 10,18). Aber – was wichtig ist – im Begriff κόσμος ist nicht mehr der griechische Begriff von Ordnung spürbar, denn die Welt ist im Horizont paulinischen Denkens nicht mehr harmonisch. Welt ist schon ihrer formalen Struktur nach eigentlich ein vielschichtiges, rätselhaftes Gebilde, ein unabsehbares Ganzes und Ineinander von hereinstürzenden Machtphänomenen und einer gleichsam sich dazu behauptenden Erde mit ihren Himmeln (Phil 2,15).

Diese Welt mit ihren Göttern, Engeln, Elementen, Kräften, Völkern, Generationen, Geschlechtern und einzelnen Menschen von Fleich und Blut ist nun aber zugleich der Raum all dessen, was die Welt ausmacht. Mit anderen Worten: diese Welt eröffnet sich auch als die Dimension des Welthaften, Weltlich ist das, woraus sie besteht, und zwar so, daß sie es zugleich in sich Bestand haben läßt. Welt ist das Gesamte der Dimensionen des Daseins und des Daseienden. Man kommt in die Welt (1 Tim 2,15), man trägt hinaus und hinein (1 Tim 6,7), man wandelt in ihr (2 Kor 1,12), man lebt in ihr (Kol 2,20), man kann aus ihr gehen (1 Kor 5,10). Welt ist unter diesem Aspekt der umfassende, sich öffnende, sich einräumende und offenhaltende, alles einbehaltende Ort und Raum, von Weltlichem. Dabei erfährt man sie zugleich als Zeit: der Begriff ὁ κόσμος kann mit αἰών vertauscht werden (1 Kor 1,20; 3,18.19), oder es kann gesprochen werden von αἰὼν τοῦ κόσμου (Eph 2,2). Das zeigt das Ineinander von Raum und Zeit im Weltsein. Welt ist als Raum verstanden, der sich in die Zeit zeitigt, und als Zeit, die sich als Raum extemporiert. Welt ist der Zeitraum oder die Raumzeit. Dabei ist der Begriff ὁ αἰών der sich ins Unbestimmte verlierende Zeitraum.

Bemerkenswert ist in diesem Zusammenhang folgendes: Im Plural kommt ὁ αἰών öfters vor – οἱ αἰῶνες –, und darin kommt der Vorrang dieses Zeitraumes, der die Welt ist in unabsehbaren Zeiträumen, in sich ablösenden, ineinander übergehenden Zeitdimensionen, zur Sprache. Die Äone sind die Weisen, wie Welt vorkommt, die Welt, deren Gestalt vorübergeht (1 Kor 7, 31).

Hier ist nun bemerkenswert: Mit den Äonen bricht die Weltzeit aus der Zukunft hervor. So wird Welt und Zeitgeschehen: sie brechen aus der Zukunft hervor und herein, um im Durchgang durch die Gegenwart Vergangenheit zu werden. In Eph 2, 7 ist von den herankommenden Zeiträumen die Rede, und diese stoßen auf das Gegenwärtige. Von daher ist die Gegenwart auch einmal prägnant genannt: ὁ αἰὼν ὁ ἐνεστώς, „der gegenwärtig hereinstehende Zeitraum" (Gal 1, 4). Umgekehrt kann man aber auch sagen – und es ist von derselben Welt die Rede –, daß sich diese Welt εἰς τοὺς αἰῶνας erstreckt (z. B. Gal 1, 5). Indem ein Äon nach dem anderen aus der Zukunft über die Gegenwart in die Vergangenheit, aus dem Zu-wesen über das An-wesen in das Ge-wesen kommt, bricht sozusagen von dem Ganzen des Zukommenden, der Zukunft, ein Äon nach dem anderen ab, und die Welt, der Zeitraum, dringt so in die Äone vor.

Ein Drittes ist zu bemerken: Von diesen herankommenden Äonen unterschieden ist der eigentliche, nicht in den Vorgang der Äonen einbezogene, vielmehr immer noch vorbehalten bleibende, zukünftige Äon – ὁ αἰὼν μέλλων. Im Gegensatz zu diesem Äon, der eigentlich zukünftige Welt ist, ist unsere Welt immer nur dieselbe Welt (Röm 1, 20). Es ist die sich als weltliche Weltzeit verweisende Zeitdimension, die sich anbietende jetzige gegenwärtige Zeitdimension, die ihre Grenze und dann auch ihre Aufhebung in einer anderen, eben in der schlechthinnigen Zukunft hat.

Doch gibt es noch einen dritten formalen Gesichtspunkt im Ganzen, der für das an Paulus orientierte Weltverständnis von Bedeutung ist. Welt im angegebenen Sinne: Weltraum, der das Weltliche in sich stehen läßt, der den Charakter eines uns Angehenden und eines für uns Maßgebenden hat. Welt ist nicht nur bloß vorkommend und verfügbar, sondern auch, und für das paulinische Denken primär, ein echtes ständiges uns Angehendes, Angreifendes und Anspruch Erhebendes. Sie erhebt zum Beispiel Anspruch auf Sorge und Besorgung (1 Kor 7,33) oder ist der mundus theatri, also: das kritische Forum der Zuschauerschaft von Engeln und Menschen, vor dem sich unser Leben abspielt (1 Kor 4,9) und von dem her es beurteilt wird; oder sie kann auch das Wonach, κατά, unseres Lebenswandels werden, das Maß, der Maßstab, die Maßgabe unseres Lebens. Sie kann uns gebieten (Kol 2,20), ja unter einer bestimmten Voraussetzung – wir werden es noch sehen – verblenden, versklaven (2 Kor 4,4; Gal 4,3.8f), ihr Gesetz diktieren. Sie hat zum Beispiel in ihren Gestirnen δόξα, das im Glanz seiner selbst durchdringende Gewicht einer Erscheinung, sie begegnet in ihrer unterschiedlichen Leiblichkeit in solchem Glanz ihrer selbst sich durchdringenden Erscheinung. Sie begegnet also einheitlich, eindringlich, aufdringlich. Sie geht uns mit ihrem Ansehen an, sie fordert uns mit ihrem Ansehen heraus.

Aber nun ist all dieses in einem bestimmten Sinn auch die Menschenwelt; denn mit „All" können – wie wir schon nebenbei erwähnten – die Menschen gemeint sein (Gal 3,22). Dafür kann es Röm 11,32 heißen: „Denn Gott hat sie alle zusammen in den Ungehorsam verschlossen, damit er an allen Erbarmen übe." Dasselbe gilt erst recht von dem Begriff κόσμος. Κόσμος ist oft nur die Menschenwelt: „Gott wird die Menschenwelt richten" (Röm 3,6; 1 Kor 6,2); diese Welt wären natürlich primär die verantwortlichen Menschen. Deutlicher ist Röm 3,19b die ganze Welt als Menschenwelt verstanden: „... und damit die ganze Welt vor Gott strafwürdig sei"; die Gleichung Welt = alle Menschen findet sich also ausdrücklich. Es gibt aber auch eine andere Stellung, zum Beispiel wenn von der Weisheit die Rede ist (1 Kor 1,20f), die offenbar die menschliche Weisheit ist. Und 2 Kor 5,19 sind natürlich die Menschen gemeint, wie man, wie gesagt, an zahlreichen Stellen auch sonst für „Welt" „die Menschen" sagen kann.

Aber wenn im Horizont paulinischen Denkens die Gesamtheit der Menschen-Welt genannt wird, so zeigt sich damit, daß diese Menschen und die Menschheit nicht nur einen Teil der Welt darstellen, etwa neben den Gestirnen oder der Kreatur im engeren

Sinn, sondern daß Welt in den Menschen offenbar in ausgezeichneter Weise anzutreffen ist. Doch läßt Paulus kaum erkennen, warum und in welchem Sinn dies der Fall ist. Gewiß wird er die atl. Überzeugung teilen, daß die Menschen die Welt beherrschen und bestimmen und sie auch in ihr Geschick einbeziehen. Etwas wichtiger ist eine Andeutung des Apostels in Röm 8,20 über das Verhältnis von Schöpfung und Mensch. Dort ist gesagt, daß die Schöpfung = die Gesamtheit des Geschaffenen von Gott unfreiwillig, also gegen ihren Willen, der Eitelkeit einer nichtigen Welt, die vorgibt zu sein, was sie nicht ist, unterworfen ist. Das Geschöpf ist also durch den Ungehorsam Adams zur nichtigen Schöpfung geworden. Die Welt erschließt sich demnach in ihrer Seinsweise im Menschen. Welt ist als die im Menschen erschlossene Welt. Welt konstituiert sich als diese oder jene Welt, damit aber als Welt überhaupt in dem sie lichtenden und zur Erfahrung kommen lassenden menschlichen Dasein. Welt ist des Menschen Welt nicht nur in dem Sinn, daß sie ihm als seine Lebensdimension zugehört, sondern zuvor in dem Sinne, daß sie als Welt im Lichte der Erfahrung des Menschen aufgeht – die in solcher Erfahrung des Menschen aufgehende und aufgegangene Welt.

Wie aber ist nun der Mensch gesehen, zu dem die Welt gehört und zu der er gehört als zu der in ihm erschlossenen? Vgl. dazu die Aussagen Röm 5,12; 1 Kor 15,20; der Mensch ist der adamitische Mensch, das heißt, daß die Menschen eine gemeinsame Herkunft haben, deren Geschick sie teilen; die Menschen kommen immer von einem Menschen her, welcher der gemeinsame Ursprung und die gemeinsame Bestimmung ist. Diese Aussage Röm 5,12ff zeigt deutlich: der Mensch ist nicht etwa betont numerisch gemeint im Gegensatz zu zwei, drei, vier Menschen, sondern positiv als eine gemeinsame Herkunft der Menschheit und als der eine gemeinsame Ursprung des Menschseins. Diesem einen Menschen entspricht ja auch nur der zweite, der letzte Mensch, nämlich Jesus Christus, von dem sich jetzt als gemeinsame Herkunft das neue Menschsein und die neue Menschheit konstituieren. Also: der Mensch kommt vom Menschen her; seine Herkunft ist immer der Mensch.

Damit, daß die Menschen von einem Menschen herkommen, sind sie in ihm. „Wie in Adam alle starben ..." (1 Kor 15,22). Diese unsere Herkunft, der Mensch, ist also auch immer unsere menschliche Dimension. Wir sind mit unsere menschliche Herkunft, immer in der Dimension des Menschen und bleiben in der Dimension unserer Herkunft, eben in der Dimension des gemeinsamen Menschen, von dem wir herkommen.

Wir sind im menschlichen Dasein aber in der Weise, daß wir den Menschen jeweils repräsentieren; wir tragen seine εἰκών, sein Bild, besser: seine Wesenserscheinung vor (1 Kor 15,49). Der jeweilige Mensch läßt in seinem Menschsein den Menschen vorkommen, er läßt die gemeinsame Herkunft jeweils in sich und an sich erfahren. Er tritt in seiner Existenz zum Menschsein hinaus und läßt sie in Erscheinung treten. Er übernimmt in seiner Existenz immer seine Herkunft und sein Menschsein. Damit ist die Selbigkeit und zugleich die Einheitlichkeit des Menschen ausgesprochen.

Von dieser Welt und diesem Menschen – und damit gehen wir zur inhaltlichen Bestimmung ihres Vorkommens über – ist nun im Horizont des paulinischen Denkens zuerst noch einmal festzuhalten, daß sie Schöpfung Gottes sind. Dabei ist bemerkenswert für den sachlichen Gehalt von dem, was in paulinischem Sinn mit „Schöpfung" gemeint ist, daß Paulus, wie schon vor ihm die griechische Bibel, das spezifisch griechische Wort für Weltschöpfung, nämlich δημιουργεῖν, vermieden hat. Das ist immerhin ein negativer Hinweis darauf, daß er Schöpfung nicht unter dem Gesichtspunkt des Herstellens im Sinne der Schöpfungsmythen verstanden hat. Vielmehr ist es so: das Wort, das Paulus wie auch sonst im übrigen das Neue Testament, allermeist verwendet für Schöpfung, nämlich κτίζειν und κτίσις, meint von seinem griechischen Sprachgebrauch her eigentlich „gründen", und dieser Begriff hat nun vor allem seine Ausbildung in dem Zeitalter erfahren, da man Städte gründete, im hellenistischen Zeitalter. In Analogie dazu ist die Schöpfung der Welt also als eine Gründung zu bezeichnen, mit anderen Worten: es ist so – wie es ja auch wohl im alttestamentlichen Schöpfungsbericht ist – Schöpfung eigentlich auch schon ein geschichtlicher Vorgang. Freilich, diese Gründung – mit einem anderen Begriff, καταβολὴ κόσμου, heißt es ja „Grundlegung", etwa Eph 1,4 – vollzog sich, wie der Apostel in Anlehnung an jüdische und alttestamentliche Traditionen sagt, im καλεῖν, im Rufen.

Wir hörten schon: „... der das Nichtseiende ins Dasein rief" (Röm 4, 17); das entspricht sachlich genau – und man sieht die Festigkeit der Tradition – etwa Jes 48, 13: „Die Erde ist doch gegründet von meiner Hand; meine Rechte spannte die Himmel aus, als ich sie rief, standen sie da" – in der LXX findet sich also κτίζειν und καλεῖν so wie beim Apostel Paulus selbst. Auch andere Stellen kommen in Frage, die ich hier nicht zitieren will (Am 9, 6; Ps 147, 4 u. a.). Vielleicht noch Am 5, 8: „Der das Siebengestirn und den Orion schuf, der in Helle wandelte die Finsternis und den Tag verfinstert zur Nacht, der die Wasser des Meeres ruft und sie über den Erdkreis ergießt, sein Name ist der Herr." Das Rufen Gottes, also des Schöpfers, ist sein gründendes Hervorrufen des Seienden aus dem Nichts. Das Nichtseiende gewann Sein als Seiendes in der Kraft des Hervorrufes Gottes. Das, was ist, gründet also mit anderen Worten im Schöpferwort Gottes. Dabei ist vielleicht noch an 2 Kor 4, 6 zu erinnern, wo der Apostel in Anlehnung an Gen 1, 3 den Gott nennt, der da sprach: Es werde Licht! Auch für Paulus ist also das gründende Hervorrufen des Seienden aus dem Nichts zugleich ein In-Nichts-Rufen. Welt geht in dem hervorrufenden Wort Gottes, das sie gründet, gelichtet auf. Diese Weise des Seienden, im ganzen zu sein, also Geschöpfsein, ist demnach: in dem das Sein aufgehen und aufscheinen lassenden, gründenden Wort Gottes sein.

Was das des näheren meint, versucht der Apostel dann – wie wir schon in anderem Zusammenhang hörten – mit stoischer oder, besser, mit popularphilosophischer Begrifflichkeit, mit popularphilosophischen Formeln zu verdeutlichen. Hierher gehören dann jene Gottesformeln, von denen ich schon sprach (Röm 11, 36 und 1 Kor 8, 6), und wir können hier zur Ergänzung Hebr 2, 10 ausnahmsweise hinzuziehen. Diese Gottesformeln können jetzt besser verstanden werden, wenn man sie auf dem Hintergrund jener Ausführungen über das gründende Hervorrufen in das Licht der Schöpfung versteht. Das All, die Welt, die Menschen sind in diesem Sinne also von Gott her, weil Gott sie hervorruft in das Sein, das heißt zugleich in das Licht. Sie kommen von Gott her, der sie in seinem Schöpferwort eben von sich her sein läßt.

Sie verdanken ihre Herkunft dem Wort Gottes, der sie kraft seines Wortes im Hervorrufen hervorkommen läßt. Indem sie, Welt und Mensch, aber von ihm her sind, sind sie auch zu ihm hin, εἰς αὐτόν. Gott ist also nicht nur die Herkunft dessen, was ist, sondern auch die Zukunft, auf die sich das, was ist, in sich ausrichtet. Ihre Herkunft wirkt sich aus in ihrer Zukunft, diese Zukunft erweist jene Herkunft. Das, was ist, ist dann auch drittens, wie wir hörten, δι' αὐτοῦ, durch ihn, in dem Sinne, daß Gott eben das, was ist, bewirkte oder erwirkte kraft seines hervorrufenden, ins Licht aufgehen lassenden Schöpferwortes, und zwar eben von ihm her zu ihm hin. Gott bildet und gewährt von seinem ins Dasein gründenden und lichtenden Wort das Sein in der Schwebe – könnte man sagen – oder auch in der Spannung von ihm her und zu ihm hin. Und auch Hebr 2, 10 kann noch hinzugefügt werden, obwohl es nicht paulinisch ist. Nach Hebr 2, 10 ist nämlich alles, was ist, auch δι' αὐτόν, also um Gottes willen, seinetwegen. Die Welt ist also nicht der Welt wegen, nicht des Menschen wegen, sondern alles, was ist, ist Gottes wegen, seinetwillen. Das, was ist, hat in Gott also nicht nur sein Woher, sein Wohin, sein Wodurch, sondern auch sein Worum. Gott läßt es sein um seinetwillen; das, was ist, Welt und Mensch, ist durch Gottes Schöpferwort um Gottes willen da. Das Geschaffene hat Herkunft, Ziel, Ursache und Sinn in Gott.

Noch ein Drittes ist im Blick auf die Schöpfung und das Geschöpfsein dessen, was ist, zu bemerken, nämlich: so wie Mensch und Welt ursprünglich vorkommen, kommen sie nicht vor als etwas Vorhandenes, über das man als solches sehend und berechnend in der Distanz verfügen kann, sondern diese durch Gott, den Schöpfer, ins offene Dasein hervorgerufene Welt, die ja durch ihn und um seinetwillen, von ihm her und zu ihm hin ist, weist an sich ja – wie wir schon in anderem Zusammenhang hörten – in sich auf Gott hin, der sie geschaffen hat, das heißt, sie richtet damit ihre Frage an den Menschen. Sie geht den Menschen an, sie lockt und fordert Antwort von ihm, und zwar eine Antwort, die dieser Frage angemessen ist. Solche Antwort des Geschaffenen ist: Gott erkennen, danken und die Ehre geben. Das, worauf die Schöpfung zielt und worin sie sich sozusagen als Schöpfung hält, ist die Antwort des Menschen, die der Frage oder

der Aussage oder dem Andrang der Schöpfung entspricht; sie ergeht sich nämlich als das Geschaffene im Gott-Danken und die Ehre-Geben.

Wir sprachen schon davon, daß sich Gott durch das Geschaffene dem Denken des Menschen in seiner Macht und Gottheitlichkeit wahrzunehmen gibt und daß dies durch das Gewicht seiner aufscheinenden Weisheit und Doxa geschieht. Eben von dieser Doxa, von diesem Gewicht des Aufscheinens, und von dieser mächtigen Weisheit her, von diesem göttlichen Glanz, der durch das Schöpfungswort in dieser Schöpfung aufstrahlt, ist die Schöpfung in die bestimmte Antwort der Anerkennung und des Dankes gegenüber dem Schöpfer gewiesen. Geschöpfliches Dasein verwahrt sich demnach im Dank und in der Anerkennung. Schöpfung ist, weil sie durch das Wort in das Sein und Dasein gerufen ist, in ein Gott, dem Schöpfer, dankendes und in ein ihm die Ehre gebendes Dasein gerufen, das in andenkendem Danken – „andenkend" in dem Sinne: wahrgedenkend, wahrgenommen – und in anschauendem Lobpreis sich vollzieht. Das Wort Gottes schafft alles, was ist, so, daß in dieser Antwort, in diesem Gegenwort Dank wohnt. Die Weise geschöpflichen Daseins ist also die, daß es sich in Dank und Lobpreis Gott, dem Schöpfer, verdankt und, wenn man so sagen darf, verlobt.

Aber nun ist es so: Dieses ursprüngliche Geschöpfsein ist ja im Sinne des Apostels Paulus nicht mehr das Sein des geschichtlichen Menschen. Dieser ist vielmehr ständiger Widerspruch zum Geschöpfsein. Er hat das Geschöpfsein keineswegs verloren, er ist nach wie vor als solcher, der in seinem Menschsein gegeben ist, Gottes Geschöpf, und wir werden am Schluß dieser Ausführungen noch sehen, worin sich das Geschöpfsein noch bewährt auch inmitten des ständigen Widerspruchs, daß der Mensch gegen die Schöpfung ist. Aber eben zugleich bestreitet der Mensch in seinem Vorkommen, wir könnten auch sagen: in seiner Existenz, in seinem Heraustreten von sich selbst her zu sich hin, in seiner Geschichtlichkeit, dieses sein Geschöpfsein, versagt sich ihm im Vorgang seines Lebens. Seine Weise nämlich vorzukommen ist im Sinn des Apostels, aufs Ganze gesehen, so zu bestimmen: in der Sünde und ihrem Verhängnis durch den Anspruch des Gesetzes zum Tode sein.

1. Die Sünde

Wir müssen diese zusammenhängenden Bestimmungen ein wenig entfalten. Beginnen wir mit einigen Beobachtungen, die an Röm 5, 12ff anknüpfen, also an jene Ausführungen des Apostels über Adam und Christus hinsichtlich der überschwenglichen Überlegenheit von Christi Gehorsam und Gabe gegenüber Adams Ungehorsam. Hier in diesem Abschnitt nämlich häufen sich die Varianten des paulinischen Sprachgebrauches für die Sünde. Das, was wir mit „Sünde" übersetzen – Herkunft und ursprünglicher Sinn des deutschen Wortes „Sünde" liegen im übrigen im Dunkel –, nennt Paulus mit seiner Überlieferung ἡ ἁμαρτία. In diesem griechischen Wort ist aber der Sinn von ἁμαρτάνειν, nämlich von „verfehlen", bewußt geblieben, wie die LXX deutlich zeigt. Denn dort sind ἁμαρτία und ἁμαρτάνειν Übersetzung des Hauptträgers der Begriffe für die Sünde, nämlich der Nomina bzw. der Verben von חטא, und die Grundbedeutung von חטא ist – wie im ursprünglichen griechischen ἁμαρτάνειν ebenfalls –: „den rechten Punkt verfehlen". Wie dieses Verfehlen gemeint ist, zeigt im Zusammenhang von Röm 5, 12ff die Tatsache, daß für ἁμαρτία παρακοή steht, „Ungehorsam" – sonst im Neuen Testament übrigens nur noch einmal beim Apostel Paulus (2 Kor 10, 6) und Hebr 2, 2. Die Verfehlung, als welche die Sünde bezeichnet werden kann, ist also die Verfehlung des Ungehorsams, wobei das παρακούειν in παρακοή vielleicht gelegentlich doch noch mitgehört werden kann bzw. mitgehört werden soll, aber das ist nicht mehr sicher. Ungehorsam – im Deutschen ursprünglich ja „Ungehorchsam" also auch παρακούειν – schließt ein Vorbeihören, dann aber auch ein Ver-hören im Sinne des Nicht-mehr-hören-Wollens ein. Vorbeihören, Zur-Seite-Horchen, das Verhören des Nicht-mehr-hören-Wollens, erweist sich aber als solches – und das ist der dritte Begriff in diesem Zusammenhang von Röm 5, 12ff – in der παράβασις, in der Übertretung. Dieser Begriff παράβασις, παραβαίνειν und dann substantivisch παραβάτης, „der Übertreter" – der im Neuen Testament auch nicht oft vorkommt –, bezieht sich auf den νόμος. Er meint ein Vorbeigehen am νόμος bzw. an seiner Weisung und in παραβαίνειν in diesem Sinne ein Ihm-Entgegentreten oder Ihm-Widersprechen. Der

Sache nach ist παράβασις also ein Ver-gehen, ein Sichvergehen. So wird das, was wir „Sünde" nennen, also ἁμαρτία, als Verfehlen, Verhören und Sichvergehen oder auch nur Vergehen zu charakterisieren sein. Und als solche ist sie nun in unserem Zusammenhang von Röm 5,12ff auch noch παράπτωμα genannt, und zwar viermal – ein Begriff, der auch sonst noch einige Male bei Paulus vorkommt. Durch diesen Begriff, der meistens freilich bei Paulus schon abgeschliffen ist, wird die Sünde, wenigstens im Zusammenhang von Röm 5,12ff, wie wir ja auch sagen, als ein „Fall" bezeichnet. Und Röm 11,11ff mag zeigen, daß der Zusammenhang von παράπτωμα und dem Verb πίπτειν noch mitgehört worden ist. Sünde ist hier also der Fehltritt, der zu Fall kommen läßt, der „Sündenfall". Neben dem Verfehlen, Verhören, Vergehen könnte man also, wenn man es recht versteht, von der Sünde auch als von einem Verfallen reden. Denn dieser Fall, wie er in der Sünde geschieht, ist ja ein Fehltritt, bei dem man zu Fall kommt und sich nicht mehr erheben kann, er ist ein absoluter Fall. Der Fall richtet die Herrschaft des Todes auf, wie Röm 5,17 sagt. In der Verfehlung der Sünde verhört und vergeht sich der Mensch so, daß er verfällt. In seinem geschöpflichen Dasein – können wir also nachträglich nun daraus entnehmen – hat der Mensch, die Weisung Gottes hörend, seinen Ruf vernehmend und befolgend und dessen Weg gehend, offenbar unfehlbaren Stand.

Verrät sich in den von Paulus gebrauchten Begriffen ein wenig von der formalen Struktur der Sünde, so gehört zu dieser formalen Struktur nun noch etwas anderes, was recht bedeutsam ist. Es gehört nämlich dazu auch dieser Sachverhalt, daß es im Umkreis des paulinischen Denkens die Sünde nur so weit gibt, als sich in der jeweiligen konkreten Einzelsünde *die* Sünde als die Sündenmacht zur Geltung bringt. Hier kommt übrigens das über die formale Struktur des Menschseins schon Gesagte zum Tragen; man braucht sie nur unter dem Gesichtspunkt zu sehen, daß – wie erwähnt – der jeweilige Einzelmensch in seiner Existenz, also auch in seinem Denken und Handeln, den Menschen oder das Menschsein jeweils repräsentiert bzw. austrägt. Also die Sünde, die Einzelsünde, die konkrete Sünde ist Sünde in dem Sinne, daß sie jeweils die Sündenmacht oder auch das Sündenwesen zur Geltung bringt. Sie beherrscht also aus der gemeinsamen Vergangenheit des Menschen – und zu seiner Vergangenheit gehört natürlich auch seine gemeinsame Umgegend – umfassend die Menschen, die ja eben diese ihre gemeinsame Vergangenheit austragen und so vorkommen.

Daß die Sündenmacht der einzelnen Sünde zugrunde liegt, dafür spricht deutlich der Satz, mit dem Röm 5,12 beginnt: „Durch einen Menschen ist die Sünde in die Welt eingedrungen." Aber auch in vielen anderen Sätzen ist ja zunächst von der Sünde die Rede als der Sündenmacht und zugleich ihre Herrschaft über die Menschen betont; es ist also an jene mit dem Menschen aus seiner Vergangenheit vorgekommene Sündenmacht gedacht; etwa Röm 5,21, wo davon die Rede ist, daß die Sünde zur Herrschaft kam, oder Röm 6, 12 u. a. m. Diese die Menschen aus ihrer Vergangenheit her beherrschende und mit ihnen aus ihrer Vergangenheit her vorkommende Sündenmacht erweist ihre Herrschaft aber nicht anders, als daß die Menschen sie in ihren konkreten Sünden aktuell werden lassen. Die Macht der in die Welt der Schöpfung gekommenen Sünde erweist sich in den von den Menschen, die ihr ihre Zustimmung geben, verübten Sündentaten.

Dieser Zusammenhang von Sünde und Sünden läßt sich aus drei Stellen des Römerbriefes schnell erkennen. Eben den Satz Röm 3,9: „... daß alle Menschen, Heiden und Juden, unter der Sünde sind", belegt der Apostel Paulus mit einem langen Zitat aus verschiedenen alttestamentlichen Texten. 10b–18, die von den Sünden der Menschen reden. Er meint also explizieren zu können, was dieses Unter-der-Macht-der-Sünde-Stehen ist; es ist nichts anderes als die Sünden zu vollziehen, die schon in den Propheten und Psalmen genannt worden sind. Und Röm 3,23 formuliert Paulus denselben Sachverhalt, der Röm 3,9 hieß: „Alle sind unter der Sündenmacht", einfach so, daß er sagt: πάντες ἥμαρτον, „alle haben gesündigt".

Die zweite Stelle, die wir anführen, ist die in Röm 5,12ff; sie spricht davon, daß durch die Sündenmacht der Tod in die Welt kam, was dann weiter ausgeführt wird. Aber was διὰ τῆς ἁμαρτίας, „durch die Sündenmacht", am Anfang hieß, das wird nun damit wiedergegeben, daß gesagt wird: „... weil alle gesündigt haben" (5,12). Die Sünde, durch die der Tod in die Welt eindrang und in die Generationen der Menschen hindurchdrang, war oder ist in der Welt in der Weise, daß alle sündigten. Dieses Sündigen ist die Weise, wie „die Vielen" – das ist semitisch –, also wie alle, „durch den Ungehorsam des einen Menschen zu Sündern hingestellt wurden" (Röm 5, 19). Und als auf einen dritten Beleg können wir vielleicht um der Anschauung willen noch auf Röm 6, 1 ff verweisen; dort vergleiche man nur die sehr verschiedenen Formulierungen, die aber zunächst alle darin einig sind, daß sie von der Sünde als einem Verhältnis zur Sündenmacht sprechen. Ἐπιμεῖναι τῇ ἁμαρτίᾳ, „bleiben bei der Sünde" (6, 1); oder ζῆν ἐν τῇ ἁμαρτίᾳ, „leben in der Sünde" (6, 2); oder δουλεύειν τῇ ἁμαρτίᾳ, „der Sünde Sklavendienste leisten" (6, 6); oder 6, 12: „Es herrsche nun die Sünde nicht in eurer sterblichen Leiblichkeit"; oder 6, 13: „... stellt eure Glieder nicht als Waffen zur Verfügung, mit denen man Unrecht durchsetzt für die Sündenmacht"; oder 6, 14: „Die Sündenmacht wird euch nicht beherrschen".

Man vergleiche diese Formulierungen, die gewiß nicht in ihrer Einmütigkeit, daß sie das Verhaltnis zur Sünde zum Ausdruck bringen, zufällig sind, nun einfach mit der Aussage, die in 6, 15 gemacht wird, nämlich daß wir sündigen. Die Sünde herrscht demnach im Sinne des Apostels in der Weise, daß die Menschen ihr mit ihren Sünden dienen. „Sünden begehen" heißt „bei der Sünde bleiben"; „bei der Sünde bleiben" vollzieht sich wiederum so, daß man sündigend in ihr lebt. In den Sünden lassen sich die Menschen auf die Sünde, ja man kann sagen, in die Sünde ein. In ihnen lassen sie die Sündenmacht, die von ihrer Herkunft mitkommt, aus und lassen sie so durch ihre allumfassende Herrschaft durch ihre jeweilige einzelne Zustimmung aus. Die Sünde herrscht in den Sünden.

Und das ist nun wirklich keine willkürliche und überflüssige Unterscheidung, die eigentlich nur etwas Selbstverständliches erhellt, das ist auch nicht die Unterscheidung zwischen einem sogenannten Abstraktum „Sünde" und einem Konkretum „die einzelnen Sünden", sondern durch diese Unterscheidung wird deutlich: einmal die Sünden – also das, was Paulus dann im Plural auch ἁμαρτίαι, ἁμαρτήματα, ἀνομίαι usw. nennt, die er unter die Weisen der ἀδικία, des Unrechttuns, rechnet (Röm 1, 18 u. a.) –, diese einzelnen, konkreten Sünden formen immer die Grundtendenz der Sünde aus und lassern sie in Erscheinung treten, so daß sich in den Sünden, welcher Art sie auch seien, die Sündigkeit der Sündenmacht eröffnet. Die einzelne Sünde mag harmlos erscheinen, aber dadurch, daß sie die Zustimmung zur Sündenmacht ist, eröffnet sich ihre Tiefe, zeigt sich die Sündigkeit der Sünde. Die Sünden realisieren immer das Sündenwesen, das sich in ihnen zur Erfahrung bringt.

Eben weil die Einzelsünde keine Harmlosigkeit ist, sondern sich in ihr jeweils das ganze Sündenwesen zur Sprache oder Erfahrung bringt, deshalb erschrickt der Apostel vor ihnen. Sie werden bei ihm oft in schematischer Weise im Zusammenhang mit der mündlichen Tradition in sogenannten Lasterkatalogen, das heißt in gewissen Reihungen von Unrechtstaten und Unrechtsgesinnungen aufgezählt und erscheinen dadurch leicht im Lichte eines alltäglichen Moralismus. Aber sie sind nicht moralisch zu verstehen, denn sie haben immer diese Tiefe, das heißt dies bei sich, daß in ihrem Vollzug die Tiefe des Sündenwesens, das aus solcher Herkunft – und das heißt zugleich aus der Umgegend und dem Inneren des Menschen – auf ihn zukommt, erscheint. Deshalb aber auch sein unermüdlicher Eifer, dieser für ihn finsteren und – man kann sagen – versehrenden Macht zu wehren, wo immer er sie bei den Christen noch vermutet. Deshalb aber auch seine Dankbarkeit und Freude, daß gerade auch die Sünde, die vorgebildete und mitgebrachte Vergangenheitsmacht, samt den Sünden in der Taufe in dem Sinn abgetan ist, daß der dort gewährte neue Ursprung des Menschen und das dort gewährte neue Leben des Menschen in Christus die Unmöglichkeit, nicht zu sündigen, beiseitigt hat, daß also der Bann der Sündenherrschaft zerbrochen ist an dieser einen Stelle insofern, als nun die Neuheit – die καινότης – des Lebens beginnen kann. Nur wenn man beachtet, daß sich nach Paulus in den Sünden jeweils die Sünde durchsetzt, wird man von der bloß moralischen, das heißt ja, geschichtlich gesehen, jüdisch-gesetzlichen Auffassung der Sünden abkommen. Die Sünde kommt freilich immer wieder auf, nämlich dann, wenn man das Entscheidende am Begriff der mitgebrachten Sünde leugnet, nämlich daß sie dieses mit dem Menschsein vorkommende und den einzelnen Menschen bestimmende Sündenwesen ist, das in den Sünden Zustimmung erhält.

Aber ein Zweites ist noch zu sagen: Durch die einen inneren Bezug voraussetzende Unterscheidung von den Sünden im Sinne der aktuellen Sünden und der Sünde im Sinne der Sündenmacht wird nun andererseits die Sündenmacht nicht nur etwa dem Verdacht entrissen, als sei sie eine Idee der Sünde, sondern sie wird zugleich der Gefahr entnommen, als ein mit dem menschlichen Dasein gegebenes Verhängnis mißverstanden zu werden. Gewiß kommt die Sünde – wie der Apostel das formuliert – von Adam, das heißt von der gemeinsamen menschlichen Vergangenheit, her und mit dem menschlichen Dasein, das heißt im Vollzug des menschlichen Daseins, vor. Aber sie kommt so mit dem Vollzug des menschlichen Daseins vor, daß der Mensch sich ständig für sie entscheidet und eben in seiner Entscheidung – sofern er Christ ist und jenen Augenblick des neuen Ursprungs erfahren hat – sie wiederum herrschen läßt. Die Sündenmacht waltet in der Natur, in dem Vorgegebenen des Menschen, wie er vorkommt, so daß sie sich in den Entscheidungen des vorkommenden Menschen jeweils realisiert, das heißt in dem, wie er sich vorkommend zu Gott, zur Welt, zum anderen Menschen und zu sich selbst verhält. Daß die Sünde in den Sünden jeweils heraustritt und so da ist, gibt ihr nicht nur ihre Konkretion und ihre Macht, die erfahrbare Realität, sondern läßt sie im innersten Wesen des Menschen, im Vorgang seiner Entscheidung ihren Ort und damit ihre Macht haben.

Aber nun müssen wir noch einen dritten Gesichtspunkt im Ganzen unserer Frage überdenken, nämlich was nach Paulus die Sünde, die die Menschen als Sündenmacht in ihren Sünden beherrscht, ihrem Wesen nach eigentlich ist. Gehen wir auf die Frage ein, dann zeigt sich, daß der Apostel Paulus sie nicht einheitlich beantwortet, sondern daß er sie einerseits im Blick auf die Heiden, andererseits am Paradigma des Juden erörtert. Nicht als ob die Sünde nicht ein einheitliches Phänomen wäre und man nicht von *der* Sünde, nämlich der Menschen, reden könnte; wohl aber gibt es entsprechend dem heilsgeschichtlichen Unterschied zwischen Heiden und Juden zwei Aspekte, unter denen man von der Sünde reden kann, die beide erst das ganze Unheil der Sünde erkennen lassen und beide in einem Letzten gründen. Diese beiden Aspekte treten an den Heiden, den Völkern außerhalb Israels, und an den Juden zutage, freilich auch wiederum nicht ausschließlich, aber doch so, daß man von dem Typus der Sünde hier und dort reden kann.

Wir knüpfen zunächst wieder an Röm 1,18ff an; diese Stelle dient thematisch nicht unserer Frage nach dem Wesen der Sünde, sondern ihre Ausführungen sollen nachweisen, daß die Heidenwelt der Offenbarung des Zornes Gottes verfallen ist, der jetzt eine andere Offenbarung gegenübersteht, nämlich die der Gerechtigkeit Gottes in Jesus Christus durch das Evangelium. Dieses Offenbarungsgeschehen des Zornes, des gegenwärtigen Zorngerichtes Gottes betrifft, wie es Röm 1,18 heißt, jede ἀσέβεια, jede Gottlosigkeit, und jede ἀδικία, jede Ungerechtigkeit, der Menschen, die die Wahrheit, die unverborgene, gültige Wirklichkeit in der Weise der Ungerechtigkeit niederhalten. Der Zorn Gottes waltet über und an all dem, was dann recht harmlos ausgedrückt wird – wir haben hier ein Beispiel dafür, wie konventionell Paulus oft von der Sünde reden kann, obwohl etwas ganz anderes dahintersteht; der Zorn Gottes waltet also in all dem, was Paulus einmal im Zusammenhang (V 28) mit einem popularphilosophischen Ausdruck ποιεῖν τὰ μὴ καθήκοντα, „tun, was sich nicht geziemt", nennt und was dann in einem Lasterkatalog, in einer langen Aneinanderreihung von Übeltaten, Untaten, Ungesinnungen aufgezählt wird (V 29–31). Dieser Zorn Gottes betrifft dabei vor allem die heidnische πορνεία, die Unzucht, deren Charakteristikum dann besonders die gleichgeschlechtliche Unzucht ist (VV 24.26ff). In diesen und anderen Lastern, Untaten, Freveltaten liegen für den Apostel die Sünden der Völker offen zutage; aber sie stehen nicht in sich, sie hängen mit etwas anderem zusammen, sie gehen auf eine ganz andere Sünde zurück. Sie hängen nämlich damit zusammen, daß – wie der Apostel einmal formuliert – die Völker einen ἀδόκιμος νοῦς, ein unbrauchbares Denken, haben, und dieses erweist sich sofort, wie V. 23f und V. 25f deutlich zeigen, in ihrer Anbetung der Welt als Gott. Die ἀδικία, die Ungerechtigkeit, die Unrechtstaten, ist die notwendige Folge der ἀσέβεια, der Gottlosigkeit im Sinne des Götzendienstes. Aber der Götzendienst, das heißt die Vertauschung der Wahrheit Gottes mit der Lüge oder die Verehrung der Schöpfung und der kultische Dienst ihr gegenüber anstelle des

Schöpfers – also die Entthronung Gottes zugunsten der Welt und die Apotheose der Welt anstelle Gottes, in der dieser ἀδόκιμος νοῦς, dieses unbrauchbare Denken, zum Ausdruck kommt –, ist selbst wiederum Folge eines anderen. Denn zum ἀδόκιμος νοῦς, zum unbrauchbaren Denken, kam es deshalb, „weil die Völker" – nun macht Paulus ein Wortspiel – οὐκ ἐδοκίμασαν τὸν θεὸν ἔχειν ἐν ἐπιγνώσει, „sich nicht entschlossen haben, Gott in der Erkenntnis zu bewahren". Götzendienst als die Basis der Sünde der Heiden, Weltapotheose als die Basis der Sünde der Völker ist selbst wiederum die Auswirkung einer Verblendung, eines falschen Denkens, das mit dem Gott-nicht-in-der-Erkenntnis-festhalten-Wollen eingetreten ist. Das aber wird wiederum so beschrieben, daß „das uneinsichtig gewordene Herz finster wurde" (1,21), daß seine Erwägungen – wie es heißt – „eitel" oder „nichtig" – μάταια – wurden; daß die Menschen sich dabei aber selbst für weise halten, in Wahrheit aber Toren sind; daß sie nicht nur nicht um die Finsternis ihres Herzens und die Eitelkeit seiner Erwägungen wissen, sondern meinen, dieser eigentümliche Aufenthalt des menschlichen Herzens hinsichtlich seiner Einsichtskraft in Dunkel oder Zwielicht – das wäre Licht und Wahrheit. Aus dieser nun erzielten Torheit und zweideutigen Finsternis des Herzens, aus diesem eigentümlich verhangenen und verhängnisvollen Blick des Herzens kommt jene Weltvergötterung, die sich im heidnischen Götzendienst Ausdruck verschafft und die dann von daher den Menschen in die Flut des Unrechtes stürzt.

Aber nun endlich: Woher kommt die Verdunkelung des Daseins im Herzen, die sich in einem Denken, das die Wirklichkeit verfehlt, und deshalb in der göttlichen Verehrung der Welt und daher wiederum in ständigem Unrechttun äußert? Woher kommt jene Verdunkelung des Daseins, die sich die Welt vom Herzen her verstellt, in dem Sinne, daß sie die Welt als das Letzte und Gründende des Daseins versteht? Nun, wir hörten schon davon, „daß sie sich nicht entschieden haben, Gott in der Erkenntnis festzuhalten". Aber was heißt das des näheren? Es heißt dies, was in V. 21a steht, daß sie, „obwohl sie Gott erkannt haben, ihm nicht als Gott die Ehre oder den Dank gegeben haben". Gott – sagt Paulus vorher – hat ihnen ja, soweit er sich in seinem unsichtbaren Wesen überhaupt zu erkennen gibt, seine Ewigkeitsmacht und Göttlichkeit geoffenbart, und zwar durch den Machtglanz der Weisheit, die aus dem Geschaffenen verständlich wahrgenommen werden konnte (1, 20). Eben dieses aus dem Machtglanz der Schöpfung Sich-zu-erfahren-Geben Gottes hätte die Völker zur Anerkennung des Schöpfers als Gott in Lob und Dank offenhalten können. Aber ebendarin hat sich der Heide versagt, mit anderen Worten: dies ist die eigentümliche, rätselhafte und immer schon mitkommende Sünde, daß sie die ursprüngliche Gotteserkenntnis, die sich im Lobpreis und Dank verwahrt, nicht durchhalten und nicht verwahren wollten; also ganz einfach gesagt: sie wollten sich nicht Gott verdanken, sie wollten nicht Gott verehren als Gott. Damit aber erlosch das Licht ihres Herzens; denn das Herz ist Licht nur so lange, als der Glanz Gottes aus der Schöpfung in das Herz strahlt. Jetzt verlischt das Licht des Herzens, das nun in die Eitelkeit, das heißt in das Zwielicht eines Denkens gerät, das die Dinge nicht mehr trifft, wie sie sind, das die Schöpfung als Gott und Gott als sein Geschöpf sieht und von da in die Unreinheit eines sich preisgegebenen Lebens fällt.

Für den Apostel Paulus gründen also die konkreten Sünden, in denen sich das Leben der Heiden bewegt, in einer immer schon mitgebrachten, eigentümlichen Verblendung des Daseins, die selbst wiederum nur die Auswirkung der fundamentalen Absage an den offenbaren Gott, einer fundamentalen Verweigerung des dem Geschöpf ziemenden Lobpreises und Dankes ist. In jeder konkreten Sünde der Heiden kommt somit jener Grund herauf, nämlich jenes schuldhafte Sich-Gott-nicht-verdanken-Wollen, und jene Selbsttäuschung einer Welt und damit auch ihre Selbstverehrung zur Sprache.

Jede Sünde der Heiden ist in diesem Sinne eine Form, eine Konkretion des schuldhaften Ungehorsams und Undankes gegen den an sich dem Geschöpf als solchem offenbaren Gott.

Dieser Sachverhalt wird vom Apostel Paulus in dieser oder jener Hinsicht auch sonst berührt. Wir wollen nur noch auf eine Stelle hinweisen, weil sie uns ausführlich den Sachverhalt darlegt, nämlich Eph 4, 17–19. Auch dort wird gesagt, daß das Denken der Heiden, also der einzelnen aus den „Völkern", „eitel" ist, μάταιος, das heißt, daß es die Wahrheit nicht trifft, daß es die Wirklichkeit in ihrer Gründigkeit und Unverborgenheit von vornherein nicht erreicht, daß es die Dinge in diesem verwechselnden Zwielicht sieht. Dies ist aber die Auswirkung der Finsternis des Sinnes, der ἄγνοια, welches gleich der Finsternis „des Herzens" ist, wie man von der LXX her sehen kann. Und diese Auswirkung der Finsternis des Sinnes ist wiederum Zeichen und Folge – und nun kommt ein sehr bezeichnendes Wort – „der Entfremdung gegenüber dem Leben Gottes", das heißt dem von Gott gewährten Leben. Der Apostel sieht den Menschen also – wir sagen es ja heute vielfach nur so dahin – in einer absoluten Verfremdung; die Menschen leben in einer Unwissenheit eben kraft des Zwielichtes, in das alle Menschen geraten sind, wenn der Mensch sich nicht mehr Gott verdanken und ihn verehren will, und eben diese Unwissenheit ist schon „Verhärtung ihres Herzens" geworden. Und davon wiederum ist ihr περιπατεῖν, ihr Lebensvollzug, bestimmt. Denn da der Bezug ihres Daseins auf Gott nicht mehr gegeben ist so wie im Denken oder Verehren, sondern vielmehr gebrochen ist, da infolgedessen das menschliche Dasein nicht mehr von Gott her zu Gott hin ausgespannt ist und deshalb erschlafft, „überläßt es sich" – wie es dann heißt – „der Ausschweifung", nämlich in jenem Sinn des Hinausschweifens, und der Unreinheit „in der Habgier", das heißt in der Gier, zu haben. Die Entfremdung gegenüber einem von Gott gewährten Leben, die – das wird in Eph 4 nicht gesagt – mit der Verweigerung des Lobpreises und Dankes gegenüber dem Schöpfer eintritt, führt zur Finsternis eines unwissenden und daher hart gewordenen Herzens, woraus ein eitles, das heißt die Wirklichkeit nicht mehr treffendes und erfassendes Denken folgt. Das aber läßt die Spannung des Lebens, die ja immer nur die von Gott her zu Gott hin ist, erschlaffen, die Spannung, in der das Leben sein Wesen hat. Da infolge der Erschlaffung des Daseins aber das Leben entgleitet, will der Mensch es wieder einholen und schweift aus, habgierig Gewinn zu haben. Denn das Leben entgleitet auf alle Fälle; er will es einholen und holt es nicht ein, er versucht, es – das heißt immer sich und seine Welt – zu gewinnen und gewinnt es doch nicht. Das aber bestimmt von innen her die Lebensführung des Menschen im einzelnen.

Die Situation des Juden in der Welt ist anders. Er hat nicht wie der Heide durch eine Verweigerung ursprünglichen Dankens und

Anerkennens Gottes sein Verhältnis zu Gott verloren und auch sein Wissen um Gott in bestimmtem Sinn, er hat nicht die Welt, das heißt ja immer vor allem sich selbst, zum Gott gemacht, woraus sich dann eben das Ausschweifen, die evagatio jeder Art, zum Beispiel die evagatio mentis, das heißt die curiositas oder auch die instabilitas loci, ergibt – das ist beim Juden nicht der Fall. Er hat auch nicht die πλεονεξία, Habgier in fundamentalem Sinn ist nicht Kennzeichen seines Lebens. Bei ihm spiegelt sich jener geheimnisvolle Fall, von dem natürlich auch er herkommt und den natürlich auch er in seinem menschlichen Dasein austrägt, in anderer Weise wider. Seine wesentliche Sünde ist eine andere, seine fundamentale Abneigung gegen Gott und Zuneigung zu sich selbst äußert sich in anderer Form. Der Jude lebt ja auch unter einer ganz anderen Voraussetzung als der Heide.

Diese Voraussetzung ist zum Beispiel – um auch das ein wenig deutlich zu machen – in Röm 2,17–20 geschildert: „Wenn du dich einen Juden nennst und auf das Gesetz stützest und dich Gottes rühmst und den Willen erkennst und prüfst, worauf es ankommt, unterrichtet vom Gesetz, und Vertrauen hast, du seiest der Führer der Blinden, das Licht in der Finsternis, der Erzieher der Unverständigen, der Lehrer der Unmündigen, im Besitz der Gestalt der Erkenntnis und der Wahrheit im Gesetz, der du den anderen belehrst, belehrst dich nicht selbst?"

Der Jude weiß also um Gott – natürlich ist das nicht das ursprüngliche Wissen des Geschöpfes, in dem die Konkretion durchgehalten hätte, sondern einfach – wie Paulus ja öfters betont – weil ihm die Offenbarung Gottes zuteil geworden ist; er weiß deshalb auch um den Willen Gottes, er hat ja die Tora, er rühmt sich sogar Gottes und stützt sich auf die Tora. Das Gesetz ist die ihn bestimmende Sphäre und die ihn beherrschende Macht. Das Gesetz ist in ihm ins Bewußtsein gerückt und nicht nur dies, sondern es ist die Dimension, in der er sich aufhält und sein Leben vollzieht; er weiß sich von Gott beauftragt, andere – eben die Völker – über Gott und das Gesetz zu belehren, und das ist im Sinn des Apostels keineswegs Heuchelei, wenn er das von sich sagt. Zwar muß Paulus dem Juden (Röm 2) vor Augen halten, daß er trotz seines Anspruches, Lehrer, ja Richter der Völker zu sein, selbst das Gesetz Gottes übertritt und – wie der Ausdruck lautet – „im Gesetz sündigt" (Röm 2,12), also unter der Herrschaft, im Herrschaftsbereich des Gesetzes sündigt. Aber Paulus kann auch andererseits feststellen, daß „Israel dem Gesetz der Gerechtigkeit nachjagt" (Röm 9,31), er kann ihnen „bezeugen, daß sie Eifer um Gott haben" (Röm 10,2), und gerade aus solchen Voraussetzungen erwächst dann die für sie typische Sünde.

Zunächst scheitert auch der Gute oft am Anspruch des Gesetzes, und zwar in der Weise, daß er es übertritt. Er ist ein „Übertreter des Gesetzes samt Buchstabe und Beschneidung", das heißt also, obwohl er das Gesetz und die Beschneidung hat, das Siegel der Erwählung (2,27). Und dafür verliert die Übertretung des Gesetzes durch den Juden als den Typus – müssen wir immer wieder sagen – des moralisch bewußten Menschen die relative Harmlosigkeit wie beim relativ unwissenden Heiden, der ja ohne Gesetz gesündigt hat. Er, der Jude, handelt gegen ausdrückliches Wissen; aber das ist – wie gesagt – nicht eigentlich seine typische Sünde, sondern diese typische Sünde liegt in einer anderen, oft vergessenen Seite der Sünde.

Sie liegt einmal darin, daß sich mit der praktischen Übertretung des Gesetzes bei diesem moralisch so bewußten Menschen eine kritische Haltung gegenüber dem Heiden als dem Übertreter des Gesetzes verbindet. Seine Abwendung von Gott äußert sich also darin, daß er sich, obwohl auch er das Gesetz faktisch oft übertritt, zum κρίνων macht, zum Richter über andere. In solchem Richten, κρίνειν, liegt eine völlige Verkennung des Lebens, das Gott ihm gewährt, nämlich eine Verkennung des Lebens als der Lebensfrist, die Gott ihm in seiner Geduld mit ihm gewährt. „Er verachtet" – wie es dann heißt – „die Güte und Langmut Gottes ihm gegenüber" (Röm 2,4), er meint, sie beruhe auf seinen eigenen guten Taten und vielleicht auch auf seiner Herkunft, daß er zum auserwählten Volk gehöre, auf seinen Vorzügen u.ä.m. Er weiß nicht, er verbirgt es sich, daß die Frist des Lebens, die Gott ihm gewährt, nur gültig geschenkte Frist zur Umkehr ist. Er lebt in der Illusion, als brauche er nicht umzukehren, sondern nur die anderen. Das ist jene Verhärtung oder Verstockung und kommt aus einem Herzen, das nicht die Umkehr will. Die Sünde des Menschen also hat auch diese Seite der unglaublichen Sicherheit dessen, der meint, um Gottes Willen zu wissen und mit diesem Wissen schon bestehen zu können. Es ist die moralische Selbstsicherheit, die sich nicht nur dann im Christentum weithin breitgemacht hat, wie man immer wieder und mit einem gewissen Recht betont, es ist jene moralische Selbstsicherheit, die sich sozusagen aus dem Christlichen ins Profane ergossen hat und gerade als Grundhaltung der nachchristlichen Öffentlichkeit und ihrer Vorkämpfer – wie man aus jeder Zeitung ersehen kann – darstellt.

Das aber hat wieder Zusammenhang mit der Sünde, die im Sinn des Apostels Paulus die schrecklichste und gefährlichste ist, für die ebenfalls die Juden, das heißt eben der Typus des moralischen, das ist des moralisch belehrten Menschen, das Paradigma sind. Die Juden – wohlgemerkt als Typus verstanden – denken und leben nämlich nicht nur in einer gewissen Selbstsicherheit, die sie zum Richter der anderen macht, wobei sie selbst dasselbe oder ungefähr dasselbe tun, sondern sie leben auch in einem seltsamen Selbstvertrauen, das zur Selbstgerechtigkeit führt. Das Selbstvertrauen – Paulus redet einmal im Blick auf seine judenchristlichen Gegner vom ἐν σαρκὶ πεποιθέναι, „auf das Fleisch vertrauen" (Phil 3,3) – bezieht sich neben anderem etwa darauf, ein Glied des Volkes Gottes zu sein. Sie verstehen ihre Erwählung, ihre Beschneidung, Gottes Offenbarung an Israel als etwas, das sie gegen die Folgen der Nichterfüllung des Gesetzes geradezu schützt. Das geht so weit, daß sie sich nicht nur des Gesetzes rühmen und doch durch Übertretung des Gesetzes Gott entehren, sondern daß sie auch meinen, wie wir gehört haben, Gericht gebe es nur für die Heiden, so daß also in diesem Selbstvertrauen, das zur Selbstgerechtigkeit führt, das zum Ausdruck kommt, daß sie nun, auch wenn sie das Gesetz erfüllen oder gerade wenn sie das Gesetz erfüllen, sich selbst die Gerechtigkeit zuschreiben, vor allem im Vertrauen darauf, daß sie das Gesetz erfüllen und, wie Paulus im Blick auf seine pharisäische Vergangenheit sagt (Phil 3,6b): „Was die Gerechtigkeit betrifft, die das Gesetz verlangt, bin ich untadelig gewesen."

Es ist also das Selbstvertrauen des Menschen, der nun nicht nur Selbstsicherheit hat, sondern gerade wegen seines in der Tat das Gesetz erfüllenden Lebensvollzuges seine Gerechtigkeit hat.

Dieses Selbstvertrauen äußert sich in der Selbstgerechtigkeit, das ist fast wörtlich übersetzt, nämlich ἡ ἰδία δικαιοσύνη, „die Eigengerechtigkeit"; das meint die Gerechtigkeit, die man sich aus den Leistungen holt, ἡ ἐμὴ δικαιοσύνη ἡ ἐκ νόμου, meine Gerechtigkeit, die ich mir aus dem Gesetz hole (Phil 3, 9). Nach ihm verstehen die Juden ihr Tun des Willens Gottes als Eigenleistung, die retten kann und retten wird. Im Tun der Werke, die das Gesetz fordert, liegt daher, wenn es als Suche nach der eigenen Gerechtigkeit verstanden ist, jenes schreckliche Rühmen, jenes Rühmen, das nichts anderes ist als das Nichtgeltenlassen der Gerechtigkeit, die Gott schenkt, ein Nichtwissen um sie und ein Nicht-sich-Unterwerfen unter sie.

Das ist nach Paulus am Verhalten der Juden gegenüber der in Jesus Christus erwiesenen und im Evangelium ihnen nahegebrachten Gerechtigkeit Gottes offenbar geworden (Röm 10, 13). Aber das war immer schon die Weise jenes seltsamen Gottesverhältnisses; dieses war, wenn man so formulieren darf, in einem fundamentalen Sinn Selbsterbauung, Selbstgerechtigkeit, der aber etwas zugrunde liegt, was letztlich die Sünde der Juden ausmacht. Es ist das Bestreben, sich das Leben aus dem Eigenen zuzusprechen, aus den Vorzügen, die man zu haben meint, oder aus den Leistungen, die man zu tun meint; sich das Leben aus dem Eigenen zuzusprechen und es nicht aus dem Gewährten zu empfangen oder als gegebenes zu bewahren. Es ist der Wille, das Heil an sich, an eigene Leistung oder eigenen Vorzug zu binden und nicht als Gabe Gottes zu empfangen. Und wir sehen, damit kommt diese Sünde der Sünde der Heiden doch wiederum so nahe, daß man die Einheit der letzten Sünde deutlich erkennt; es ist eigentlich dieselbe vor Gott, es ist im Grunde die Sünde des Gott-sich-nicht-verdanken-Wollens, die Sünde des Sich-sich-selbst-verdanken-Wollens.

2. Das Gesetz

Aber wie kommt es nun eigentlich, und damit schließen wir dieses Kapitel ab und knüpfen an das Vorige wieder an, zur konkreten Sünde, die in ihrem konkreten Vollzug das Sündenwesen, das letztlich ein Sich-nicht-Gott-verdanken-Wollen ist, realisiert oder verifiziert. Die Antwort ist im Horizont paulinischer Aussagen die: durch das Gesetz. Wenn wir das formalisieren würden, dann müßten wir sagen: es kommt zu den Sünden dadurch, daß ständig an den Menschen und sein Leben ein Anspruch ergeht, welcher ihn sozusagen zu sich selbst bringt, ihn sich selbst zu realisieren auffordert. Gäbe es keinen Anspruch an den inneren Motor des Lebens, gäbe es keine Sünde. Für Paulus ergeht dieser Anspruch natürlich im jüdischen Gesetz. Wir müssen uns also kurz mit dieser, die menschliche Existenz bestimmenden Macht beschäftigen. Erst so werden wir dann auch die Tiefe und Unentrinnbarkeit der Sünde erkennen.

Ich will nur kurz einen Überblick geben: Was meint Paulus, wenn er vom Gesetz spricht? Zunächst das Alte Testament im ganzen, die „Schrift" (Röm 3, 19 zum Beispiel), dann das Alte Testament, sofern es Gesetz enthält und Gesetz ist, also im engeren Sinn den Pentateuch, die fünf Bücher des Moses) (zum Beispiel Röm 3, 21 u. a.); dafür kann er auch sagen: „Moses sagt" oder „das Gesetz des Moses sagt"; als Sinai-Gesetz wird es dann auch gekennzeichnet; schließlich meint es dann vor allem den Kern des Pentateuchs, den Dekalog (Röm 2, 20ff; 7, 7 u. a. m.). Dieses Gesetz ist nach Paulus das Lebenselement und die Lebensmacht des Juden. Von seiner Herrschaft, vom Gehorsam ihm gegenüber, von der lebenslänglichen Bindung an das Gesetz, vom „Unter-dem-Gesetz-Sein", vom „Aus-dem-Gesetz-Sein" ist die Rede, der Jude versteht sich also aus dem Gesetz; vom „Im-Gesetz-Sein" ist die Rede, das Gesetz ist der Raum, der ihn bestimmt und in dem er seinen Aufenthalt hat; vom „Ausruhen-auf-dem-Gesetz" und vom „Sich-Rühmen-des-Gesetzes" ist die Rede, der Jude gewinnt also sein Ansehen im Gesetz und erbaut sich in ihm. Und in die Welt kommen, das ist für ihn: „geboren werden von der Frau und unter das Gesetz kommen" (Gal 4, 4).

Aber nicht nur der Jude weiß um das Gesetz. In einem bestimmten Sinn weiß auch der Heide um das Gesetz, nämlich um die Dinge, die das Gesetz fordert, um die „Forderung des Gesetzes", und auch er tut es unter Umständen. Freilich, die Heiden haben nicht die Gestalt der Erkenntnis und Wahrheit, den Pentateuch etwa; ihnen ist die Gesetzgebung ja nicht zuteil geworden, ihnen sind die λόγια τοῦ θεοῦ, die Worte Gottes, nicht anvertraut;

insofern sind sie im Verhältnis zum Juden solche, die das Gesetz nicht haben. „Sie sündigen ohne Gesetz – ἀνόμως – und gehen ohne Gesetz verloren" (Röm 2, 12), aber sie sind doch solche, „die sich selbst Gesetz sind" (2, 14). Denn „sie haben das vom Gesetz geforderte Werk in ihre Herzen geschrieben" (2, 15), und zwar so, daß seine Forderungen ihnen vom Herzen her mittels des Gewissenszeugnisses zugängig werden. Wohl kann man vom jüdischen Gesetz her diese Spuren des Gesetzes bei den Heiden finden, nicht aber umgekehrt vom heidnischen Gesetz her schon das jüdische. So ist für Paulus das Gesetz mit Selbstverständlichkeit das Paradigma einer allgemeinmenschlichen Größe. Schon von daher kann man ersehen, daß die paulinische Gesetzesproblematik keineswegs das historische jüdische Gesetz als solches meint, sondern daß sein Ringen mit dem Gesetz die Gesetzlichkeit überhaupt meint. Dasselbe läßt sich auch daraus entnehmen, daß für Paulus das Gesetz in seinen rechtlichen, rituellen und sittlichen Forderungen eine Einheit darstellt. Problematisch sind für Paulus alle Forderungen des Gesetzes als solche, also die Gesetzlichkeit des Gesetzes.

Ausgangspunkt der paulinischen Überlegungen ist die Tatsache, daß das Gesetz die Forderungen Gottes enthält. Der im Gesetz sich kundtuende Wille Gottes muß vom Menschen um seines Lebens willen getan werden. Das Gesetz ist in jedem Sinn das von Gott erlassene Lebensgesetz des Menschen, und es spricht ihn darauf an, daß er es durch seine Tat erfülle. Allein das Tun entspricht seinem Anspruch: „Nicht Hörer des Gesetzes sind gerecht vor Gott, sondern die Täter des Gesetzes werden gerechtfertigt werden", heißt es Röm 2, 13. „Moses schreibt: Die Gerechtigkeit aus dem Gesetz – der Mensch, der sie tut, wird sie erleben" (Röm 10, 5). „Wer sie getan hat, wird in ihnen leben" (Gal 3, 12). Das Gesetz hat also in den ἔργα, in den Werken ihm gegenüber, in denen es erfüllt wird, sein wirksames Prinzip. Und so kann Paulus auch ständig zwischen dem Gesetz und den Werken gegenüber dem Gesetz, den Leistungen, wechseln und kann das eine Mal sagen: „Man wird im Gesetz gerechtfertigt" (Gal 5, 4), und das andere Mal: „Man wird aus den Leistungen gegenüber dem Gesetz gerechtfertigt. Die Werke, das heißt die vom Gesetz geforderten Taten, sind, vom Menschen her gesehen, das konstitutive Prinzip des Gesetzes. „Daher wird Gott auch einem jeden vergelten nach seinen Werken" (2 Tim 4, 14), und das gilt nicht nur unter den Juden oder für die Zeit vor Christus, sondern auch für die Christen, die die Gerechtigkeit Gottes nicht durch Leistungen erlangen; auch sie werden dennoch im Gericht nach ihren Werken gefragt und gerichtet, „denn wir müssen alle offenbar werden vor dem Richtstuhl Christi, damit ein jeder empfange für das, was er bei Leibes Leben getan hat, Gutes oder Böses" (2 Kor 5, 10). Das Gebot der Werke wird von Gott nicht suspendiert.

Aber welche Forderung erhebt eigentlich das Gesetz? Nun, nach Paulus spricht es den Menschen auf Gerechtigkeit hin an, das heißt auf Gerechtsein und gerechtes Tun, auf δικαιοσύνη. In seinen Forderungen geht das Gesetz Gottes den Menschen auf Gerechtigkeit hin an. Insofern heißt das Gesetz ja auch „Gesetz der Gerechtigkeit" (z.B. Röm 9, 31), oder insofern gibt es eine δικαιοσύνη ἡ ἐν νόμῳ, „eine Gerechtigkeit, die in der Sphäre des Gesetzes" stattfindet und von ihm bestimmt ist (Phil 3, 6). Insofern kommt Gerechtigkeit vom Gesetz her, ἡ δικαιοσύνη ἡ ἐκ νόμου, ist sie „Gerechtigkeit, die sich vom Gesetz herleitet" (Röm 10, 5; Phil 3, 9). Daß dann die Gerechtigkeit sich nicht durch das Gesetz und die Gesetzestat realisiert, liegt nicht daran, daß das Gesetz nicht die Gerechtigkeit bezeuge und in seinen Geboten gebiete, sondern daran, daß der Mensch dieses Gebot – wie Paulus einmal formuliert (Röm 9, 31) – „nicht erreicht": „Israel aber, das dem Gesetz der Gerechtigkeit nachjagte, hat das Gesetz nicht erreicht." Wenn Israel das Gesetz eingeholt hätte, hätte es wie die Heiden auch die Gerechtigkeit ergriffen; daß es das Gesetz aber nicht erreichte, lag an seinem Unglauben. Indem das Gesetz in seinen Forderungen die Gerechtigkeit nahebringt, indem im Gesetz die Stimme der Gerechtigkeit Gottes ergeht, spricht es die Menschen aber auch auf die ἀγάπη, die Liebe, an. Von ihr weiß der Mensch jedenfalls durch das Gewissen als Geschöpf, und sie gebietet das Gebot. Alle Gebote werden erfüllt, wenn das eine Wort: Liebe deinen Nächsten als dich selbst, erfüllt wird (Gal 5, 14).

Die Liebe fordert demnach im Gesetz die Menschen für sich an: „Bleibet keinem etwas schuldig, sondern liebt einander; denn wer seinen Nächsten liebt, hat das Gesetz erfüllt. Denn das ‚Du sollst nicht Ehe brechen', ‚Du sollst nicht töten', ‚Du sollst nicht stehlen', ‚Du sollst nicht begehren', und was es sonst noch für ein Gebot gibt, ist in diesem Wort zusammengefaßt, nämlich: ‚Du sollst deinen Nächsten lieben als dich selbst.' Die Liebe fügt dem Nächsten nichts Böses zu: so ist die Erfüllung des Gesetzes die Liebe" (Röm 13, 8–10). Mit anderen Worten: das Gesetz, das den Menschen herausfordert, das den Menschen zu sich bringen will in seinen Taten, ist in seinen Einzelforderungen die Entfaltung des Anspruches der Liebe. Sie ist το δικαίωμα τοῦ νόμου, „die Rechtsforderung des Gesetzes" (Röm 8, 4), die sich in δικαιώματα, in Rechtstaten, enfaltet (Röm 2, 26). Sie ist vielleicht auch gemeint mit jenem in das Herz geschriebenen Werk, das das Gesetz fordert (Röm 2, 15).

Fordert das Gesetz in all seinen Geboten die Gerechtigkeit, die die Liebe ist, und die Liebe, die die Gerechtigkeit ist, und fordert es sie mit dem Ziel, daß sich diese in ihren Forderungen den Menschen angehende gerechte Liebe bis in sein Handeln hinein realisiert, dann wird es verständlich, daß Paulus das Gesetz ἡ ἐντολὴ ἡ εἰς ζωήν, das Gebot, das zum Leben gegeben ist (Röm 7, 10), bezeichnet. Der in den Forderungen des Gesetzes laut werdende Wille Gottes geht auf Leben; deshalb heißt es ja auch: „Wer sie getan hat, wird leben" (Gal 3, 12; Röm 10, 5). Das Leben ist im paulinischen Sinn mit der Gerechtigkeit und Liebe gegeben, es besteht in der Gerechtigkeit und in der Liebe. Indem das Gesetz in seinen Forderungen dem Menschen das Gerechtsein und die Liebe zur Realisierung vorlegt, fordert es ihn zu seinem Leben auf und für sein Leben an.

Und so stellt sich das Gesetz in der Tat als das dar, wofür es die Juden auch halten und dessen sie sich auch rühmen.

Wir hörten schon: ἡ μόρφωσις τῆς γνώσεως καὶ ἀληθείας, das heißt, es ist „die Verkörperung von Erkenntnis und Wahrheit" (Röm 2, 20). Im Gesetz gibt sich in der konkreten Weise einer Schrift oder eines Buches – ἐν τῷ βιβλίῳ τοῦ νόμου, „im Buch des Gesetzes" (Gal 3, 10) – die sich offenbarende gültige Wirklichkeit des Willens Gottes, welcher die Wahrheit ist, zu erkennen. In ihm erhebt diese Wirklichkeit, die das gerechte Sein der Liebe und damit das Leben will, seinen unabweisbaren Anspruch auf Verwirklichung durch die entsprechende Tat des Menschen. Und es ist nicht verwunderlich, wenn Paulus das Gesetz νόμος ἅγιος, heiliges Gesetz, nennt und wenn er die ἐντολή, das Gebot, was ja mit νόμος wechselt, ἁγία καὶ δίκαια καὶ ἀγαθή, „heilig und gerecht und gut", nennt (Röm 7,12) und wenn für ihn das Gesetz τὸ ἀγαθόν, das Gute schlechthin, ist (Röm 7,13). So kann er auch sagen: „Wir wissen, daß das Gesetz πνευματικός ist", also vom πνεῦμα getragen und πνεῦμα-vermittelnd; für ihn ist das ein überaus starker Ausdruck (Röm 7,14), der durch unser „geistlich" nicht wiedergegeben werden kann. Das Gesetz ist also ein „Geist-Gesetz", ein Gesetz des Geistes, dem der Mensch seiner göttlichen Intention nach als dem guten Gesetz zustimmt (Röm 7,16); es ist das Gesetz des Geistes, an dem sich der ἔσω ἄνθρωπος, „der inwendige Mensch", das heißt der Mensch in seiner verborgenen Geschöpflichkeit, der Mensch – kurz gesagt – qua Geschöpf, freut (Röm 7, 22), dem er – wie aber vielleicht erst später hinzugefügt wurde – τῷ νοΐ, das heißt aber hier: „in seiner unbefangenen Vernunft", diente (Röm 7, 25 b). Es ist also in vollem Sinn ὁ νόμος τοῦ θεοῦ, „das Gesetz Gottes" (Röm 7, 22.25b; 8, 7); und wenn der Mensch ihm gehorcht, heißt das nichts anderes als „Gott wohlgefallen" (Röm 8,7 im Verhältnis zu 8, 8). Es ist sein Wille, τὸ θέλημα τοῦ θεοῦ (Röm 12,2 u. a. m.), oder es ist der Wille schlechthin, τὸ θέλημα (Röm 2, 18). Sich dem Gesetz nicht unterwerfen heißt „Gottes Feind sein" (Röm 8, 7).

Aber nun ist das Erstaunliche und zunächst Verwirrende, daß von diesem Gesetz und keinem anderen und von diesem Gesetz insgesamt, nicht nur etwa von einem seiner Teile – etwa dem rituellen oder rechtlichen, nicht nur von dem Dekalog oder auch etwa nur von dem Gesetz der Juden und nicht dem der Heiden –, Paulus eine Reihe von Behauptungen aufstellt, die dem Gesagten in allem zu widersprechen scheinen. Von ihm, dem Gesetz der Gerechtigkeit, erklärt er, daß „durch das Gesetz" oder „vom Gesetz her" – διὰ νόμου und ἐκ νόμου – keine Gerechtigkeit kommt (Gal 2,21; 3,21). Und in bezug auf dieses Gesetz sagt er: „Daß im Gesetz niemand vor Gott gerecht wird, ist klar" (Gal 3,11). Die Schrift sagt deutlich, daß keiner, der sich im Gesetz aufhält, das heißt sein Leben durch das Gesetz bestimmen läßt, vor Gott gerechtfertigt wird. Und eine in gewissem Sinn noch schärfere Äußerung finden wir Gal 2, 16: „Der Mensch wird nicht aus Leistungen gegenüber dem Gesetz gerechtfertigt"; oder etwa auch: „Aus den Leistungen gegenüber dem Gesetz wird kein Fleisch gerechtfertigt werden" (Röm 3, 20; vgl. Gal 2, 16; Röm 3, 28; 4, 1 ff; 9, 32 Phil 3, 9).

Man sieht also: es ist nicht ein zufälliger Satz (Gal 2, 16), sondern ein immer wiederkehrender. Das Gesetz fordert Werke, damit in ihnen Gerechtigkeit realisiert wird. Und siehe, wenn der Mensch sich auf diese Forderungen des Gesetzes einläßt, wird er vor Gott, also in Wahrheit, nicht gerecht, „wird kein Fleisch, kein Mensch gerecht"; sondern χωρὶς νόμου, abseits vom Gesetz, das heißt „ohne die Mitwirkung des Gesetzes, ist die Gerechtigkeit Gottes erschienen" (Röm 3, 21); und χωρὶς ἔργων νόμου, abseits von den Leistungen gegenüber dem Gesetz, abseits von den Gesetzeswerken und ohne ihr Zutun, ohne ihre Mitwirkung, wird der Mensch gerechtfertigt und gerecht (Röm 3, 28; 4, 6). Und so kann durch dieses Gesetz, das – wie man bedenken muß – den Menschen zum Leben hin anfordert, das Leben nicht erlangt werden: „Denn nur wenn ein Gesetz gegeben wäre", heißt es Gal 3, 21, „das Leben bringen könnte, käme wirklich aus dem Gesetz die Gerechtigkeit." Aber ein solches Gesetz ist nicht gegeben. Man muß aber gerade dem Gesetz gestorben sein, um Gott zu leben (Gal 2, 19). Und so erfüllt sich auch keine der anderen Hoffnungen, die der Jude als Repräsentant des dem Gesetz verpflichteten, des „gesetzlichen" Menschen von Gesetz und Gesetzesleistungen erwartet. Der Segen, der Abraham und seinem Samen gegeben ward, ist nicht im Gesetz beschlossen (Gal 3, 8 f; 3, 14), sondern er liegt in der Zusage Gottes, in der ἐπαγγελία, in der Verheißung (Gal 3, 16 ff). Der Geist kam über die Galater wahrhaftig nicht durch ihre Leistungen gegenüber dem Gesetz, das seinem Wesen nach doch πνευματικός, voll Geist, ist (Gal 3, 2 f. 14 u. a.). Ja der Geist enthebt den, der sich seiner Führung überläßt, des gesetzlichen Gesetzes (Gal 5, 18; 5, 23). Das Gesetz hat auch nicht in den Stand der Söhne Gottes und damit in den Stand der Freiheit erhoben, sondern hat vielmehr Juden und Heiden in die δουλεία, in die Knechtschaft, gebunden und hielt sie in der Unmündigkeit fest (Gal 4, 1 ff. 21 ff; 5, 1). Und so eröffnet das Gesetz auch nicht die κληρονομία, das Erbe (Gal 3, 18.29 u. a.), schafft also dem Leben keine Aussicht.

Aber nicht nur dies – es geht noch weiter und wird immer paradoxer: Das Gesetz, dessen Forderung unabdingbarer Anspruch zum Heil ist, kann nicht nur nicht dieses Heil verschaffen – Paulus spricht Röm 8, 3 von dem ἀδύνατον τοῦ νόμου, „dem, was dem Gesetz unmöglich ist" –, es treibt vielmehr auch in das Unheil hinein. Damit kommen wir zur eigentlichen paulinischen Aussage, das heißt zur zugespitzten, paradoxen Aussage dieser Gesetzesproblematik. Denn diese Aussage geht dahin, daß das Gesetz – und beachten wir immer wieder: das Gesetz Gottes, das gute, gerechte, heilige Gesetz, das Gesetz des Geistes – zur Sünde führt, genauer: daß es die Sünde hervorruft. Nicht nur daß die Zeit des Gesetzes und seiner Herrschaft eben die Zeit war, „da wir unter der Sünde verschlossen waren" (Gal 3, 22f; 5, 16 im Verhältnis zu 18; Röm 6, 14); auch nicht nur daß die Sünde gebucht wird, wo das Gesetz herrscht (Röm 5, 13), weil das Gesetz die Sünde kennen lehrt. Die Formulierungen Röm 7, 7: „Ich hätte die Sünde nicht erkannt, wenn nicht durch das Gesetz", und Röm 3, 20: „Durch Gesetz kommt es zur Erfahrung der Sünde", meinen nicht nur ein theoretisches Kennenlernen der Sünde durch das Gesetz, sondern sie zielen darauf, daß das Gesetz die Sünde zur Erfahrung bringt. Das Gesetz läßt die Sünde – wie es Röm 5, 20 heißt – „reichlich hervorkommen", es entfaltet die Sündenmacht in die Sünden oder in die Übertretungen der Menschheit (vgl. Röm 5, 15.19). Oder beachten wir eine andere Formulierung: „Die Leidenschaften der Sünden sind solche, die durch das Gesetz", das heißt, die sich mittels des Gesetzes entzünden (Röm 7, 5). Und 1 Kor 15, 56 wird das Gesetz die Kraft der Sünde, deutlicher: das, was die Sünde in ihrer Macht wirksam sein läßt, genannt; ἡ δὲ δύναμις τῆς ἁμαρτίας, „die dynamische Macht – die Dynamik –, die die Sünde hervortreibt, ist das Gesetz". Und so heißt das Gesetz endlich selbst: ὁ νόμος τῆς ἁμαρτίας, „das Gesetz der Sünde" (Röm 7, 23), was nicht „das sündige Gesetz" bedeutet, sondern „das Gesetz, das der Sünde dient bzw. von ihr beherrscht wird bzw. ihr dienen muß", so wie es Röm 8, 2 ὁ νόμος τῆς ἁμαρτίας καὶ τοῦ θανάτου „das Gesetz der Sünde und des Todes", genannt wird, weil es der

Sünde und dem Tod zur Durchsetzung ihrer Macht zur Verfügung steht.

Damit kommen wir zu der anderen unheimlichen Aussage über das Gesetz, nämlich der, daß es tötet. Die durch das Gesetz erregte Sünde eröffnet den Tod (Röm 7, 5.11.24; 8, 6; 1 Kor 15, 56). Und so kann es heißen: τὸ γράμμα ἀποκτείνει, „der Buchstabe tötet" (2 Kor 3, 6), wobei der Buchstabe hier nicht etwa idealistisch im Gegensatz zum Sinn oder zum Geist gemeint ist – also: „dem Geist der Sache und nicht dem Buchstaben nach", sondern das γράμμα, der Buchstabe, ist nichts anderes als die Schrift, das Geschriebene, also das Gesetz (2 Kor 3, 6.7). Und ebenso kann Paulus formulieren: ὁ γὰρ νόμος ὀργὴν κατεργάζεται, „das Gesetz verschafft das Zorngericht" (Röm 4, 15). Und die ganze Tragweite solcher Aussage wird durch den paradoxen Satz erhellt (Röm 7, 10): εὑρέθη μοι ἡ ἐντολὴ ἡ εἰς ζωὴν αὕτη εἰς θάνατον, „und man entdeckte, daß das Gebot, das zum Leben gegeben ist", weil es ja in sich den Menschen zum Leben, nämlich zur Gerechtigkeit und zur Liebe, fordert, „eben dieses zum Tode wird". Das Lebensgesetz hat sich als Todesgesetz erwiesen. Und so kann Paulus von dem Gesetz, das doch heilig, gerecht und gut ist, zugleich sagen, daß es den Fluch bringt (Gal 3, 13), daß es ein verfluchtes Gesetz ist. Diejenigen, die in Gesetzesleistungen ihr Leben vollziehen, die, die sich in Gesetzesleistungen vom Gesetz her selbst ihr Leben erbauen, sie stehen unter dem Fluch, sind also mit andern Worten Verfluchte (Gal 3, 10).

Aber wie sind solche Aussagen eigentlich möglich? Das zum Leben gegebene Gesetz bringt den Tod, das heilige Gesetz ruft die Sünde hervor und macht nicht gerecht? Hat sich etwa das Gesetz entgegen seinem Ursprung und Wesen als Gottes heilsamer Wille gewandelt? Spricht sich in ihm nun ein widergöttlicher Unheilswille aus? Gehört Paulus zu den Gnostikern, die den Willen des Schöpfers und Gesetzgebers von dem Willen des Vaters trennen? Gehört er zu den modernen Gnostikern, die meinen, Gesetz, das heißt, Forderung und Anspruch an den Menschen zu stellen, sei schon verderblich, und die wie die alten Gnostiker meinen, „zu tun, was gefällt", das sei Freiheit und Leben?

Paulus selbst wirft das Problem der Identität des heiligen Gesetzes Gottes mit dem Gesetz, das Sünden und Tod hervorruft, auf, und zwar in der Weise, daß er Röm 7,7 die Frage stellt: „Ist das Gesetz Sünde?" Die Antwort darauf entwickelt er in den folgenden Sätzen: Röm 7, 7–13. Das Gesetz, also die Forderung Gottes, die auf Gerechtigkeit und Liebe in den Werken der Menschen geht, ist nicht Sünde (7,7). Aber das Gesetz läßt die Sünde lebendig und Erfahrung des Menschen werden (7, 7.9). Das Gesetz fordert ja in seinem Widerstand gegen das Begehren der Menschen dieses Begehren in jeder Form heraus. Dabei versteht Paulus hier unter Begehren, ἐπιθυμία, nicht ein sogenanntes neutrales oder formales Aussein auf etwas, in dem die menschliche Existenz transzendiert, so wie in diesem Sinne auch etwa der Geist begehrt (Gal 5,17), sondern Paulus meint, wenn er sagt, daß das Gesetz durch den Widerstand das Begehren herausfordert, eben das selbstsüchtige Begehren (1 Thess 4,5), das sich in vielen Begehrungen, ἐπιθυμίαι, entfaltet, von denen ja oft eingehend die Rede ist. Diese ἐπιθυμία, die also durch den Anspruch des Gesetzes im Menschen entzündet wird, dieses Aussein auf sich selbst könnte man einfach an den bestimmten Stellen mit „Selbstsucht" übersetzen, wenn man nur dabei im Deutschen den aktiven Sinn, daß einer sich selbst sucht, mithört.

Das heilige Gesetz Gottes begegnet also innerhalb der Geschichte dem Menschen so, daß es als Mittel der Sündenmacht auf den von ihr beherrschten Menschen trifft, die ἐπιθυμία, die latente Selbstsucht entzündet und auf diese Weise die Sünden provoziert. Paulus sagt: Das Gesetz wird von der das menschliche Dasein von Adam her beherrschenden Sündenmacht als Ansatz und Angriffspunkt genommen, als eine ἀφορμή (Röm 7,11). Indem es seine Forderungen stellt, trifft es auf den Menschen so, wie er vorkommt, der Fleisch ist, das heißt „unter die Sünde verkauft", πεπραμένος ὑπὸ τὴν ἁμαρτίαν (7, 14), der Sünde Besitz und ihr Untergebener. Indem es die Forderungen stellt, trifft es auf den Menschen als Mittel der Sünde, als das, was die Sünde gebraucht – διὰ τῆς ἐντολῆς heißt es von ihr: „durch das Gesetz". Es trifft als Gebrauchsmittel der Sünde auf den Menschen, der der Sünde anheimgegeben ist, mit dem Ziel und Effekt, daß es ihm eine Täuschung erweckt, nämlich jene von Heide und Jude geteilte Überzeugung, daß sein Heil in dem ist, was er sich selbst verschafft. Es weckt also im Menschen jene Grundtäuschung auf, daß er sich sein Heil selbst verdankt. Es holt diese Grundtäuschung, in der der Mensch lebt, gleichsam aus ihrer Verborgenheit heraus. Der so angesichts der Forderung aktuell Getäuschte gibt sich der Sünde, die die Selbsttäuschung impliziert, in den Sünden anheim. So wird das Gesetz ein Mittel der Sünde, in dem von der Sünde in der Selbsttäuschung befangenen Menschen Sünde und Selbsttäuschung in den Sünden zu entfalten.

Mit anderen Worten: es ist nicht das Gebot Gottes als solches, das die Sünde hervortreibt zu Sünden, sondern es ist das im Bereich der Sünde jeweils von den Menschen, denen es begegnet, schon ausgelegte und dargereichte Gesetz, das den in der Hand der Sünde sich zugeneigten und Gott abgeneigten, in sich befangenen Menschen durch die Erweckung seiner Selbstsucht zu Sünden provoziert. Es ist das Gesetz, so wie es in der Geschichte der Menschen als ein von der Sünde den Sündern zu Sünden interpretierter Anspruch begegnet. Es ist gar nicht das Gesetz als solches, was da wirkt, sondern es ist das Gesetz, das der Mensch von vornherein, wenn er seinen Anspruch hört, als einen Aufruf zur Selbstmächtigkeit in der Weise der Ungerechtigkeit oder Selbstgerechtigkeit versteht. Es ist nach wie vor Gottes heilige und gerechte und gute Forderung, die des Menschen Leben will. Aber diese heilige Forderung kommt innerhalb der von der Sünde bestimmten Menschheit als der kraft der Sünde immer nur zu Sünden vernommene Anspruch vor. Deshalb ist die gute Weisung Gottes zum Leben das fluchbringende Todesgesetz geworden. Es liegt nicht am Willen Gottes und seinem Gesetz, es liegt an der den Menschen immer schon bestimmenden Sünde, die in, mit und unter der Forderung des Gesetzes die Täuschung eines selbstmächtigen Lebens erweckt und die Täuschung, man könne in der Selbstsucht das Leben gewinnen, und die den Willen zu einem selbstmächtigen Leben provoziert.

Und diese Selbstmächtigkeit und Selbstsucht, die das Gesetz kraft der Sünde provoziert, zu dem der Mensch herausgerufen wird, indem Forderungen an ihn ergehen, hat nun zweierlei Formen. In Röm 7,8 heißt es ausdrücklich, daß „die Sünde durch das Gebot in mir πᾶσα ἐπιθυμία, jede Art von ἐπιθυμία, geweckt hat". Damit ist nicht nur eine Begierde gemeint, die sich in mannigfacher Weise durch die verschiedenen Übertretungen des

Gesetzes äußert; diese stellt Paulus freilich – wie wir gesehen haben – bei Juden und Heiden wiederholt fest. Die durch das Gesetz erregte ἐπιθυμία kann sich nämlich auch in anderer Weise zum Ziel bringen, und das ist für den Apostel das, was den Gesetzesweg eigentlich so gefährlich, ja so tödlich macht. Sie kann sich nämlich auch unter Erfüllung von Gesetzesforderungen auswirken; die Sünde kann auch und vor allem in den ἔργα νόμου, in den Gesetzeswerken, herrschen, in den Leistungen gegenüber dem Gesetz. Die Juden sind, wie wir hörten, das Paradigma derer, die „dem Gesetz nachjagen" (Röm 9,31), „die Eifer um Gott haben" (Röm 10,2). Sie erlangen keine Gerechtigkeit, nicht etwa weil ihr Eifer unzureichend wäre; Paulus war nach seiner eigenen Überzeugung als Pharisäer „untadelig" in Hinsicht auf die Gerechtigkeit im Gesetz, aber gerade das erschien ihm, nachdem er Christus erkannt hatte, als eine Bestrafung, als eine ζημία (Phil 3,6ff). Denn die Sünde kann auch in der Form der Selbstgerechtigkeit herrschen, und das geschieht für Paulus in den Leistungen gegenüber dem Gesetz, in der selbstsicheren und selbstsüchtigen und selbst sich befriedigenden Erfüllung des Gesetzes.

Es geschieht überall, wo der Mensch nicht von sich selbst im Glauben abgelöst ist. Wenn der in der Sünde von seiner Herkunft her auf sich bezogene Mensch sich durch das Gesetz zu seiner Erfüllung herausrufen läßt, dann löst ihn die Forderung nicht von sich los und gibt ihn nicht frei von sich und nicht hinein in den Willen Gottes, sondern es verfestigt das Gesetz ihn nur in die Eigenleistung oder die Selbstgerechtigkeit. Im Nichtwissen um die Gottesgerechtigkeit und im Ablehnen der in Jesu Christi Gerechtigkeit wieder angebotenen Gerechtigkeit Gottes sucht der Jude in seinen Gesetzesleistungen die ἰδία δικαιοσύνη, die eigene Gerechtigkeit, aufzurichten. Eben solche Eigengerechtigkeit, die der Gerechtigkeit Gottes entgegengesetzt ist, erscheint, von außen her gesehen, durchaus als Gesetzeserfüllung, also als gerechte Tat. Aber sie ist es, von innen her gesehen und also ihrem Wesen nach, nicht, sie ist bei aller äußeren Gesetzeserfüllung nur scheinbarer Gehorsam, in Wahrheit aber Ungehorsam. In keiner anderen Tat bindet sich der an sich gebundene Mensch so sehr an sich selbst wie in der aus Eigenem vollzogenen Leistung gegenüber dem Gesetz, der in einem fundamentalen Sinn verstandenen Selbstgerechtigkeit. Eben diese ist die andere und, weil versteckte und getarnte, desto gefährlichere Form der verfehlten Gerechtigkeit, der Sünde.

Sie ist nach Paulus eine Weise des ἐν σαρκὶ πεποιθέναι, des Vertrauens auf das Fleisch, was nichts anderes heißt als: auf sich als auf den konkreten Menschen (Phil 3,3), der ja selbstsüchtiges Fleisch ist; und weiterhin ist diese Selbstgerechtigkeit für Paulus eine Weise des fundamentalen Sichrühmens, des καυχᾶσθαι. Sie verschafft dem Menschen ein καύχημα, einen Ruhm – „aber nicht vor Gott", wie er Röm 4,2 ausdrücklich hinzufügt. Die Menschen staunen immer über Leistung und bewundern sie; und sie ist auch zu bewundern, wenn sie sachlich, das heißt, wenn sie selbstlos ist. Aber nun ist das Eigentümliche dies, daß eben die Leistung des Menschen gegenüber der moralischen Anforderung, wenn er darauf eingeht, eben im geheimen nicht selbstlos ist, sondern selbstsüchtig – so versteht Paulus den Menschen. Damit versteht er sogar die Tiefe der Sünde, das Unheimliche der Sünde, damit versteht er die Seinsweise des Menschen so, daß sie als eine Expektoration der Sünde erscheint. Solche Selbstglorifizierung – im geheimen natürlich oder meist geheim, manchmal auch naiv – in der Gesetzeserfüllung durch den eben darin bei sich bleibenden oder sich verfallenden Menschen kommt nicht erst als etwas Zweites zur Leistung hinzu, sondern die Eigenleistung des Eingehens auf die Forderung des Gesetzes *ist* für Paulus Selbsterbauung. Nicht durch das Gesetz der Werke, der Leistungen, sondern erst und nur durch das Gesetz des Glaubens ist die καύχησις, der Ruhm, durchgestrichen, ist der Ruhm „vor die Tür gewiesen", ἐξεκλείσθη (Röm 3, 27). Erst – könnte man ja auch im Vorblick sagen – im „Rühmen Christi", welches der Glaube rühmt, wird das Ansehen Gottes zur Erfahrung gebracht (vgl. 1 Kor 1,29ff).

Durch solche Aufdeckung der auch und gerade bei der äußeren Erfüllung des Gesetzes waltenden Sünde, der Sünde der den Menschen an sich selbst bindenden Selbstsucht, Eigengerechtigkeit, die die Welt faßbar, sichtbar beherrscht, wird nicht nur die Tiefe der Verfehlung, von der der Mensch herkommt, in der er verweilt und die er vollzieht, erkennbar, sondern auch die unglückselige und unheimliche Rolle, die das Gesetz im menschlichen Dasein spielt, das Gesetz, das doch Gottes heiliges und gerechtes und gutes Gesetz ist, das Gerechtigkeit und Liebe fordert und das Leben will. Das Gesetz, so wie es in der analytischen Geschichte der Menschen begegnet, ruft immer Unheil hervor, entweder in der Form, daß es die Gesetzesübertretung, oder in der Form, daß es die selbstgerechte Gesetzeserfüllung provoziert. Auf keinen Fall ist es der Weg, auf dem der schon immer an sich gebundene Mensch die Gerechtigkeit erlangt, die das Gesetz doch bezeugt. Das Gesetz kann ihm nicht helfen, oder, banaler gesagt, der Anspruch, den ich an jemanden richte, kann ihm nicht helfen, kann ihm nur helfen – so könnte man vorsichtiger sagen –, wenn zuvor an ihn ein Zuspruch ergeht oder wenn der Anspruch in den Zuspruch eingehüllt ist. Denn in jedem Fall ist das gute und heilige und gerechte Gebot Gottes, das das Gesetz seinem Wesen nach ist, wenn es dem Menschen begegnet, von der Sünde zur Förderung ihrer Macht, zu ungerechten oder scheingerechten Werken mißbraucht. In jedem Fall begegnet das Gesetz dem Menschen, wie Paulus Gal 3,19f ausführt, nur noch eigentlich als mittelbar göttliches Gesetz, unmittelbar aber als das des menschlichen Gesetzgebers selbst und der Mächte des Kosmos, also mit anderen Worten: in ihrer Interpretation. Weil der Mensch so, wie er vorkommt, alles auf sich bezieht, bezieht er auch das Gesetz ein in die Mittel, zu sich zu kommen in der Ungerechtigkeit oder in der Selbstgerechtigkeit. Dabei ist das Gesetz eben der gegenseitige sittliche Anspruch, formal gesehen, das, was das Leben bewegt, sofern der Mensch durch Anforderung erst über sich hinaus- und zur Entscheidung kommt. Aber eben das ist das Unheimliche für Paulus gewesen, dieser Motor des Lebens, der Anspruch, ist zum Motor der Sünde des Lebens geworden, das durch sein Angefordertwerden in die Selbstbehauptung und Selbsterbauung getrieben wird, in der es auch lebt.

Aber selbst in solcher Funktion – das ist ein neuer Gesichtspunkt – muß das Gesetz dem Wirken Gottes dienen, und dieser Dienst gibt ihm selbst noch einen relativ positiven Sinn. Dieses gute Gesetz Gottes, in der Hand des auf sich bezogenen Menschen zur Selbstsucht mißbraucht, um seine und im Grunde dadurch des Todes Macht zu fördern, das Gesetz in der Erfahrung des der Sünde unterworfenen Menschen gehört als solches nicht zu den grundlegenden Faktoren der Geschichte des Heils. Es steht nach Paulus nicht einfach neben der ἐπαγγελία, der Selbstzusage Gottes, welche die Heilsgeschichte trägt, sondern es setzt diese voraus und spielt auf dem Grunde dieser Zusage seine Rolle. Das Geschöpf, dem die Zusage Gottes zuteil wird, wird angefordert; doch Israel hat den Bundesschluß voraus, und die Christen haben die in Christus erschienene Gerechtigkeit Gottes, das Vonneuem-für-uns-Sein Gottes voraus, und erst auf diesem Grunde wird das Gesetz seine Tätigkeit beginnen.

Diese Rolle ist die eines sachlich und zeitlich begrenzten Zwischenfaktors, wie Paulus sich ausdrückt im Schema seiner Heilsgeschichte von Moses bis Christus (vgl. Röm 5, 13 ff. 20; 2 Kor 3, 7 ff u. a. m.). Es ist ein Zwischenfaktor, der freilich als solcher seine relativ positive Aufgabe hat. Worin besteht diese Aufgabe nun?

Das Gesetz dient dazu, „die Sünde zur Erscheinung zu bringen" und in ihrer Sündigkeit zu erweisen. Durch das Gesetz bleibt die unheilvolle Situation des Menschen, so wie er vorkommt, nicht latent, es bleibt nicht eine virtuelle und unheilvolle Situation, sondern sie wird offenbar und aktuell. Das Gesetz treibt die die Geschichte beherrschende Macht aus ihrer Verborgenheit hervor, es läßt sie nämlich Erfahrung werden, ἐπίγνωσις ἁμαρτίας (Röm 3, 20), es treibt sie freilich nur hervor, um die Menschen dann darin festzuhalten und den Menschen in solcher Weise dann aktuell an sich zu binden. In diesem Sinn – nicht etwa in einem positiv oder negativ vorbereitenden Sinn – ist es gemeint, wenn das Gesetz als „der Pädagoge auf Christus hin" bezeichnet wird. Das Gesetz ist nicht Pädagoge im modernen Sinn, sondern im antiken Sinn, eigentlich – wie der Zusammenhang Gal 3, 23 ff dann ja zeigt, die Bilder wechseln sofort – der Gefängniswärter. Aber der παιδαγωγός ist ja auch der Sklave, der den Schüler zur Schule bringt und durch seine Maßnahmen in Grenzen hält. Es schließt die Menschen, indem sie es zu immer neuen Sünden provoziert, unter die Sünde ein und hält sie, die Sünde immer von neuem hervorrufend, als ein antiker Pädagoge in Zucht. Und so hat selbst noch dieses Gesetz seine δόξα (2 Kor 3, 7 ff); freilich dieser Glanz vergeht und ist eigentlich im Vergleich mit der überschwenglichen δόξα des Evangeliums gar nicht δόξα zu nennen. Seine Glorie ist gleichsam die Glorie des Todes.

Dieses Gesetz – das heißt das immer vom Menschen kraft der ihn beherrschenden Sünde von vornherein zur Evokation seiner Eigenmächtigkeit und Selbstherrlichkeit mißbrauchte Gesetz – ist nun mit Christus beendet (Röm 10,3f). Darauf müssen wir im Vorgriff um der Vollständigkeit der Darlegungen über das Gesetz willen wenigstens vorläufig schon eingehen. Dieses Gesetz ist mit Christus beendet, nicht das Gesetz überhaupt. Das eigentliche Gesetz, die Weisung Gottes, die so verstanden wird, wie sie verstanden werden soll, die nicht Mittel wird in der Hand der Sünde, den Menschen zu Gebot zu ziehen und zur eigenen Gerechtigkeit und Selbstherrlichkeit, wird durch Christus dann erst wieder freigelegt. Er ist das Ende jenes Gesetzes, das im Sinn der Gesetzlichkeit verstanden ist, aber das Gesetz Gottes als solches wird nun wieder erst freigelegt.

Denn dem Menschen wird durch Christus – ganz einfach gesagt – wieder die Unbefangenheit, die Abgelöstheit von sich selbst zuteil, so daß er, unbefangen von sich selbst, dem Gesetz wiederum gehorchen kann. „Christus, unter das Gesetz getan, den Fluch des Gesetzes auf sich nehmend, hat uns vom Fluch des Gesetzes (eben uns nur zu uns selbst und damit zum Tod zu treiben) befreit" (Gal 3,13). „Er hat" – wie es Eph 2,14ff heißt – „das Gesetz vernichtet", „er hat es am Kreuz beseitigt" (Kol 2,14). „Die von dem Gesetz und den Propheten" fordernd oder verheißend „bezeugte Gerechtigkeit Gottes ist abseits vom Gesetz – ohne Zutun des Gesetzes – in Christus erschienen" und erwiesen (Röm 3,21ff). „Er ist uns von Gott her" zu der vom Gesetz geforderten „Gerechtigkeit geworden" (1 Kor 1,30; vgl. 2 Kor 5,21). So hat uns das in Christus gegebene und wirksame Gesetz des lebenschaffenden Geistes, der Anspruch der durch den Geist erschlossenen Gerechtigkeit Christi von dem Gesetz der Sünde und des Todes befreit (Röm 8, 2). So gelangt jetzt erst die eigentliche Intention des Gesetzes zur Erfüllung. Die Ohnmacht des Gesetzes hat Gott in Christi Jesu Erfüllung des Gesetzes beseitigt (Röm 8,3f), so daß eben das, was das Gesetz fordert, durch uns, die wir nun nach dem Geist, das heißt nach der Jesus Christus erschließenden Kraft, unser Leben vollziehen, erfüllt wird. Daran, daß die Forderung des Gesetzes erfüllt werde, hängt alles nach wie vor, hängt das Leben; aber dieses δικαίωμα, diese Rechttat, steht nicht mehr als bloße Forderung vor dem sich zugeneigten und in sich verschlossenen Menschen.

Dieses δικαίωμα kommt ja nun zur Sprache als ein von Christus für uns getanes (Röm 5, 18ff). Diese Forderung, das Gesetz, als von Christus für uns getane Gerechtigkeit erhebt seinen Anspruch auf uns. Es erhebt ihn im Geist, der die von Christus uns erwiesene Gerechtigkeit uns aufschließt und offenhält. Das, was das von unserer Vergangenheit her begegnende Gesetz nicht vermochte, weil es den auf sich bezogenen Menschen nie von sich ablöste, sondern nur noch mehr durch seine Forderungen an sich band – die Anforderungen der für uns in Jesus Christus getanen Gerechtigkeit vermag es, und zwar im Glauben. Diese Gerechtigkeit, in der also – vorläufig gesagt – Jesus Christus selbst das Gesetz erfüllt hat und die, vom Geist in der Wahrheit erschlossen, auf uns eindringt, erweckt den Glauben, das heißt endlich die Selbstablösung des Menschen von sich und die Bindung an Gott, und so begegnet der Mensch, abgelöst von sich, der Forderung des Gesetzes wieder unbefangen und kann sie tun. Wer sich dem Anspruch der ihm erwiesenen Gerechtigkeit Gottes in Jesus Christus überläßt, wird durch diese von sich selbst und aus seiner Selbstbefangenheit gelöst.

Endlich ist es so, daß der Mensch frei von sich werden kann, indem er nämlich die Gabe wieder empfängt und nicht mehr zu versuchen braucht, sich selbst zu behaupten und zu sichern und sich selbst zu erhöhen, sondern indem er nur noch anzunehmen braucht, was Gott ihm an Gerechtigkeit in Jesus Christus gibt, also die Forderung anzuhören braucht, die von Jesus Christus nun ergeht. „So ist Christus das Ende des Gesetzes zur Gerechtigkeit für jeden, der glaubt", wie es Röm 10,4 heißt. Nicht in den Leistungen gegenüber dem Gesetz, das den Menschen immer nur in die Ungerechtigkeit oder Selbstgerechtigkeit auf sich selbst stellt und an sich bindet, sondern im Glauben, in dem sich der Mensch von sich abwendet und sich der in Christus ihm erwiesenen Gerechtigkeit zuwendet, geht der Mensch in die Gerechtigkeit ein. Seinem Gehorsam, der die Unterwerfung unter die von Gott in Jesus Christus gewährte Gerechtigkeit ist, eröffnet sich die Gerechtigkeit Christi als Gabe. Im Glauben, der sich der Gerechtigkeit Christi anheimgibt, kann der Mensch den Anspruch der

Gerechtigkeit Gottes wieder unbefangen vernehmen und kann jetzt, fern aller Eigengerechtigkeit, die Weisung Gottes zum Leben erfüllen. Das Gesetz begegnet den Glaubenden – wie Paulus sagt – als „Gesetz Christi" (Gal 6,2).

Wir können vielleicht so formulieren: Das Gesetz begegnet dem Glaubenden jetzt als ein Angebot Christi im doppelten Sinn dieses deutschen Wortes. Gesetz Christi ist das durch Christi Erfüllung wieder frei gewordene und als ursprünglicher Wille Gottes wieder hörbare und erfüllbare Gesetz. Der Glaubende, der sich darauf einläßt, ist deshalb auch ein ἔννομος Χριστοῦ, einer, der im Gesetz Christi ist (1 Kor 9,21), er ist nicht mehr ὑπὸ νόμον, unter dem Gesetz, er ist aber auch nicht mehr ein ἄνομος, ein Gesetzloser, sondern einer, der sich auf und in dieses Gebot Christi eingelassen hat. Losgelöst von sich selbst und geborgen in der Zusage Gottes ist er frei von dem Ungerechtigkeit oder Selbstgerechtigkeit provozierenden Gesetz für das jetzt im lebendigmachenden Geist Christi den Willen Gottes rein erschließende Gesetz, frei für seine Gerechtigkeit, sie zu tun.

Damit ist noch ein Letztes gesagt: Weit entfernt, das Gesetz Gottes zu schmähen oder abzutun, ist auch der Apostel Paulus bemüht, es wieder gegenüber Heiden und Juden zur Geltung zu bringen, mit dem Gesetz aber auch die Werke, Paulus verwirft weder die Forderung Gottes als solche noch das ihr entsprechende Werk als solches; ebensowenig verwirft er die Gerechtigkeit als die Form des eigentlichen Lebens. Aber er hat gesehen, daß bei den selbstsüchtig existierenden Menschen die Forderung Gottes nicht mehr als solche gehört und getan wird, das heißt als Weisung der Gerechtigkeit und Liebe Gottes zu Gott. Der geschichtliche Mensch erfährt vielmehr kraft seiner rätselhaften Selbstbezogenheit die Forderung des Gesetzes immer nur als Anforderung selbstsüchtigen Handelns. Erst damit, daß die von Jesus Christus für uns erfüllte Gerechtigkeit uns in der Kraft des Geistes zugesprochen wird, daß das Gesetz also in Jesu Christi Gerechtigkeit wieder als Anspruch eines Zuspruches Gottes laut wird, als eine Weisung, die in der Zuweisung an Gott ruht, begegnet das Gesetz wieder in seinem ursprünglichen Sinn, eben als Anweisung zugewiesener Gerechtigkeit Gottes, und als solche kann es wieder in Wahrheit getan werden, das heißt in Gerechtigkeit und ohne

Selbstgerechtigkeit. So dient der Kampf des Apostels letztlich nur eigentlich der Restituierung der Tora, der Weisung Gottes zum Leben, er dient ihr, weil er dem Menschen dient, indem er ihn aufdeckt in seiner eigentümlichen Selbstbefangenheit, von der er durch die Forderung nicht loskommt, sondern nur durch die Gabe, in diesem Falle die Gabe der Gerechtigkeit Christi. Es gelten also nicht nur die furchtbaren Sätze, daß das Gesetz der Fluch ist und daß das Gesetz tötet, weil es in die Sünde treibt, sondern es gilt auch der Satz oder die Frage: „Beseitigen wir das Gesetz durch den Glauben?", und die Antwort: „Nein, wir richten es auf!" (Röm 3,31).

Aber damit haben wir um der geschlossenen Darstellung des paulinischen Gesetzesverständnisses willen schon weit über unseren Zusammenhang hinausgegriffen. Unsere Frage, durch die wir genötigt wurden, auf den Begriff des Gesetzes einzugehen, war ja die, wie sich die Sündenmacht, die den Menschen von Adam her beherrscht, aktualisiert; die Antwort war: durch das Gesetz. Die neue Frage war, auf welche Weise das Gesetz die Sünde zu Sünden aktualisiert; die Antwort war: in der Weise, daß das Gesetz die selbstsüchtige Begierde des Menschen provoziert und diese die Forderungen des Gesetzes zu ihrer Erfüllung benutzt, entweder in der Ablehnung dieser Forderungen, in ungerechten Taten, oder im Eingehen auf diese Forderungen, im selbst- oder eigengerechten Handeln; mit anderen Worten: das Gesetz aktualisiert die Sünde in der Weise, daß es deren Eigensucht und Eigenmächtigkeit, die ja die Kehrseite der Abneigung des menschlichen Daseins gegen Gott sind, herauslockt und in den entsprechenden Taten fixiert.

Aber nun müssen wir noch drei Dinge im ganzen bedenken: nämlich einmal – was wir bisher nur nebenbei erwähnten und auch im paulinischen Denken nur nebenbei erwähnt wird, was nicht besagt, daß es kein Gewicht hätte –, daß das Gesetz den Menschen zu solchen Taten der Eigenmächtigkeit provozieren kann, weil die Sünde ihn zugleich täuscht. Es gehört mit zum Wesen der Sünde, in der der geschichtliche Mensch sein Leben vollzieht, daß sie ihm den in der Eigenmächtigkeit und Eigensucht waltenden Tod verbirgt und ihm Selbstherrlichkeit und Selbstsucht als die Form des Lebens darstellt. Das geschieht aber zugleich so, daß die Sünde dem Menschen, den sie aus seiner Vergangenheit her beherrscht, das, worauf er eigenmächtig und eigensüchtig aus ist, eben als den Inhalt des Lebens, besser: als das, was ihm Leben gewährt und was das Leben fördert, vor Augen stellt. Mit der Sünde – könnte man sagen – ist zugleich die Illusion gesetzt, die grenzenlose Illusion, daß Welt und Mensch die Stelle Gottes übernehmen könnten. Die Sünden vollziehen diese Illusion in concreto, sie vollziehen sich selbst immer in Illusion. Das Gesetz, das unter der Herrschaft der Sünde die Sünden der Ungerechtigkeit und Selbstgerechtigkeit hervortreibt, erweckt eben mit seiner Forderung und dem Eingehen darauf die Illusion, diese Illusion und das, was in der Ungerechtigkeit und Selbstgerechtigkeit begehrt und erlangt wird, das sei das, was Leben gewährt. Ich würde gar nicht aus sein auf mich selbst, wenn ich nicht meinte, darin das Leben zu haben. Die Sünde hat immer ein täuschendes Versprechen bei sich; in den Sünden wird dieses Versprechen konkretisiert, und hier erfolgt freilich auch sofort die Ent-täuschung. Von dieser Täuschung redet der Apostel öfters; sie ist mit ἀπάτη bezeichnet, vom Verb ἐξαπατᾶν oder ἀπατᾶν (vgl. Eph 4, 22; Kol 2, 8 u. a. m.). Im Zusammenhang mit der Sünde und dem Gesetz wird diese ἀπάτη ausdrücklich Röm 7, 11 genannt: „Die Sünde erhielt Anstoß durch das Gebot und täuschte mich und tötete mich durch dasselbe." Paulus denkt hier gewiß an Gen 3, 13 bzw. an die jüdische Auslegung von Gen 3, 13; die Betörung Evas durch die Schlange ist ihm offenbar das Beispiel aller Betörung durch die Sünde, aller Täuschung, die die durch das Gesetz aufgestörte Sünde vollzieht. Jede Verfehlung und jedes Vergehen und jedes Versehen der Sünde geschieht ja unter dem Versprechen, dann Gott gleich sein zu können, also unter dem Versprechen der Selbstherrlichkeit, auch wenn das nicht zum Bewußtsein kommt und auch wenn dieses Gottgleichsein in concreto nur eine jämmerliche Form hat. Ist so der Mensch, wie er vorkommt, immer schon auf sich aus, weil er von daher das Leben zu empfangen wähnt, und aktualisiert sich diese Tendenz der Sünde durch das ihr widersprechende Gesetz nur so, daß sie und die dazugehörigen Illusionen sich in den Sündentaten fixieren und vollenden, dann erscheint er, der begehrende und begehrte Mensch samt seiner von ihm begehrten Welt, sich selbst in einem neuen Licht, dann gehen der Mensch und seine Welt ihm in einem neuen Licht auf. Er und seine Welt erscheinen ihm dann als eine faszinierende und terrorisierende Macht. Und ebendies spiegelt sich bei Paulus in seinen anthropologischen und kosmologischen Begriffen wider – auf sie müssen wir daher an dieser Stelle etwas eingehen.

3. „Leib" und „Fleisch"

Der gemeinte anthropologische Sachverhalt kommt unter den Begriffen τὸ σῶμα, Leib, und ἡ σάρξ, Fleisch, zur Sprache. Τὸ σῶμα, Leib, wird beim Apostel von vornherein vom Leib des Menschen her verstanden, nicht allgemein. Dieser Leib ist, formal gesehen, einerseits etwas, dem der Mensch gegenübersteht und -stehen kann, zu dem er sich verhalten kann, den er gebrauchen kann, den er mißbrauchen kann, über den er verfügen kann u. a. m.

Andererseits ist es der Mensch selbst in seiner Leiblichkeit, ist also der Mensch selbst Leib. Der Unzüchtige sündigt εἰς τὸ ἴδιον σῶμα, „gegen seinen eigenen Leib" (1 Kor 6, 18 ff), damit sündigt er aber für Paulus in einem besonderen Maß gegen sich selbst, als Christ gegen sich als den, den der heilige Geist sich in der Taufe als Wohnstätte eingeräumt hat, der teuer erkauft ist, der sich nicht mehr selbst gehört (vgl. eben die genannte Stelle 1 Kor 6, 18 ff). Aber auch sonst sieht man deutlich, wie die Begriffe „Leib" und „der Mensch" selbst miteinander wechseln können. „Stellt eure Leiber als lebendige Opfer zur Verfügung", heißt es Röm 12, 1, und in 12, 2 wird fortgefahren: „Und gleicht euch nicht dem Schema dieses Äons an"; gemeint ist also: Stellt euch „leibhaftig" als lebendige Opfer zur Verfügung. So kann der Apostel ja auch sonst (z. B. Röm 6, 12 f) einfach wechseln zwischen „Stellt eure Glieder – das ist euren Leib – nicht zur Verfügung" und „Stellt euch zur Verfügung" (und andere Stellen mehr). Ich kann also meinen Leib zur Verfügung stellen, aber mit ihm stelle ich mich zur Verfügung. Mein Leib ist nicht ein Teil von mir, sondern bin ich, und zwar in Hinsicht auf das, was mein Erscheinen, meine Anwesenheit, mein Begegnen, mein Handeln, mein Leiden ermöglicht. Insofern ist er das Konstitutivum des Menschen.

Auch nach dem Tod hat und ist der Mensch Leib, sofern es für den Apostel einen Auferstehungsleib gibt, der für Paulus nicht in seinem Leibsein, sondern nur im Modus, in der Qualität des Leibseins sich vom irdischen Leib unterscheidet. Das versucht der Apostel den korinthischen Christen ausführlich darzulegen, die offenbar weithin in der Gefahr einer Spiritualisierung, wie sie die Gnosis kennt, stehen, und damit in der Gefahr einer Geringschätzung bzw. einer ausgesprochenen Verachtung des konkret Leiblichen (vgl. dazu 1 Kor 15,35 ff). Weil für Paulus der Mensch nicht nur einen Leib hat, sondern auch Leib ist, mit anderen Worten: weil er leibhaftig ist und im Leib ist und nicht anders als im Leibe ist, kann Paulus auch völlig ungriechisch vom σῶμα πνευματικόν, vom „Geistleib", vom geistgewirkten und -gebildeten Leib, im Gegensatz zum σῶμα ψυχικόν, dem irdisch-vitalen Leib, reden, eben vom Auferstehungsleib. Und so kann er nicht nur die korinthischen Christen mahnen: „Verherrlicht Gott durch euren Leib" (1 Kor 6,20), sondern er kann auch davon reden, daß „der Herr Jesus Christus den Leib unserer Niedrigkeit verwandeln wird in einen, der dem Leibe seiner Herrlichkeit gleichgestaltet ist" (Phil 3,21). In seinem leiblichen Dasein soll der Mensch Gott Ansehen verschaffen – es ist unser Leib der Niedrigkeit; aber eben dieser wird Christi Leib der Herrlichkeit gleichgestaltet werden. Oetinger hat recht, wenn er in seinem berühmten Wort sagt, daß die Leiblichkeit das Ende aller Dinge Gottes ist – jedenfalls für den Apostel Paulus; nur muß es angemessen verstanden werden.

Aber dieser Leib ist als Leib des irdischen Menschen nun nicht nur „der Leib der Niedrigkeit" oder „der sterbliche Leib" (Röm 6,12); diese Begrenzung des Leiblichen – „sterblich", „niedrig" – versteht sich für Paulus von selbst; sondern dieser Leib ist nun auch der Leib der Sünde. Das heißt im Sinn des Apostels nicht, daß der Leib, also der leibliche Mensch als solcher, oder auch die Leiblichkeit als solche Sünde sei; sondern es meint, wenn wir uns an die wenigen Aussagen, die der Apostel darüber macht, halten, folgendes – in Röm 6 finden wir dafür die Belege –: einmal, daß der Leib, also der Mensch in seinem Leibe, der Bereich ist, über den die Sünde herrscht (6,12); zweitens, daß er es in der Weise ist, daß die Sünde in des Menschen eigenem Begehren, welches ja nicht nur die sinnlichen, sondern auch die geistigen Begehrungen sind, Anspruch auf Gehorsam erhebt (6,12); drittens, daß dieser Anspruch der Sünde, der aus dem Begehren des leibhaftigen Menschen ergeht, darin erfüllt wird, daß der Mensch seinen Leib, seine Glieder, sich in seinen Gliedern, als Instrumente des Unrechtes der Sünde zur Verfügung stellt (6,13.19); das heißt viertens nun, daß die Sünde, die den menschlichen Leib aus dem Anspruch seiner Begehrungen heraus so beherrscht, daß er sich ihr zur Verfügung stellt, damit dem Menschen von innen her ein Gesetz auferlegt, durch das er ständig gebunden ist.

„Ich entdecke", sagt Paulus bei seiner Analyse des menschlichen Daseins Röm 7 in V. 23, „aber ein anderes Gesetz in meinen Gliedern, das mich gefangenhält im Gesetz der Sünde, das in meinen Gliedern ist", eben dieses Gesetz, daß der Mensch ständig als der leibhaftige Mensch kraft der Sünde, die durch das Gesetz provoziert wird, zu sich geneigt bleibt und sich begehrt bzw. seine Welt. Der Leib, die Glieder, der leibliche Mensch, der Mensch in seinen Gliedern, der Mensch in seinem Begehren und in seinem „Aus-sein auf", in seinen Intentionen, die mit seinem leibhaftigen Leben zusammenhängen, ist so von der Sünde beherrscht, daß er ihrem Gesetz verhaftet ist. Sie und ihr Wille werden sein inneres Gesetz, sind das Gesetz, nach dem der Mensch antritt, und als solcher und in solcher Weise wird der Leib zur Fessel des Menschen, wird er zur Macht, von der ich befreit werden möchte: „Ich unglücklicher Mensch, wer wird mich befreien aus diesem Todesleibe", läßt Paulus den Menschen in Röm 7,24 ausrufen. Dieser Leib, das heißt dieses leibliche Dasein, dieses menschliche Dasein in seiner Leiblichkeit, der in seinen selbstsüchtigen Begierden von innen her unter dem Diktat der Sünde steht und sich ihm in seinen Sünden beugt, erscheint auf einmal als eine fremde Macht, die ihn an die fremde Sünde bindet. Und doch ist er, der Leib, der eigene Leib, der ihm zu eigen gegeben ist; und auf einmal ist er ihm nicht mehr zu eigen, sondern wird die Macht, der sich der Mensch beugt; er ist zu eigener Verfügung gegeben, und auf einmal wird er die Macht, die über ihn, den Menschen, verfügt.

Diese Verfremdung des eigenen, leibhaftigen Daseins, das als eine Art unpersönlicher, überwältigender Macht sich erhebt, wird noch deutlicher in dem anderen Begriff, den der Apostel für das menschliche Leben verwendet; es ist der Begriff ἡ σάρξ, das Fleisch. Auch diesen Begriff, der für die paulinische Theologie große Bedeutung hat, müssen wir uns ein wenig ansehen, um so mehr, als gerade bei ihm Mißverständnis über Mißverständnis entstanden ist, Mißverständnisse, die tief in die Theologie und den Glauben eingedrungen sind. Dieser Begriff σάρξ, „Fleisch", wechselt vielfach mit dem Begriff τὸ σῶμα, „Leib", wie ja auch schon in der LXX בָּשָׂר teils mit σῶμα, Leib, teils mit σάρξ, Fleisch, übersetzt wird. Als Beispiel für diesen wechselseitigen Gebrauch kann man etwa 1 Kor 6,16; 2 Kor 4,10f; Eph 5,28ff angeben. So kann nun – um nur dieses Beispiel näher zu nennen – „der Leib der Sünde", also der von der Sünde beherrschte Leib (Röm 6,6), auch σὰρξ ἁμαρτίας genannt werden, „Fleisch der Sünde", also von der Sünde beherrschtes Fleisch (Röm 8,3). Oder es können sich entsprechen die ἐπιθυμίαι τοῦ σώματος, das Begehren des Leibes (Röm 6, 12), und die ἐπιθυμίαι τῆς σαρκός, das Begehren des Fleisches (Gal 5, 16.24 und andere Stellen mehr).

Wenn aber nun statt σῶμα, Leib, auch σάρξ, Fleisch, gesagt werden kann, so ist es nicht weiter verwunderlich, daß die Bestimmungen, die dem ersteren Begriff „Leib" anhaften, auch auf den letzteren „Fleisch" zutreffen. Aber ἡ σάρξ, das Fleisch, unterscheidet sich auch in gewisser Weise von dem Begriff „Leib". Es meint nämlich einmal den Menschen oder seinen Leib hinsichtlich dessen konkreter Substantialität. Der Mensch ist Fleisch, ist Fleischessubstanz oder ist von Fleischesart, und so ist sein Charakteristikum dies, daß er sichtbar, betastbar, greifbar, fühlbar ist, und jenes andere, daß er als solcher anfällig und hinfällig ist. „Fleisch" meint im Gegensatz zum Inneren, Verborgenen, Unsichtbaren das Äußere, Erscheinende, vor Augen Liegende, aber es meint dann vor allem – und das geht über „Leib" nicht der Sache nach, aber der Verwendung der Begriffe nach etwas hinaus – das Anfällig-Hinfällige, das Vergängliche; eben τὰ βλεπόμενα, das, was sichtbar ist, das ist πρόσκαιρα, das ist auch zeitlich, und als solches ist es auch anfällig und hinfällig, sagt Paulus einmal (2 Kor 4, 18). So spricht der Apostel zum Beispiel von der ἀσθένεια τῆς σαρκός, der „Schwachheit des Fleisches" (Gal 4,13); oder er spricht vom σκόλοψ τῇ σαρκί, vom „Stachel, der im Fleisch steckt“ (2 Kor 12,7), und er meint mit dieser Schwachheit und diesem Stachel im Fleisch seine körperliche Hinfälligkeit, seine schwere Krankheit. Die θλῖψις τῇ σαρκί, die Bedrängnis, die dem Fleisch zuteil wird (1 Kor 7,28), ist Bedrängnis in äußerer Not, die sich eben in Hunger, Durst, Schmerzen, und in dem, was der Apostel sonst aufzählt – vor allem im 2. Korintherbrief –, zur Geltung bringt.

Dabei muß man aber beachten: es ist nicht exklusiv die Bedrängnis durch die äußere Not, nur die körperliche Hinfälligkeit, wenn von der Schwachheit des Fleisches und von seiner Anfechtung gesprochen wird, sondern – wie 2 Kor 7,5 zeigt – ist auch innere Anfechtung mit der σάρξ in Zusammenhang gebracht. Unser Fleisch, das dort erwähnt wird, ist für den Apostel eben sein irdisches Leben, das nun teils durch Verfolgung, teils aber durch Angst und Furcht bedrängt wird. Die Anfälligkeit und Hinfälligkeit offenbart sich natürlich am Ende des leiblichen Lebens, und dies wird bezeichnet zum Beispiel als ὄλεθρος τῆς σαρκός, „Verderben des Fleisches“ (1 Kor 5,5). Da der Mensch in seinem irdischen Dasein an die fleischliche Leiblichkeit gebunden ist, wird Fleisch auch so etwas wie eine Bezeichnung für das menschliche Wesen als solches. Das kommt etwa in der Formulierung Röm 6,19 zum Ausdruck, wenn Paulus dort sagt: „Ich rede, wie man eben unter Menschen redet, um der Schwachheit eures Fleisches willen.“ Hier ist ἀσθένεια τῆς σαρκός natürlich nicht die Krankheit, sondern die Begrenztheit, die Beschränktheit des Menschen, der Unverstand seines Verstehens, oder wie man sonst sagen will. Eben dieses menschliche Wesen in seiner Begrenztheit und Beschränktheit ist es nun auch, worin der Mensch lebt und sein Leben vollzieht: „Was ich jetzt im Fleische lebe“ – also mein irdisches Leben –, formuliert zum Beispiel Paulus Gal 2,20, „das lebe ich im Glauben an den Herrn Jesus Christus“, ist die Fortsetzung des Satzes. Fleisch wird also dann, sofern es das menschliche Leben in seiner Anfälligkeit und Hinfälligkeit meint, zugleich die Sphäre oder auch die Dimension oder auch die Welt – und zwar die ihm nächste Welt –, in der sich der Mensch aufhält. Durch und über das Fleisch ist der Mensch in und bei der Welt. So ist dann Weltliches unter Umständen als Fleischliches qualifiziert; zum Beispiel die Weisheit der Welt (1

Kor 1, 20; 3, 19). Sie ist die Weisheit „der nach dem Fleisch – κατὰ σάρκα – Weisen" (1 Kor 1, 26). Und denen, „die als Christus Jesus Gehörige das Fleisch gekreuzigt haben samt seinen Leidenschaften und Begierden" (Gal 5, 24), „ist im Kreuz Christi die Welt gekreuzigt" (Gal 6, 14).

Dieses Fleisch, in dem der Mensch sichtbar sich und anderen begegnet, in dem er seine anfällige und hinfällige Leibsubstanz hat, das ihn zum begrenzten, irdisch-menschlichen Leben qualifiziert, bei und in dem er sich als in seiner irdischen Dimension aufhält, solange er lebt, steht nun als solches nicht nur in einem formalen Gegensatz zu Gott und allem, was zu ihm gehört, zum Beispiel im Gegensatz zum Geist Gottes, sondern es wird auch wiederum „das von der Sünde beherrschte Fleisch" genannt, die σὰρξ ἁμαρτίας (Röm 8, 3). Es wird wiederum die Gott feindliche Macht, in der die Sünde ihren Sitz hat, ἡ ἁμαρτία ἐν τῇ σαρκί, „die Sünde im Fleisch", genannt; das ist soviel, wie daß der Mensch „unter die Sünde verkauft ist" (Röm 7, 14). Und in solchem Zusammenhang kann dann der Satz Röm 7, 18 fallen: „Ich weiß, daß in mir – das heißt in meinem Fleisch – nichts Gutes wohnt." Wenn auf das Fleisch in dieser Hinsicht geblickt wird, dann meint jenes ἐν σαρκί εἶναι, „im Fleisch sein", nicht mehr nur soviel wie „auf Erden leben", sondern es meint, wenn man darauf blickt, daß dieses Fleisch wiederum an die Macht der Sünde verkauft ist, daß der Mensch als einer lebt, der diesem Fleisch verfallen ist. Und von daher, in solchem Sinne heißt es dann: „Die im Fleisch sind, können Gott nicht zu Gefallen leben" (Röm 8, 8). Und so ist es zu verstehen, wenn dann von den Christen als den Getauften und Glaubenden gesagt werden kann, daß sie im Fleische waren: „Als wir aber im Fleische waren, da waren die Leidenschaften der Sünden, die durch das Gesetz entzündet werden, am Werk in unseren Gliedern, dem Tode Frucht zu bringen", heißt es Röm 7, 5. Jetzt aber ist dieses fleischliche Dasein, dessen sich die Sünde bemächtigt hat, zu Ende: „Ihr aber seid nicht im Fleisch, sondern im Geist, da ja der Geist Gottes (der die Sünde vertreibt) in euch wohnt" (Röm 8, 9a). „Im Fleisch" ist man in diesem Sinne also in der Weise, daß man – wie Paulus selbst einmal formuliert (Röm 13, 14) –, vom Fleisch gefordert, sich in der „Fürsorge für das Fleisch" auf dessen Aussein auf sich selbst – auf dessen Begierden – einläßt und die Werke des Fleisches tut, zu denen Unzucht, Unreinheit, Ausschweifung, Götzendienst u.a. (Gal 5, 20) sowie aber auch Feindschaft, Streit, Eifersucht u.a. (1 Kor 3, 3) gehören. Und beachten wir, beim Fleisch enden die galatischen Christen auch wieder, wenn sie sich auf das Gesetz als den Heilsweg neben Christus einlassen (Gal 3, 3). „Fleisch" ist auch das selbstsüchtige Leben des Selbstgerechten, und mag er sonst auch in allem anderen im Sinne Pauli nicht fleischlich sein.

Und bezeichnend ist noch eines: die kolossischen Christen, so heißt es Kol 2, 18, sind aufgebläht „vom Denken des Fleisches". Und wer sind sie, die da vom Denken des Fleisches aufgebläht sind? Es sind die, welche, ohne sich an Christus zu halten, in der sublimen Weise einer via negationis zu den Engeln eilen wollen, also die, welche sich in höchster Geistigkeit entäußern wollen. Und ein Vertrauen auf das Fleisch, πεποίθεσις ἐν σαρκί oder ein σαρκί πεποιθέναι, übt der Judenchrist, der sich auf seine Herkunft aus dem Volke Gottes und seine untadelige gesetzliche Haltung verläßt (vgl. Phil 3, 3 ff). Sein Leben führt also der im Fleisch, der in groben oder feinen, sinnlichen oder geistigen Sünden weilt und die Sünden der Ungerechtigkeit oder Selbstgerechtigkeit vollzieht. Denn er ist sich selbst so oder so Maßstab geworden, er in seinem Fleisch; sein Fleisch ist ihm so oder so Maßstab geworden. Die in diesem Sinn „im Fleische sind", die sind es – wie Paulus sagt – als solche, die κατὰ σάρκα εἰσίν, „die nach Maßgabe des Fleisches sind" oder ihr Leben führen, περιπατοῦσιν, oder die τὰ τῆς σαρκός φρονοῦσιν, „ihre Intention auf das Fleisch richten", nämlich das denken, was das Fleisch denkt (Röm 8, 4 ff). Sie leben, denken und sind nach Maßgabe des Fleisches. Das Fleisch also, in dem der Mensch in diesem seinem irdischen Dasein lebt, wird kraft der Sünde, die in ihm einwohnt und es von innen bestimmt, zur Eigenmächtigkeit oder Eigenständigkeit bestimmt; das Fleisch wird – genau wie wir es in dieser Situation vom Leib gehört haben als dem, der sich der Sünde zur Verfügung stellt – zu dem Wonach, zum κατά seines Lebens, zu dem, wonach sich sein Leben richtet, es wird also zur maßgebenden Größe, zur Macht, nach der er denkt und handelt. Es ist für den Menschen eine Übermacht geworden, von der er, von der Sünde an die Sünde verkauft, kraft der Täuschung der Sünde meint, er sei es „schuldig, dem

Fleisch zugute, nach Maßgabe des Fleisches zu leben", wie die Formulierung Röm 8, 12 heißt, er sei es schuldig, dieser zu einer Übermacht gewordenen Größe zu gehorchen, deren Maßstab zu nehmen und danach sein Leben zu vollziehen. Ersteht aber das Fleisch kraft der Sünde zu solcher Macht, dann gewinnt es wiederum – gleich dem Leib – den Charakter von etwas Fremdem, was der Mensch eigentlich nicht ist. Und dann erhebt sich wiederum in diesem Mächtigen und Fremden die Sünde weiterhin zu einer Art übermächtigenden Größe.

Aber mit dem Fleisch erhebt sich nun auch ein anderes zur maßgebenden Macht. Wir haben es schon im Zusammenhang mit der Ursünde des Geschöpfes berührt, nämlich damit, daß die Undankbarkeit und das Gott-nicht-anerkennen-Wollen eine Macht aufstehen lassen, und zwar als Gott, nämlich die Welt. Es ist die Welt, die sich dem Heiden von vornherein aus dem zweideutigen Denken des Undankes heraus als Gott anbietet. Jetzt können wir denselben Sachverhalt noch einmal im Lichte des Zusammenhanges von Fleisch und Welt erkennen, und dieser Zusammenhang wird Eph 2, 1 ff relativ deutlich. Es ist die Stelle, in der der Apostel Paulus oder auch meinetwegen seine Schule davon spricht: „Und euch, die ihr tot seid durch Übertretungen und Sünden, in denen ihr einst euer Leben führtet nach Maßgabe des Äons dieser Welt, nach dem Herrscher des Bereiches der Luft, des Geistes, der nun wirkt in den Söhnen des Ungehorsams."

Es wird deutlich, weil hier das menschliche Leben in den Sünden einerseits als „sein Leben in den Begehrungen des Fleisches führen" bezeichnet wird; andererseits wird eben dieses Leben in den Sünden als „sein Leben führen nach Maßgabe des Äons dieser Welt" beschrieben. Und daraus läßt sich entnehmen: Indem der Mensch auf die vielfältigen Begehrungen und Gedanken – es ist auch von διάνοιαι die Rede – eingeht und so der Sünde in den Sünden dient, wird ihm der Äon dieser Welt zu dem, wonach er wandelt.

Aber es gilt auch umgekehrt: Im Eingehen auf den Anspruch des Äons dieser Welt als des Maßstabs unseres Handelns – wir könnten mit Röm 12, 2 sagen: indem man sich dem Schema dieser Welt einfügt – vollzieht man den Willen des Fleisches und weilt so in den Sünden. Sünde tun ist immer zugleich die Erhebung einer eigenmächtigen Welt in den Rang des Maßgeblichen; und die eigenmächtige Welt das Maßgebende sein lassen für den Lebensvollzug bedeutet immer Sünde tun. Beides aber geht sozusagen den Weg über das Fleisch, über ein konkretes Dasein, in dem die Welt ja ihre Vertretung hat, in dem die Welt sich zur Sprache bringt. Ist mir dieser Äon maßgebend, so erfüllt sich darin der Wille des Fleisches. Ist mir das Fleisch maßgebend, so erhebe ich damit die Welt zum Richtmaß; beides – aber es ist ja nur ein Vorgang – geschieht in der Sünde. In ihr gewinnen und haben die Welt und das Fleisch den Charakter einer widergöttlichen Macht.

Für die Welt wird das an unserer Stelle schon durch die für sie gebrauchten Begriffe deutlich: ὁ αἰὼν τοῦ κόσμου τούτου, „der Äon dieser Welt", und ὁ αἰών ist hier wahrscheinlich groß zu schreiben; es meint den „Ewigkeits-Gott" dieser Welt, das heißt die Welt als ewigen Gott. In den Sünden führt man sein Leben so, daß man sich nach der Welt als einem ewigen Gott richtet. Das wird noch deutlicher durch die folgenden Sätze. In den Sünden wird zugleich ὁ ἄρχων τῆς ἐξουσίας τοῦ ἀέρος maßgebend, wörtlich: „der Herrscher des Machtbereiches der Luft". Das fügt Paulus zu dem κατὰ τὸν αἰῶνα τοῦ κόσμου τούτου als Erläuterung hinzu. Dieser Herrscher des Machtbereiches der Luft wird von der Welt unterschieden, und er ist es auch, wonach sich das Leben in den Sünden vollzieht. Er ist der Welt Machthaber und herrscht durch sie. Man könnte auch sagen: Er, der Herrscher des Machtbereiches der Luft, ist die Welt in ihrer Macht, er ist die Macht der Welt, die zugleich immer Macht über die Welt ist. Er ist es als Herrscher des Machtbereiches der Luft, das heißt des Undurchsichtigen – Eph 6, 12 wird einmal von dem σκότος τούτου gesprochen –, des undurchsichtigen Grenzbereiches dieser Welt, von dem her die Welt ja bestimmt wird. Denn die Welt wird immer von ihrer Transzendenz bestimmt, in die sie hineinsteht, in der sie waltet, in die hinein sie sich verliert. Die Welt wird immer von ihrer Grenze her bestimmt, und der Ewigkeits-Gott, zu dem die Welt in den Sünden sich erhebt, in dem oder auch als der sich diese Welt in den Sünden darbietet, ist die Welt aus ihrer mächtigen, dunklen, tiefen Herrschaftspotenz. Paulus nennt in 2 Kor 4, 4 den „Gott dieses Äons". In einer dritten Variante oder Erläuterung heißt er an der genannten Stelle Eph 2, 1 ff nun bezeichnenderweise noch ganz anders, nämlich „der Geist, der nun am Werke ist in den Söhnen des Ungehorsams"; das heißt: der Geist, der nun die Ungläubigen beherrscht. In den Sünden erlebt sich die Welt als der Äon, der aus seinem Abgrund – so könnte man ja auch die Transzendenz nennen – herrscht, und zwar jetzt nach Christus in der Weise des Geistes, der dem Evangelium ungehorsam ist. Der Geist, der also jetzt nach Christus die Ungläubigen bestimmt, ist der Geist, der aus dem Abgrund der sich als ewig ausgebenden Weltmacht zur Herrschaft gelangt. Ihm, man könnte sagen: dem tiefen Weltgeist, der sich vielfältig im jeweiligen Zeitgeist wandelt, ihm und damit dem aus der Tiefe herrschenden Weltgott ergibt man sich in den Sünden – meint der Apostel. Und so tritt eben die Welt in ihrer von ihren Grenzen her bestimmten Macht, welche sich erschließt in einem bestimmten Geist, der die Welt beherrscht, auf als diese Größe der Übermacht, als die sich meiner bemächtigen wollende Welt.

Wir sehen also, daß im Horizont des paulinischen Denkens die Sünde, die sich in den konkreten Sünden expliziert, keineswegs nur eine vordergründig moralische, sondern vielmehr eine hintergründig geschichtliche Angelegenheit ist. Sie, die letztlich etwas ganz Einfaches und gleichwohl Abgründiges ist, die durch den ständigen Lebensanspruch provozierte Abweisung Gottes als Gott, sie läßt den Menschen sich selbst, seinen Leib, sein Fleisch und seine Welt als ihm feindliche Mächte erheben. Sie treibt ihn damit ständig in jedem konkreten Sündigen – zum Beispiel im bösen, ungerechten oder selbstgerechten Wort – in eine unheimliche Fremde seiner selbst, in eine Fremde seiner Eigentlichkeit gegenüber, und bewirkt eine unheimliche Verfremdung der Welt, eine Verfremdung, der gegenüber jene durch die innerweltlichen Verhältnisse hervorgerufene nur Harmlosigkeiten sind. Sie treibt den Menschen – und der Vorgang der Weltgeschichte in ihrer allseitigen Selbstunterdrückung, Selbstvergewaltigung, Selbstzerstörung ist ja nur das große öffentliche Beispiel dafür – in die unheimliche Fremde letztlich der Todesmacht. Denn die Macht, in die oder als die sich der Leib, das Fleisch und die Welt in der Sünde erheben, ist ja eine Scheinmacht; denn sie ist eine Eigenmacht, aber das „eigen" ist nichts, sie ist eine Macht des Nichts.

So kommen wir noch zu dem letzten Sachverhalt in diesem Zusammenhang: das Sein des Menschen, so wie er vorkommt, ist in der Sünde durch das Gesetz *zum Tode sein.* Nachdem wir vom Verhältnis von Sünde und Sünden, damit aber auch vom Verhältnis von Sünde, Gesetz und Sünden, in Zusammenhang damit auch von der Täuschung und der Verfremdung des Leibes und des Fleisches und des Kosmos und von deren Verhältnis zur Sünde gesprochen haben, bleibt uns noch übrig, das Verhältnis von Sünde und Tod ein wenig zu klären, soweit das im paulinischen Denken möglich ist. Auch hierbei beschränken wir uns auf die entscheidenden Aussagen.

Die erste Aussage ist die, die wir in der nun wiederholt schon zitierten oder gemeinten Stelle Röm 5,12 finden: „Wie durch einen Menschen die Sündenmacht in die Welt eindrang und durch die Sünde der Tod und so der Tod zu allen Menschen hindurchdrang, weil alle sündigen –"; der Satz ist ein Anakoluth und läuft so aus. Die Sünde, die durch Adam in die Welt kam, ist also der Weg, auf dem es zum Tod kommt; anders ausgedrückt: der Tod drang in alle Menschen der Reihe nach ein, weil alle sündigten. Also, die konkreten Sünden der Menschen ließen den durch Adams Sünde der Welt vermittelten Tod für sie jeweils Ereignis werden. Die Sünde – will Paulus sagen –, die mit dem Menschsein als jeweilige Entscheidung des Menschen immer schon gegeben ist, bringt den Tod mit und stellt ihn dem Menschen bereit. Durch diesen Tod wurde die Schöpfung der Verwesung unterworfen, der φϑορά, wie Paulus Röm 8,20 andeutet; dieser Tod nahm also durch den Menschen auch die Schöpfung in Anspruch.

Vor allem handelt Röm 7,9–13 über den Zusammenhang von Sünde, Gesetz und Tod. Hier ist, um es nur aufzuzählen, folgendes gesagt: 1. Das Aufleben der Sünde hat den Tod zur Folge. 2. Die Sünde wird dadurch dem Menschen zum Tod. 3. Die Sünde verschafft mir den Tod durch das gute Gesetz, sie tötet mich durch das Gebot. 4. Der Tod ist der Erweis der Sündigkeit der Sünde. Aber auch sonst wird dieser Zusammenhang von Sünde und Tod ausgesprochen; eigentümlich in 2 Kor 7,10 – um nur dieses eine Beispiel zu nennen – im Blick auf ἡ τοῦ κόσμου λύπη, „die Traurigkeit der Welt", der die Reue fehlt; diese Traurigkeit ohne Reue verschafft den Tod. Die Traurigkeit der Welt öffnet sich also zum Tod hin so, daß sie in den Tod führt. Oder es wird so gesagt wie Röm 6,16, wo von den „Sklaven der Sünde zum Tod" die Rede ist, also davon, daß, wenn man Sklave der Sünde ist, damit dieses Dasein offen ist in den Tod hinein. Oder wie Gal 6,8, wo die φθορά, das Verderben, die Verwesung, der von der Sünde eingebrachte Ernteertrag ist: „Wer auf sein eigenes Fleisch sät" – das heißt, wer von seiner Selbstsucht Frucht erwartet –, „wird aus dem Fleisch Verwesung ernten." Noch enger ist der Zusammenhang von Sünde und Tod gesehen, wenn dann einfach gesagt wird: „Der Sold der Sünde" – wie wir gewöhnlich übersetzen, also das, was die Sünde einbringt an Lohn, τὰ ὀψώνια τῆς ἁμαρτίας – „ist der Tod" (Röm 6,23), oder wenn von den Früchten der Sünde behauptet wird: τὸ τέλος ἐκείνων θάνατος (Röm 6,21b), wobei τέλος ja immer etwas Zweideutiges hat: „Das Ende jener ist der Tod", aber es ist wohl mehr gemeint, wie an anderen Stellen auch: „Die ‚Entelechie' jener ist der Tod", das, worauf die Sünde als ihr Ende zielt, ist der Tod. Die Sünde bringt den Tod als Löhnung oder Renumeration nach Hause, sie trägt in ihren Werken den Tod schon in sich. Aber nicht nur das, sie treibt ihn auch hervor. 1 Kor 15,56 wird die Sünde „der Treiberstachel des Todes" genannt, τὸ κέντρον τοῦ θανάτου ἡ ἁμαρτία. Man könnte also sagen, sie treibt die Menschen in seine Arme, aber das ist nicht gemeint; gemeint ist: sie treibt den Tod voran, sie treibt ihn hervor, sie treibt ihn vorwärts – oder wie man sonst sagen will.

Wir sagten im ganzen also bis dahin, daß das Verhältnis von Sünde und Tod so zu bestimmen ist: Wo Sünde ist, da ist auch Tod; denn die Sünde ist nicht nur zum Tod hin offen, auf ihn ausgerichtet und zu ihm offen als zu ihrem Ziel, sondern sie setzt den Tod auch in Bewegung, sie schafft ihn an, sie bringt ihn ein als ihren Ertrag und ihren Lohn – sie tötet.

Die zweite Aussage in diesem Zusammenhang scheint nun der ersten zu widersprechen, aber sie ist nur die andere Seite der Sache, sie ist dieselbe Sache unter einem anderen Aspekt, und sie erfüllt damit das Wesen des Verhältnisses von Sünde und Tod.

Der Tod, der – so könnte man auch sagen – die Tendenz und der Effekt der Sünde ist, zu dem hin die Sünde offensteht und auf den sie zielt, in den hinein sie ausreicht, ist zugleich als Strafe gesehen, als Strafe der Sünde. Der Tod ist die Strafe, in der sich der Zorn Gottes erweist, das heißt seine gerechte, ihm entsprechende Auflage für die Sünde. Das geht etwa aus solchen Aussagen wie Röm 1,18 und Röm 1,24.26.28 hervor, wo ja immer gleichsam in einem Refrain gesagt wird: „... und er gab sie hin", παρέδωκεν, „er gab sie preis", „er gab sie anheim", nämlich dem Tod. Die Offenbarung des Zornes Gottes vom Himmel her über der Menschen Gottlosigkeit und Ungerechtigkeit wird so erfahren, daß Gott die Menschen ihren zerstörenden Leidenschaften überläßt. Es ist also nur eine Freigabe; Gott übergibt sie in dem Sinn, daß er sie dem freigibt, was sie wollen. Dabei wissen sie immer noch, „daß die, die solches tun, des Todes schuldig sind" (Röm 1,32). Die von Gott bewirkte Zerstörung in den Lastern und Unrechtstaten, in deren Begehren er die Menschen sich selbst überläßt, ist die Konkretion dessen, daß sie sich je selbst für Gott halten, und ist eine wirksame Vorausnahme des einmal endgültigen strafenden Zorngerichtes Gottes. Mit der Verachtung des gütigen Langmutes Gottes, von der der moralisch richtende, aber keineswegs auf Unrecht verzichtende Typus des Juden durchdrungen ist, sammelt er sich den Zorn des richtenden Gottes an. In dieser blinden Selbstgerechtigkeit ver-sammelt er sich schon im geheimen den Tod, den Tod als den richtenden Zorn Gottes, der sich einmal offenbaren wird. Und so kann Paulus diejenigen, die er „Tote durch Übertretung" nennt, auch als „Kinder des Zornes von Natur" bezeichnen, wobei er Heiden und Juden einschließt (Eph 2,1 ff). So, wie sie vorkommen – das meint das φύσει, „von Natur" –, kommen sie immer schon, weil von der Sünde, vom Zorn Gottes her und verfehlen von daher dann weiterhin das Leben. In den Tod, den die Sünden in sich eröffnen, waltet also der Zorn, das Zorngericht des richtenden Gottes als Auflage der Sünde. Der Tod, so gewiß er tödlich aus der Sünde strömt, ist als solcher immer zugleich ein richtendes Geschick, die Strafe des richtenden Zornes Gottes. Als aus der Sünde sich erhebender Tod ist er immer auch Strafgeschick. Es herrscht kein Mechanismus zwischen Sünde und Tod – meint dieser Gesichtspunkt –, sondern der Tod, der aus der Sünde strömt, ist zugleich das von Gott, eben weil Gott darin versehrt wird, geschickte Strafgericht.

Als solcher ist der Tod auch – und das ist das dritte, was nach Paulus zu sagen ist – eine Macht im paulinischen Sinn des Wortes. Das heißt zunächst, wenn wir an das Verhältnis von Sünde und Tod denken, er ist – kurz gesagt – die Macht der Sünde oder, deutlicher, das, worin die Sünde ihre Macht hat, das, worin die Sünde Macht ist. Er verlangt und empfängt ja auch nach Röm 7, 5 das, was die Sündenpassionen des Fleisches produzieren; die παθήματα τῶν ἁμαρτῶν, die Sündenpassionen, tragen dem Tod die Früchte zu. Er ist es, der sie erwartet, der sie fordert und der sie dann einsammelt, er ist der Sünde Machthaber. Aber sie ist es auch, der er dann seine Macht zur Verfügung stellt. Röm 5, 21 ist so formuliert: ἐβασίλευσεν ἡ ἁμαρτία ἐν τῷ θανάτῳ, „es kam die Sündenmacht in der Todesmacht zur Herrschaft". Der Tod ist es, worin die Sünde ihre Herrschaft ausübt; man könnte sagen: er ist die Herrschaftsform der Sünde, er ist die Weise, wie die Sünde Herrschaft ausübt, aber auch die Gestalt, in der die Sünde ihre Herrschaft ausübt bzw. zur Geltung bringt. Dabei herrscht sie im Modus des Todes keineswegs nur über den Menschen, sondern auch in ihm, und zwar so, daß der Tod die Intention der ihr verfallenen σάρξ, des ihr verfallenen Fleisches, ist. Τὸ φρόνημα τῆς σαρκός θάνατος (Röm 8, 6), das heißt: „Die Intention" oder „das Trachten" oder – konkret verstanden – „das Denken des Fleisches ist der Tod", das, worauf hinaus das Fleisch denkt, das Fleisch, in dem und nach dem und als das der Mensch in der Hand der Sünde lebt, woraufhin er denkend ausgerichtet ist, worauf sein Fleisch aus ist – das ist der Tod. Das Fleisch – das heißt also dieses fleischliche Dasein, sich selbst verfallen in der Sünde – meint natürlich, es dächte in der Ungerechtigkeit und Selbstgerechtigkeit auf das Leben hinaus. Aber es täuscht sich, es denkt auf den Tod hinaus, meint Paulus.

Als solche Herrschaftsform der Sünde steht nun auch der Tod als kosmische Macht unter den kosmischen Mächten auf. Das wird deutlich an jener berühmten Stelle in Röm 8, 38f: „Ich bin ja überzeugt, daß weder Tod noch Leben, noch Engel, noch Herrschaften, noch Gegenwart, noch Zukunft, noch Kräfte, noch Höhe, noch Tiefe, noch irgendeine andere Schöpfung uns trennen kann von der Liebe Gottes in Jesus Christus unserem Herrn."

Hier sehen wir deutlich: Wie eine der vielen anderen Mächte – und beachten wir auch, welche Mächte hier nebeneinanderstehen: jene, die ἄγγελοι und ἀρχαί, „Engel", „Mächte" und „Kräfte", heißen, also unbestimmter Art, aber auch Mächte wie zum Beispiel die Höhe und die Tiefe des Kosmos oder wie die Gegenwart und die Zukunft oder Mächte wie das Leben als Macht –, so ist auch der Tod eine Macht (vgl. dann noch 1 Kor 3,22). Aber er ist eben nicht nur eine Macht unter anderen, sondern im Denken des Apostels ist er die letzte Macht, die äußerste Macht. Das zeigen die Ausführungen 1 Kor 15,23ff, wo ja ausdrücklich gesagt wird, daß als „der letzte Feind der Tod vernichtet wird". Schließlich stehen diese Feinde Gottes – also die Mächte, die gegen ihn aufstehen, die feindlichen Gewalten und Kräfte – nicht nur im Bündnis mit dem Tod, sondern haben auch von ihm ihre Gewalt, sind mächtig aus seiner Macht. Denn sie sind – erinnern wir uns – Eigenmächte, Selbstmächte, sie sind losgelöst von dem, daß sie eigentlich ursprünglich Schöpfung sind, sie sind Selbstmächtigkeiten, und Selbstmächtigkeit ist Todesmächtigkeit. Und so wird, wie der Leib, das Fleisch, die Welt, ja das Leben selbst (Röm 8,38) sich in der Sünde zu fremden und feindseligen Mächten gegen den Menschen erheben, auch der Tod eine fremde und feindselige, die fremdeste und feindseligste, weil gewaltigste Gewalt.

Die im Sterben waltende Macht ist nicht an sich, das heißt von Gott her, solcher Feind; auch sie ist, wie Röm 8,38f ja erkennen läßt, κτίσις, Schöpfung. Deshalb kann sie zwar auch dort, wo sie als ἀπόκριμα τοῦ θανάτου, als „Todesbescheid" Gottes, angenommen wird (2 Kor 1,8ff) im Vertrauen auf den Tote erweckenden Gott, immerhin eine Last sein, die am Leben notleiden läßt, aber sie überwältigt nicht mehr, ja sie kann gerade als solche Last, wenn man den Todesbescheid im Vertrauen auf den Tote erwekkenden Gott annimmt, als eine Macht der Befreiung erscheinen, nämlich – wie Paulus sich ausdrückt – des „inwendigen Menschen", des ἔσω ἄνθρωπος, der aber nicht in einem psychologischen Sinn der „innere" ist, sondern der von Gott in der Taufe neu geschaffene, der eigentliche, der nun im Sterben in seine δόξα eingeht, das heißt in den Glanz des lichtenden und belebenden Ansehens Gottes aufgeht (vgl. 2 Kor 4,16ff). Wie der Glaube die Weise der Erfahrung der Entmächtigung aller Mächte durch Christus ist, so entdeckt er auch die Scheinmacht der letzten Macht, der furchtbarsten Macht der Mächte, eben des Todes. Und so kann zum Beispiel der Apostel wie in Phil 1, 21 sagen: „Mir ist Sterben Gewinn." Und er kann sagen, wie ein paar Zeilen weiter: „Ich habe Verlangen abzuscheiden", oder wie man auch übersetzen kann: „Ich habe Verlangen aufzubrechen."

Wenn das die Seinsweise des Menschen ist, wie er vorkommt – in der Sünde durch das Gesetz im Verhängnis der Täuschung zum Tode sein –, und wenn die dem zugrunde liegende Seinsweise die des Geschöpfes ist, wie wir im ganzen gehört haben, dann bleibt zuletzt noch die Frage, ob – und wenn, in welcher Weise – dieser Mensch dann noch Geschöpf Gottes ist, oder anders ausgedrückt: Hält sich – und wenn, in welcher Weise – nach dem Apostel eigentlich die Geschöpflichkeit dieses Menschen durch? Der Apostel behandelt natürlich auch diese Frage nicht thematisch, so wie wir jetzt, er sagt überhaupt darüber nicht viel, und so können wir eine Antwort auf diese Frage aufgrund der paulinischen Texte nur dürftig entwickeln. Aber einige Gesichtspunkte, die der Antwort dienen können, lassen sich doch – zumal aus Röm 1 und 2 und dann aus Röm 7, 14ff und endlich aus Röm 8, 17ff – entnehmen. Damit wiederholen wir mit anderen Worten schon oben Gesagtes.

Einmal erweist sich die Geschöpflichkeit dieses geschichtlichen Menschen, dessen Seinsweise eben in der Sünde durch das Gesetz Zum-Tode-Sein ist, nach Paulus darin, daß auch er noch um Gott weiß. Freilich, die Heiden, denen ja nach wie vor das unsichtbare Wesen Gottes durch die Schöpfung offenbar gemacht wird, so daß es noch denkend wahrgenommen werden kann (Röm 1, 20), erkennen doch – so sieht es der Apostel – Gott aus der Schöpfung nicht mehr als Gott, als diesen Gott mit seiner ewigen Schöpfermacht, wie Paulus dort formuliert. Und so kann Paulus, von daher gesehen, die Heiden kennzeichnen als solche, „die Gott nicht kennen" (Gal 4, 8; 1 Thess 4, 5; vgl. auch 1 Kor 15, 34). Gleichwohl – könnte man im Sinn des Apostels sagen – wissen sie noch um Gott; sie kennen Gott nicht als den Gott, der er ist, sie erkennen ihn nicht – wenn man so unterscheiden darf –, aber sie wissen noch um ihn. Sie wissen nämlich um Gott immer noch – das geht ihnen nicht verloren – in den Göttern. Und indem sie um Gott in den Göttern wissen, wissen sie auch noch um ihr Angewiesensein auf Gott. Sie wissen ja um ihr Angewiesensein auf die Götter. Sie dienen Göttern, die es von Natur nicht sind, wie wir Gal 4, 8 hören. Sie erkennen also Gott, indem sie ihn ver-kennen. Sie verkennen den wahren Gott, aber in solchem Verkennen ist doch auch ein Wissen enthalten. Gott läßt sie, mit anderen Worten, nicht los, er läßt sie nicht frei in ihrem Wissen. Sie verweigern sich ihm als Gott eben in jenem fundamentalen Undank, in jenem fundamentalen Nicht-anerkennen-Wollen Gottes als des Schöpfers, sie verweigern sich ihm als Gott, aber sie können das nur, indem sie sich Götter machen. In der Götterverehrung sich einerseits der Tatbestand, daß der Mensch Gott nicht mehr erkennt, andererseits, daß er doch noch um Gott weiß. Daß es für den Menschen Götter gibt, verrät, daß sich die von ihm abgewiesene Geschöpflichkeit wohl verbergen und verderben läßt, eben dadurch, daß er in der Sünde zum Tode ist, aber daß sie sich nicht zerstören läßt. Der Mensch kann Gott nicht entfliehen, er kann wohl nichts mit ihm zu tun haben wollen, er kann ihn auch für tot erklären, aber der für tot Erklärte erhebt sich aus dem Grab in immer neuen Göttern. Gott läßt sich nicht von der Welt abschütteln, die sich ihm in ihrem Dasein verdankt.

Zweitens aber erweist sich die Geschöpflichkeit des geschichtlichen Menschen nach Paulus darin, daß er noch um seine eigene Gott-Verantwortlichkeit weiß, daß er noch – könnte man sagen – in irgendeinem Sinne um eine absolute Verantwortlichkeit weiß und daß er dementsprechend handelt. Das von Gott geforderte „Werk" – wahrscheinlich die Liebe – ist dem Menschen als Forderung „ins Herz geschrieben", und das Gewissen bezeugt, sich selbst ins Herz blickend und von da auf den Menschen sehend, den Anspruch dieses ins Herz Geschriebenen, es verklagt oder verteidigt den Menschen in seinen Erwägungen, je nachdem er dann auch handelt (Röm 2, 14ff). Der Mensch weiß z.B. auch darum, daß ein gewisses Handeln – sein ungerechtes Handeln, das in der Flut der Unrechtstaten besteht – Strafe verdient, er weiß es immer noch (Röm 1, 32). So sind die Menschen, die den Willen Gottes nicht wie die Juden im heilsgeschichtlich offenbarten

Gesetz haben, nämlich die Heiden, in einem bestimmten Sinn „sich selbst Gesetz" sind, wie Paulus formuliert, und es kommt dann auch vor, daß sie es tun (Röm 2, 14ff). Freilich, auch hier gilt wohl: Sie vernehmen diesen Anspruch aus dem Herzen durch das Gewissen, der nicht verstummt ist und nie verstummen wird, faktisch nun wohl nicht als die Stimme Gottes, sondern als Anruf der Götter oder der zu Gott erhobenen Welt oder der Menschheit oder des Menschen selbst oder – eine Analogie zur modernen Situation – als die Stimme der Gesellschaft, deren Gebot absolut ist und deren Vorstellung von Sünde dann auch absolut ist; sie machen unter Umständen – auch das gab es schon in der Geschichte – das Gewissen selbst zum Gott. Aber indem sie alle diese Götter hören in ihrem Anspruch durch das Gewissen, hören sie ja noch einen letzten Anspruch und befinden sich noch in einer letzten Verantwortlichkeit. Der Mensch weiß um dieses Gebot seines Gewissens als eines, bei dessen Erfüllung er dann tatsächlich einen Anspruch erfüllt. Wenn der Heide das Gewissensgebot erfüllt, so erfüllt er es dann aber in demselben Sinn wie der Jude, nämlich in dem Sinn, daß er nun Gott, den Schöpfer, hört. Das braucht ihm nicht bewußt zu sein, das ist ihm wohl nicht bewußt, das sieht man ja auch erst hinterher, das heißt, das sieht erst der Christ, der wieder die ursprüngliche Anweisung Gottes hört, weil er Gott als Gott erkennt, aber es ist faktisch so.

Grundsätzlicher als in diesen Bemerkungen von Röm 1,19f; 1,32; 2,14f und Gal 4,8ff spricht Paulus vom Verhältnis des geschichtlichen zum geschöpflichen Menschen nun noch in jenen Ausführungen von Röm 7,14ff, jener berühmten Analyse des menschlichen Daseins vor und ohne Christus, einer Analyse, die wir natürlich jetzt nicht näher verfolgen können. Hieraus geht aber drittens hervor, daß sich die Bewahrung und Erhaltung der geschichtlichen Welt darin erweist, daß sich des Menschen Leben als ständiger Widerspruch gegen seine ursprüngliche geschöpfliche Intention vollzieht, daß also – umgekehrt gesagt – dieses geschöpfliche „Wollen" des Menschen – wie der Apostel sagt – nicht verlorengegangen ist, sondern sozusagen der Grund ist, auf dem sich das Leben abspielt bzw. gegen das sich die Existenz des Menschen abspielt. Der Mensch setzt das Böse durch, aber freilich gegen ein Nieverlorengehen der Intention des Guten, den Tod gegen ein nie aufhörendes Leben.

Erinnern wir uns nur des einen Satzes Röm 7,21, in dem das Resultat der Erforschung der menschlichen Existenz dargelegt wird: „Ich entdecke also dieses Gesetz in mir; mir, der das Gute tun will, ist das Böse zur Hand." Und das meint: Die Intention des Menschen, der von Gott geschaffen ist, geht unaufhörlich dahin, das Gute zu tun; aber als der konkrete, geschichtlich existierende Mensch oder – wir könnten auch sagen, einfach, aber konkret verstanden – als der Mensch, wie er vorkommt, nämlich von jener geheimnisvollen Sündenmacht her bestimmt, erfüllt nicht solches unaufhörliche Ausgerichtetsein des Geschöpfes auf das Gute, sondern er wirkt nach Paulus das Böse. Dieses böse Tun kann jenes Geschöpfes Verlangen nach dem Guten aber nicht tilgen, aber – das kennzeichnet ja gerade die Geschichte der Existenz – es kann sich unter Hand gegen die geschöpfliche Intention stellen in dem Sinne, daß es sie nicht Realität werden läßt.

Man kann also im Sinn des Apostels vom Menschen nicht einfach sagen, daß er gut ist. Gut ist er und will er freilich sozusagen von dem her sein, von dem er herkommt, also von seinem Geschöpfsein in seiner Geschöpflichkeit. Aber eben diese Geschöpflichkeit läßt die Sündenmacht, der er seine Zustimmung gibt, ihn nicht vertreten, diese Geschöpflichkeit läßt ihn die Sünde nicht dokumentieren, nicht realisieren, sondern vielmehr diese unvergängliche Geschöpflichkeit – unvergänglich, solange Gott es will – ständig bestreiten in seinem Tun – Paulus spricht dort vom ποιεῖν und πράσσειν in seinem Wirken, hier spricht er von κατεργάζεσθαι. So verschafft er sich, wie Paulus sagt, in seiner geschichtlichen Existenz, was er als Geschöpf – wir können auch sagen –, was er eigentlich nicht will. Und so weiß er bei seinem Handeln nicht einmal, was er sich dabei verschafft, so lebt er eine im Grunde ihm fremde Existenz, lebt er so, daß er diese fremde Existenz ständig als entfremdete existiert, lebt er ein verfremdetes Leben, das er sich selbst verfremdet.

Das ist die eine Seite der Sache, die sagt, man kann den Menschen nicht einfach gut nennen; aber auf der anderen Seite kann man nach dem Apostel Paulus auch nicht einfach sagen, daß er böse ist und das Böse will. Als Mensch, wie er vorkommt, tut er freilich nicht nur gelegentlich Böses, sondern sein Vorkommen und das damit verbundene ἐπιθυμεῖν, das Begehren, sind bestimmt vom Bösen. Er neigt sich zum Bösen, insofern er eben in solcher rätselhaften Zuneigung zu sich selbst eigenmächtig und eigensüchtig lebt. Und dieses eigenmächtige Leben realisiert sich ständig in den Taten oder im Denken oder im Wollen der Ungerechtigkeit und der Selbstgerechtigkeit. Immer existiert er so, daß er, herausgefordert durch das Gesetz, sozusagen in jedem Augenblick eines Anspruchs sich selbst will. Aber gleichwohl geht in solcher Existenz sein Leben nicht auf, gleichwohl kann man nicht sagen, daß das der Mensch ist. Dieses von der Sünde bestimmte Sich-selbst-Wollen macht allein nicht sein Leben aus, sondern geschieht gegen ein Gott-Wollen, nämlich gegen das Gott-Wollen des Geschöpfes. Wollte er nicht Gott, so wollte er auch nicht sich selbst, so könnte er sich selbst auch nicht wollen; in der Selbstsucht widerstreitet er also auch sich selbst, der eben doch auch und der allem zuvor Geschöpf ist und bleibt. In der Selbstsucht, der ἐπιθυμία, und in der Eigenmächtigkeit, der ἰδία δικαιοσύνη – das sind für Paulus die beiden Grundbewegungen des Menschen, wie er vorkommt –, widerstreitet er seiner Geschöpflichkeit, von der er aber nicht nur einmal herkommt, sondern die, freilich von ihm bestritten, immer auch mit ihm vorkommt. Denn schließlich muß er erst sein, um zu existieren, wobei das „sein" nicht formal gemeint ist, sondern das geschöpfliche Sein meint. In seinem selbstsüchtigen und eigenmächtigen Handeln, Denken, Wollen,Empfinden usw. bestreitet er seine konkrete Geschöpflichkeit, zum Beispiel das Wissen seines Geschöpfseins um das Leben aus Gott als Gabe und Anweisung. Ständig bestreitet er, daß er doch in seinem Leben, nämlich als Geschöpf, Gabe Gottes ist, Anweisung Gottes, ständig bestreitet er den Willen des Geschöpfes zu diesem Leben, das das eigentliche ist, als dem von Gott ihm zugewiesenen und angewiesenen Leben, ständig will er Gott verdrängen als den Geber dieses Lebens, als den, von dem er, das Geschöpf, herkommt. Und so richtet er sich in seiner Existenz also auch immer gegen sich selbst als Geschöpf. Geschichtliches Leben heißt für Paulus immer: gegen sich selbst, nämlich gegen sich als Geschöpf, existieren. Der in der Sünde für sich ist – denn in der Sünde will man sich –, ist gerade darin immer auch gegen sich, gegen sich als gegen das Geschöpf.

Im Horizont paulinischen Denkens ist der Mensch – damit ja auch seine Welt – nicht einfach „einschichtig" zu sehen, und die Urteile über ihn können daher nie einlinig oder einfach sein. Der Mensch ist gut! Nein, er ist auch böse; er ist gut als Geschöpf, aber böse als der gegen seine Geschöpflichkeit Existierende. Der Mensch ist böse! Nein, er ist auch gut, er ist nämlich gut auch als Geschöpf. Und beides nicht in dem Sinne, daß er nur innerhalb seiner Existenz Gutes und Böses tut, also Gutes und Böses nebeneinanderliegen hat – das natürlich auch! –, sondern in dem Sinne, daß er nicht einfach gut oder böse ist, sondern sein Gutsein als das Gutsein des Geschöpfes, das eine Realität ist, durch seinen eigensüchtigen und selbstmächtigen Lebensvollzug in ungerechter und selbstgerechter Existenz ständig von ihm bestritten wird, und dieses sein böses Wirken aber auch ständig von seinem Geschöpfsein her nicht nur getragen, sondern auch angegangen wird. Auch das Böse hat sozusagen nie Ruhe im menschlichen Existieren, sondern ist immer auch, wiewohl es gegen des Menschen Geschöpflichkeit streitet, vom menschlichen Geschöpf her selbst bestritten. Immer wieder bricht die Geschöpflichkeit, sein Von-Gott-her-zu-Gott-hin-Sein, durch und erhebt ihrerseits ständigen Einspruch gegen die Eigenmächtigkeit und Selbstsucht, sein Sein – könnte man auch sagen, aber das ist ganz formalisiert – gegen seine Seinsweise.

Aber sein Einspruch nützt nichts; so mächtig ist der zu sich heraustretende, das heißt der existierende Mensch nicht, daß er den inwendigen, den verborgenen Menschen – wie Paulus das Geschöpf auch nennen kann –, gegen den er lebt, zerstören könnte. Aber freilich, so mächtig ist auch der geschöpfliche Mensch nicht mehr, daß er den existierenden Menschen im Ernste von sich her überwinden könnte. Das anzunehmen ist eine Illusion, was sich schon darin zeigt, daß der Termin, an dem der sich entfaltende geschöpfliche Mensch den unzulänglichen geschichtlichen Menschen gleichsam zu sich erheben könnte, indem die Geschöpflichkeit nun endlich den Menschen in unendlicher Progression wieder auffangen könnte, immer wieder hinausgeschoben wird in eine unendliche Zukunft, also, nüchtern gesprochen, ad calendas graecas vertagt wird. Der Mensch kann sich nicht überwinden in dem Sinne, daß er etwa die Würde und Doxa seiner Geschöpflichkeit an sich selbst und im Miteinanderleben entfaltete und entwickelte. Seine Geschöpflichkeit hilft ihm nicht aus seiner Weise zu sein – in der Sünde zum Tode zu sein – heraus.

Bei diesem Streit gegen sich selbst, in dem der Mensch sein Leben führt, der die Existenz des Menschen ist, ist der Mensch selbst der Schauplatz dieses Streites, den die menschliche Existenz ausficht und darstellt. Er ist aber auch immer der Kampfpreis dieses Streites, es geht tatsächlich immer um ihn selbst. Aber das jeweilige Ende dieses Streites gegen sich selbst, der freilich, solange der Mensch lebt, nicht zu Ende geht, ist jeweils die Niederlage seiner selbst als Geschöpf, dessen Wille ja ständig desavouiert und durchkreuzt wird durch das von der Sünde diktierte Handeln. Der faktische Mensch triumphiert in seiner faktischen Existenz immer über sich selbst als Geschöpf, das in solchem Sieg des Elendes der Verfremdung nie endgültig besiegt wird. Eben dieses Nie-zu-Ende-Sein des Kampfes, in dem es diese unentrinnbare, immer neu erfahrene, in neuen zerstörerischen und schmerzlichen Folgen ständig fühlbare Niederlage des Menschen, wie er vorkommt, gibt, dieses Immer-gegen-diesen-Bann-Angehen seitens der Geschöpflichkeit und dieses Immer-wieder-Auflegen des Bannes der Sünde auf den Menschen ist es, was Paulus seine Analyse des Menschen mit dem klagenden Ausruf schließen läßt: „Ich unseliger Mensch, wer wird mich aus diesem Leib des Todes erretten?"; aus diesem leibhaftigen, dem Tode verfallenen Dasein, ist gemeint. Aber Paulus selbst gibt, wie wir hörten, die Antwort und bricht in den Jubel über das ungeheure Ereignis aus, über das unerwartete und nicht zu erwartende und doch eingetretene Ereignis: „Dank sei Gott durch Jesus Christus unseren Herrn" (Röm 7,24.25a).

Mag so angedeutet sein, daß im Umkreis paulinischen Denkens der Mensch, der in der Sünde durch das Gesetz zum Tode ist, sein Geschöpfsein einmal insofern noch zur Geltung kommen lassen kann, als er unablässig nur gegen seine Geschöpflichkeit und gegen seine geschöpfliche Intention existiert, und zweitens insofern, als sich der Anspruch seines Geschöpflichseins, dieses Angesprochensein als Geschöpf, jedenfalls noch konkret in seinem Gewissen meldet vom Herzen her und dort, wo er seinem Gewissen folgt, objektiv in seinem Tun verrät; und endlich drittens insofern, als er Gott nicht austreiben kann aus der Welt und seinem Herzen, sondern immer um Gott weiß, wenn auch nur in der Form, daß er sich Götter macht, insofern als Gott ihn nicht aus der Hand gibt, wenn er ihn auch nur bindet durch Götter – mag also so angedeutet sein, daß die Geschöpflichkeit des Menschen in dieser und jener Weise noch durchblickt, mag in diesen drei Phänomenen die Geschöpflichkeit des Menschen sich in seiner Geschichte noch erweisen, so kennt Paulus endlich auch einen vierten Hinweis, der sehr eigentümlicher Art ist und den man entwickeln kann aufgrund der berühmten Stelle Röm 8,19–22: „Denn die Sehnsucht der Schöpfung wartet auf die Offenbarung der Söhne Gottes. Denn die Schöpfung ist der Eitelkeit unterworfen, nicht freiwillig, sondern durch den, der sie unterworfen hat, freilich auf Hoffnung. Denn auch sie, die Schöpfung, wird befreit werden von der Sklaverei der Verwesung in die Freiheit der Glorie der Kinder Gottes hinein. Denn wir wissen, die ganze Schöpfung stöhnt gemeinsam und liegt gemeinsam bis jetzt in Wehen."

Wenn man diesen Sätzen nachdenkt, die natürlich auch nicht thematisch das behandeln, was wir jetzt im Auge haben, aber die von diesem doch sprechen, dann sieht man: Hier ist davon die Rede, daß die Schöpfung um des Menschen willen dem Schein und der Verwesung – ματαιότης und φθορά – von Gott unterworfen ist, und zwar um Adams willen. Die geschichtliche Welt, die ja im menschlichen Dasein gelichtet als die seine vorkommt, gibt ständig jetzt vor, etwas zu sein, was sie nicht ist – das ist eigentlich ihre ματαιότης –, denn sie gibt ständig vor, eigenmächtige Welt, Welt aus sich selbst zu sein, was sich aber in seinem Schein, in seiner Nichtigkeit sofort darin erweist, daß jetzt in der Geschichte doch ihr Wesen Verwesen ist.

Diese Anheimgabe der Welt oder der in der Sünde des Menschen waltenden Welt an die durch ihr verwesendes Wesen eigentlich desillusionierte Illusion ist aber nicht endgültig. Die Schöpfung ist solchem Schein der Eigenmacht „auf Hoffnung hin" unterworfen, sagt der Apostel. Die Schöpfung, so wie sie vorkommt jetzt in der Geschichte der Welt, hat also Hoffnung mitten in ihrer Verlorenheit, mitten in diesem verfahrenen Dasein. Diese Hoffnung ist nach dem Zusammenhang unserer Stelle die Freiheit, die sich auftun wird, wenn die Herrlichkeit über die Kinder Gottes hereinbricht. Wieder ist die Welt so, wie sie im Menschen gelichtet begegnet. Die Hoffnung also ist diese Freiheit, die, wenn sie über die Kinder Gottes kommt, auch den Kosmos ergreift, die eschatologische Freiheit, in die die Christen endgültig zu stehen kommen werden; sie wird auch demgemäß, daß die Welt so ist, wie sie vom Menschen erfahren wird, Befreiung der Welt sein. Und diese Hoffnung ist nach Paulus jetzt schon wirksam, dieses Erhoffte ist jetzt schon zu spüren, gibt jetzt schon Zeichen von sich; und dafür gibt es einen paradoxen Beleg, nämlich den, daß „die gesamte Schöpfung gemeinsam seufzt und gemeinsam in Wehen liegt bis jetzt" (Röm 8, 22). Das große Seufzen und das laute Stöhnen, das die Geschichte der Kreatur und der Menschheit nie verläßt, und die Schmerzen ihrer Wehen, die ihren geschichtlichen Gang begleiten, die Schmerzen jenes selbständigen Wandels der Geschichte von einer zur anderen Epoche, die Schmerzen, die Vorwehen und Spiegel einer letzten Wandlung, nämlich in das Eschaton, sind, verraten, meint Paulus, das Wissen der Kreatur um jene Hoffnung und ein Warten der Kreatur auf jenes Erhoffte, nämlich die Freiheit.

Mit anderen Worten: Schmerzen und Seufzen des Leibes und der Seele und des Geistes sind also nicht nur Wirkungen und Symptome eines jeweils absolut Aussichtslosen, sondern auch Wirkungen und Symptome der Hoffnung, sind nicht nur Zeichen der jeweiligen Verzweiflung, sondern auch einer im Innersten zitternden Erwartung. Sie sind nicht nur Zeichen dessen, daß nichts mehr, daß das Nichts in Aussicht steht, sondern auch dafür, daß die Freiheit des Lebens die Zukunft ausmacht. „Das sehnsüchtige Harren der Schöpfung wartet auf die Offenbarung der Söhne Gottes", heißt es Röm 8, 19. Es gäbe, meint Paulus, also den Jammer, die Klage, die Tränen nicht, wenn nur physische, psychische, geistige Zerstörung wäre, wenn nicht diese Zerstörung Zerstörung eines ganz anderen wäre, nämlich auch der Hoffnung, die da als Freiheit vor Augen steht, wenn im Grunde der Dinge nicht auch Hoffnung auf Freiheit wäre. Nur weil solche Verheißung über der Welt und über der Erde steht, ist jenes ständige Gebundenwerden in die Verwesung, das sich in Vernichtung und Vereitelung vollzieht, ständiger und gemeinsamer Grund immer neuen Klagens und Leidens. Die Weltklage klagt nicht nur über die Versehrung des Kosmos in dem Sinne, daß er jeweils zerstört wird; sie klagte gar nicht, wenn nur das wäre. Sie klagt, weil diese Zerstörung Bedrohung jener endgültigen Freiheit ist, die auf sie wartet und dann hereinbrechen wird, wenn die Kinder Gottes in dem Glanz und der Macht der Freiheit durch Christus auch die Welt in sich wandeln lassen. Die Schöpfung, die Kreaturen der Menschen geraten in Zusammenhang mit der mitgebrachten Sünde, die ständig Zerrüttung bringt, ständig vor den Tod. Das Leben der Welt existiert so, daß sie ständig vor den Tod kommt, und so geraten die Menschen ständig vor die Angst und den Schrecken, die Stimme des Leidens und der Klage, des Wehgeschreies, das freilich oft lautlos ist. Warum? Weil das Todesnichts, weil der Tod als Todesnichts nicht ihre Bestimmung ist. Diese Bestimmung ist vielmehr die unsagbare Freiheit. Und wenn die Kreatur um sich, um die kreatürlichen Schmerzen klagt, dann klagt sie – meint der Apostel – verborgen darum, daß nun auch jene unsagbare Freiheit angegriffen wird, die doch auf die Schöpfung wartet. Wenn die Kreatur Schmerzen leidet, so leidet sie deshalb, weil in ihr innerstes leibliches Wesen die Hoffnung in dem Sinne gelegt ist, daß die Zukunft sie durch Christus bringen wird und nun in ihr, der Welt, schon in diesem Sinne wohnt. Sie leidet, weil sie als Schöpfung festhält, daß ihr die Verheißung der Freiheit winkt und nicht der Tod. Und wo Schmerzen gelitten werden, wo die Klage sich erhebt, da erhebt sich im Grunde – freilich in paradoxer Weise – die Stimme der Hoffnung, der Hoffnung einer Schöpfung, die zuletzt eben nicht Untergang zu erwarten hat, sondern die Glorie der Christen, die Christus aufrichtet samt ihrer Freiheit. Bis dahin ist sie von dort gehalten, und das läßt sie klagen und trauern und in Wehen liegen bei den ständigen zerstörerischen Angriffen der Sünde und des Todes.

III

Die Erscheinung der Gerechtigkeit Gottes in Jesus Christus

Nach dem Apostel Paulus hat Gott in das Geschick dieser Welt, deren Geschichte sich so vollzieht, daß sie – natürlich schematisch gesprochen – unter der Sünde durch das täuschende Gesetz zum Tode ist, eingegriffen. Das geschah in einer menschlichen Person, in Jesus, und zusammen mit dieser Person in einem geschichtlichen Ereignis. Und was da geschah, stellt das Ende der Geschichte dar, nämlich in dem Sinne, daß die Welt nun, indem sie vor diese Person und ihre Geschichte gestellt ist, vor ihrem auf sie zukommenden Endgültigen steht. Denn dieser Person und ihrer Geschichte gegenüber kommen Mensch und Menschheit an ihr Ende, weil mit dieser Person und ihrer Geschichte die Weltgeschichte schon ihr letztes inneres Ziel erreicht hat.

Nach der Überzeugung des Apostels Paulus war τὸ πλήρωμα τοῦ χρόνου, wörtlich: „die Fülle der Zeit", also das von Gott gesetzte Maß an Weltzeit, abgelaufen, als Gott seinen Sohn sandte, das heißt, in Jesus der Messias kam (Gal 4, 4). Und nun können die Christen und, der Möglichkeit nach, alle Menschen sich mit Paulus als solche bezeichnen, „denen das Ende der Äonen begegnet ist" (1 Kor 10, 11). Dadurch ist aber die Geschichte, die nach Einbruch des Endes in sie verläuft, eine ganz andere geworden als vorher. Es bricht nicht nur etwa eine neue geschichtliche Epoche an – so mag es der Historiker sehen; es bricht nicht nur eine neue historische Ära über die Welt herein – Epochen, Ären, wie es viele gibt, von denen eine nach der anderen – Paulus würde sagen – aus der Zukunft über die Gegenwart in die Vergangenheit, ankommt, von denen jede einen etwas anderen Charakter hat, aber die doch alle gleichen Wesens sind. Es bricht nicht nur eine neue

Epoche herein, sondern es ist eine neue und endgültige, eben durch das herangekommene Ende eine neu und endgültig qualifizierte Geschichte angebrochen. Im Blick auf sie meint Paulus sagen zu können: „Siehe, jetzt ist die willkommene Zeit, siehe, jetzt ist der Tag des Heils", nämlich jetzt ist jene vom Propheten verheißene messianische Zeit, und jetzt ist der vom Propheten zugesagte Tag Gottes (2 Kor 6,2). Jetzt, da „die Gerechtigkeit Gottes in Jesus Christus erschienen" ist (Röm 3,21), jetzt, da Gott in ihm seine Gerechtigkeit erwiesen hat (Röm 3,26), jetzt ist diese Zeit eben durch dieses „jetzt" des von Gott gebotenen Einbruches zur Jetzt-Zeit geworden, das heißt zur Zeit mit ganz anderen Voraussetzungen und ganz anderen Entscheidungen, nämlich Voraussetzungen und Entscheidungen gegenüber dem nun mitten in der Geschichte gefestigten Ende der Geschichte. Jetzt können deshalb die, welche sich auf dieses Ende der Geschichte, auf Jesus Christus und seine Geschichte, einlassen, schon in dieser Zeit, an diesem Tag, in dieser willkommenen Zeit leben (1 Thess 5,8; Röm 13,13).

Die Frage entsteht: Was ist das für ein Ereignis, das als eschatologisch gekennzeichnet werden muß und das die Welt nicht nur in eine neue Geschichtsepoche, sondern in eine neue Zeit führt? Was ist das für ein Ereignis, durch das, als durch das Ereignis des Endes aller Geschichte, diese Geschichte seitdem und von daher in ihrem Wesen neu geworden ist?

Wenn wir auf diese Frage im Sinn des Apostels eine Antwort zu geben versuchen, so gehört zu dieser Antwort schon die Auskunft darüber, woher der Apostel eigentlich von dem genannten Ereignis weiß; umgekehrt gesagt: in welcher Weise sich dieses Ereignis dem Apostel eigentlich zu wissen gab. Das ist natürlich eine Frage für sich und ist im Zusammenhang gewiß eine Vorfrage, aber ihre Beantwortung kann, wie wir dann später sehen werden, schon einen ersten Hinweis auf die Eigenart des Geschehens geben, so wie der Apostel Paulus es sieht. Auf Paulus kam das Ereignis in zweifacher Weise zu:

a) Durch die Offenbarung des Jesus Christus in Macht an ihn, den Apostel, durch Gott; also durch unmittelbare Enthüllung des erhöhten Jesus Christus als des Geheimnisses Gottes an ihn, den Apostel, zur Verkündigung. Denken wir an Gal 1,15f: „... seinen

Sohn mir zu offenbaren"; wir können auch übersetzen, und das ist dann nicht ganz so abgeschliffen: „... seinen Sohn mir zu enthüllen, damit ich ihn den Heiden verkündige". Oder denken wir an: Eph 3, 3: „... kraft Offenbarung wurde mir das Geheimnis bekanntgemacht." Und wahrscheinlich spielt Paulus auf dieses Ereignis des Sich-selbst-Erschließens des Geheimnisses Gottes, auf dieses singuläre Geschehen, das er ja abhebt von jeder anderen Weise von Mitteilung an Menschen und das er auch abhebt gegenüber allen seinen späteren mystischen Erfahrungen – wahrscheinlich spielt Paulus auf jenes singuläre Ereignis auch 2 Kor 4, 6 an, wobei er freilich in der Formulierung über seine eigene individuelle Erfahrung hinausgeht und die Erfahrung mit einschließt, die allen Christen durch das Evangelium zuteil wird. 2 Kor 4, 6 heißt es: „Denn Gott, der gesagt hat: Aus der Finsternis strahlt das Licht, er ist es, der es in unseren Herzen hat aufstrahlen lassen, so daß die Erkenntnis der Herrlichkeit Gottes auf dem Angesichte Christi aufleuchtet." Gott ließ seine Herrlichkeit, den Machtglanz seines Ansehens und seines Anwesens in Jesus Christus im Herzen des Apostels aufstrahlen, wodurch dann die Erkenntnis eben dieser Herrlichkeit Gottes auf dem Angesicht Christi entstand. Das entsprach aber jenem Aufgehenlassen des Lichtes, in das durch sein Schöpferwort die Schöpfung entstand. Es war also ein zweites Schöpfungsereignis. Jener Einbruch des sich in dem erhöhten Jesus Christus offenbarenden Gottes in das Herz des Apostels – und das meint: in die zentrale Mitte der Person des Apostels –, jener Einbruch, der Erkenntnis Jesu Christi und darin eben Erfahrung der gegenwärtigen Herrlichkeit Christi gewährte und der seine Sprache dann im Evangelium fand, jener Einbruch kann von Paulus dann auch ganz einfach benannt werden, nämlich so wie 1 Kor 15, 8: „Zuletzt von allen erschien er, gleichsam als einer Fehlgeburt, auch mir." Und auch 1 Kor 9, 1 gehört hierher: „Habe ich nicht unseren Herrn Jesus gesehen?"

Paulus kann es also auch ganz einfach formulieren, und zwar offenbar mit der Tradition, er kann ganz einfach so sagen: Er erschien, und ich habe ihn gesehen. Aber wo er selbst spricht, da verwendet er unwillkürlich andere Termini, um eben dieses Ausbrechen und Durchbrechen des Geheimnisses aus der absoluten Verborgenheit Gottes näher zu kennzeichnen – etwa ἀποκαλύπτεσθαι. Paulus formuliert an den zuletzt genannten Stellen so („erschien", „gesehen"), weil er darin seine Erfahrung des erhöhten Jesus Christus besser mit der der anderen Apostel gleichsetzen und seine Erfahrung als letzten dieser Vorgänge charakterisieren konnte. Sie war ja der Abschluß der Evangelium und Apostolat begründenden, unmittelbaren Erscheinung Jesu Christi. Solch unmittelbare Begegnung mit dem Jesus Christus, der – wie es 2 Kor 13,4 heißt – „aus der Macht Gottes lebt", eröffnet dem Apostel als Erleuchtung den einen gewissen Raum des Lebens und eröffnet ihm zugleich den einen umfassenden Horizont seines Denkens. Sie gewährte ihm aber, diese unmittelbare Begegnung mit dem Erhöhten, offenbar auch das Licht und die Sehkraft für diese Wirklichkeit und bestimmte ihre Sehweise für das Wort, das sich darüber bei ihm nun einfindet – alles mit diesem sich aus dem Geheimnis Gottes in das Herz offenbarenden erhöhten Jesus Christus, dessen „Ereignisse" – wenn man so sagen darf –, dessen Geschichte, Menschwerdung, Kreuz und Auferweckung, in seinem Erhöhtsein und durch die Erscheinung dieses Erhöhten impliziert sind.

b) Aber Jesus Christus oder auch das Ereignis Jesu Christi kam dem Apostel nun auch aus der Überlieferung der Urkirche zu, und zwar in einer eigentümlichen Weise, die auch schon etwas darüber besagt, nicht nur wie sich in der Urkirche dieses Ereignis überlieferte, sondern auch worauf der Apostel nun zur Explizierung seiner eigenen Erfahrung seinen Sinn richtete, in einer eigentümlichen Weise, die doch wohl durch das eben genannte Zentralereignis oder durch die eben genannte Zentralerfahrung mitbestimmt ist. Jedenfalls erscheint die Überlieferung für den Apostel Paulus von vornherein im Lichte dieser Erfahrung und wird im Schein dieser Erfahrung vom Apostel ausgewählt und dann ausgesprochen.

Paulus kümmert sich nämlich bekanntlich kaum, jedenfalls für seine theologische Reflexion nicht wesentlich, um jene Jesus-Tradition, die doch schon zu seinen Zeiten etwa in den palästinensischen Gemeinden umgelaufen ist und wahrscheinlich auch schon teilweise dort fixiert wurde, etwa in kleinen Sammlungen von Jesus-Worten oder Jesus-Geschichten schon weitergegeben worden ist. Weder Herrenworte noch Herrengeschichte sind für ihn von Bedeutung, wiewohl er sie – wir wissen das von den Herrenworten – kennt (vgl. 1 Kor 7, 10). Vielleicht muß man eine einzige Ausnahme nennen, aber die ist auch wiederum eigentümlicher Art und entspricht nicht etwa den Herrengeschichten, wie sie sich dann in den synoptischen Evangelien verdichtet haben, nämlich jene kultische Herrenmahlüberlieferung, die Paulus 1 Kor 11, 23–25 zitiert und interpretiert. Die Überlieferung, durch die die erfahrene Offenbarung des erhöhten Jesus Christus expliziert und damit auch interpretiert wird, durch die das Ereignis Jesu Christi auch zu ihm, zum Apostel, kam, ist anderer Art. Es war die geformte Überlieferung urchristlicher Gemeindehomologien, also Gemeindebekenntnisse, urchristliche Exhomologese, wie man auch sagen kann, die Überlieferung formulierter urchristlicher Katechese, 1 Kor 15, 1ff zum Beispiel; die Überlieferung, die sich schon in Hymnen verdichtet hatte, die sich bewahrt hatte in charismatischen, aber dann formulierten Gebeten, Akklamationen, Segensformeln u. ä. m.

Das war die Überlieferung, die dem Apostel dieses Ereignis Jesu Christi entgegenbrachte und die für ihn die Bedeutung hatte, eben seine unmittelbare Erfahrung des erhöhten Herrn näher auszulegen. Diese Überlieferung findet sich wiederholt in seinen Briefen, meist natürlich fragmentarisch, weil er, Paulus, sie der Gemeinde nun nicht einfach so weitergibt, wie er sie etwa in ihrem ganzen Umfang und Wortlaut empfangen hatte, sondern – meist jedenfalls – so, daß er sie als von ihm in den Duktus seines Briefes aufgenommene immer auch schon interpretiert.

Solche Überlieferungen waren für ihn die eigentliche, die maßgebende und die zuverlässige Tradition, die ihm das Jesus-Ereignis nahebrachte und sich in seine eigene Zentralerfahrung, die Offenbarung des erhöhten Jesus, einordnen und diese mit entfalten konnte.

Wenn man einige Beispiele dafür nennen soll, denken wir zum Beispiel an jene Bekenntnisformel, wie sie im Eingang des Röm-Briefes fast die Adresse sprengt (Röm 1, 3ff): „... von seinem Sohn, geworden aus dem Samen Davids dem Fleische nach, gesetzt zum Sohne Gottes in Macht dem Geist der Heiligung nach aus der Auferweckung von den Toten ..." Das scheint eine Überlieferung aus der Gemeinde zu sein, die Paulus hier gleich einfügt, um die

Übereinstimmung seiner Ausführungen mit dem Denken der römischen Gemeinde festzuhalten. Oder Röm 10,9, wo von der ὁμολογία die Rede ist: „Denn wenn du bekennst mit deinem Munde: κύριος Ἰησοῦς, und wenn du glaubst mit deinem Herzen: Gott hat ihn auferweckt von den Toten, dann wirst du gerettet werden." Paulus kennt das vielleicht schon doppelte oder jedenfalls in zweifacher Weise geformte Bekenntnis κύριος Ἰησοῦς, und er kennt das Glaubensbekenntnis: Gott hat ihn auferweckt von den Toten, und gebraucht es hier (vgl. auch 1 Thess 1,10). Vor allem aber sei an 1 Kor 15,3–5 erinnert, an jene katechetische Überlieferung, von der er selbst in jenem Zusammenhang sagt, daß er sie „übernommen" und daß er sie „weitergegeben" habe, wo er also die Termini der jüdischen Überlieferungsformel nennt: παρέδωκα, ich habe (euch) weitergegeben, und zwar: „Christus ist gestorben für unsere Sünden den Schriften gemäß und ist begraben; Christus ist auferweckt am dritten Tage nach den Schriften und ist dem Kephas erschienen ..." Oder denken wir an die Hymnen Phil 2,5ff; Kol 1,12ff; Eph 2,14ff; oder an solche Gebete, die er doch wohl auch aus dem Gebetsgut der Gemeinde entnommen hat, wie wir sie am Ende des ersten und zweiten Teiles des 1 Thess finden, u.a.m.

Diese Übernahme solcher Traditionen durch den Apostel, das heißt die Vergewisserung und Entfaltung seiner eigenen unmittelbaren Begegnung mit dem erhöhten Jesus Christus durch solche Gemeindetraditionen, ist an sich ein auch unter einem anderen Gesichtspunkt bedeutsames Faktum. Denn damit ist gesagt, daß die seine eigene unmittelbare Erfahrung entfaltenden Überlieferungen nicht den Charakter einer historischen Bestätigung des Ereignisses haben sollen, sondern den Charakter eines Erweises, der durch die Glaubensaussage der Kirche vor Paulus gebracht wird. Paulus geht nicht zurück, ganz einfach gesprochen, auf jene Traditionen, die man sozusagen zu seiner Zeit auch hätte in ihrem Entstehen – vom Leben Jesu in Palästina und seinem Machtwirken – erkennen können, sondern Paulus geht eigentümlicherweise aufgrund und im Lichte seiner eigenen unmittelbaren Erfahrung zu deren Entfaltung eben auf jene – könnte man sagen – „dogmatischen" Überlieferungen, auf jene schon formulierten Glaubensaussagen der Kirche vor ihm zurück. Diese

Formulierungen breiten nun in sich nicht die Historie Jesu aus, sondern heften sich eigentlich nur an ein paar wesentliche Ereignisse dieses Lebens Jesu, nämlich an die Zentralgeschichte oder an die Zentralereignisse Jesu, schematisch gesprochen, an Geburt, Kreuz, Auferstehung, Erhöhung, Wiederkunft.

Nun ist es charakteristisch, welche von diesen Zentralereignissen Jesu Christi er in seinen Briefen aufweist, welche Wesensereignisse – könnte man fast sagen – der Geschichte Jesu Christi im Lichte seiner zentralen Erfahrung sein hauptsächliches Interesse hatten und damit natürlich auch seine theologische und christologische Reflexion über das Jesus-Ereignis bestimmten.

Wir können hier nicht ins einzelne gehen, sondern nur summarisch feststellen: Von den etwa 20 in seinen Briefen – Kol und Eph mit eingerechnet – vermuteten Fragmenten formulierter Überlieferungen wird einmal (Kol 1, 15 f) von Christi sogenannter „Präexistenz" allein gesprochen (Paulus nennt sie natürlich nicht so); zweimal wird von dieser Präexistenz Christi im Zusammenhang mit seiner Menschwerdung bzw. mit seinem Menschsein gesprochen (2 Kor 8, 9; Phil 2, 5 ff). Einmal wird diese Menschwerdung im Zusammenhang mit seiner Erhöhung (Röm 1, 3 f) bzw. seinem Kyrios-Sein erwähnt. Diese Erhöhung selbst, sein Kyrios-Sein, kommt sechsmal zur Sprache (Röm 1, 3 f; 8, 34; 10, 9; 1 Kor 12, 3; Eph 4, 5; Phil 2, 5 ff). Neun Stellen von solchen Traditionen, die er aufgenommen hat, erwähnen Tod und Auferstehung oder Auferweckung Christi, zwei den Tod und die Erhöhung, vier die Auferweckung Jesu Christi allein. Eine als Überlieferung unsichere Stelle (1 Thess 1, 10) und eine als λόγος κυρίου, als „Wort des Herrn", bezeichnete Stelle (1 Thess 4, 15 f) haben die Parusie Christi vor Augen.

Das ist ein bezeichnender Tatbestand. Er besagt, daß in bezug auf Jesus Christus die paulinische Christologie zentral um Tod und Auferweckung bzw. Erhöhung Jesu Christi kreist. Sie stehen jedenfalls schon im Blick, wenn Paulus eine Auswahl aus traditionellem Gemeindegut vornimmt, eine Auswahl, die für uns natürlich nur in seinen Briefen sichtbar wird. Tod und Auferwekkung bzw. Erhöhung Jesu Christi stehen damit also in der Mitte seines Interesses und seiner eigenen christologischen Reflexionen, die im übrigen nicht ausgebildet sind, die uns jedoch bestätigen werden, daß diese Auswahl aus der Tradition, Tod und Auferweckung Jesu Christi als Zentralereignisse, nicht zufällig ist.

Gehen wir also, durch diesen Fingerzeig der Auswahl der seine Grunderfahrung in ihrem Lichte explizierenden Gemeindeüberlieferungen darauf verwiesen, zunächst auf dieses Zentralereignis von Kreuz und Auferstehung Jesu Christi ein. Wenn der Apostel seine Verkündigung summarisch kennzeichnen will, dann spricht er etwa von ihr als vom λόγος τοῦ σταυροῦ, vom Wort vom Kreuz (1 Kor 1, 18); und wenn er das entscheidende Heilsereignis dann nennen will, spricht er von ὁ σταυρός, vom Kreuz (1 Kor 1, 17). Das Evangelium ist das Wort, in dem das Kreuz zur Sprache kommt. Gewiß kann er auch formulieren, daß er „Christus Jesus" oder „Christus" oder „Jesus verkündigt" (2 Kor 1, 19; 4, 5; 11, 4; Phil 1, 15); aber wenn er dieses dann charakterisieren will, sagt er entweder: „Es wird verkündet, daß Christus von den Toten erweckt worden ist" (1 Kor 15, 12), oder er sagt: „Wir verkünden Christus, den Gekreuzigten" (1 Kor 1, 23), bzw.: Wenn wir verkündigen, so wird damit „Jesus Christus der Öffentlichkeit vor die Augen gestellt", „öffentlich angeschrieben", wir können sagen: „öffentlich angeschlagen als der Gekreuzigte" (Gal 3, 1). Und dieses letztere hat als charakterisierende Formulierung noch mehr Gewicht als jene Formulierung über die Auferweckung von den Toten, insofern als diese Bezeichnung der Predigt des Apostels nicht durch den thematischen Zusammenhang bedingt ist, sondern wie zufällig da und dort auftaucht.

Daß das Kreuz Christi einen besonderen Akzent bei Paulus hat, zeigt sich auch in dem, wie er zum Beispiel 1 Kor 2, 2 an die korinthische Gemeinde schreibt: „Denn ich war entschlossen (nämlich als ich zu euch kam), nichts anderes in eurer Mitte zu kennen als Jesus Christus und diesen gekreuzigt." Und Phil 2, 8 fügt Paulus aller Wahrscheinlichkeit nach in einem übernommenen Christushymnus, der davon spricht, daß „Christus gehorsam war bis zum Tode", noch erklärend hinzu: „bis zum Tod des Kreuzes". Auch darauf könnte man noch verweisen: Der Anstoß, den Christus bzw. des Apostels Verkündigung von ihm seinen Gegnern bereitet hat, ist nach der Formulierung des Apostels „der Skandal des Kreuzes" (Gal 5, 11), und die Gegner werden seiner

Formulierung nach „bedrängt vom Kreuze Christi" (Gal 6, 12), die Feinde Christi sind „die Feinde des Kreuzes Christi" (Phil 3, 18). Auch daran sieht man, wie unwillkürlich der Apostel, wenn er denn seine Verkündigung charakterisieren will oder die Gegnerschaft dagegen, auf das Kreuz Christi zu sprechen kommt. Und wenn er, Paulus, sich Christi rühmt, dann rühmt er sich nicht etwa Jesu Christi Menschwerdung, nicht etwa auch seiner künftigen Parusie, sondern dann rühmt er sich seines Kreuzes (Gal 6, 14).

Dieses ist für das paulinische Denken unbestreitbar nicht zu trennen von Christus, sondern mit dem, was über Christus zu sagen ist, aufs engste verbunden. Es ist das Zeichen Christi; in diesem Zeichen versammelt sich für Paulus die gesamte Geschichte Jesu Christi; es ist der eigentliche Kern dieses Geschehens, man kann auch sagen: in diesem Geschehen eröffnet sich die eigentliche Entscheidung und Entscheidungstiefe dieser Geschichte. Dieses Kreuz meint natürlich Christi Tod, es meint seinen als Kreuz den Menschen anstößigen Verbrechertod, es meint Christi in den Augen der Welt skandalöses Sterben. Es meint jenes Sterben, das unter Bedrängnis, unter den θλίψεις und unter den Leiden, den παθήματα, geschah. Und so wird natürlich anstelle des Kreuzes oft von Jesu Christi Tod gesprochen (Röm 5, 10; 6, 3 ff u. v. a. m.) oder, mit dem Verb, von seinem ἀποθνήσκειν, von seinem Sterben (1 Kor 15, 3; Röm 14, 9.15 u. v. a. m.), schon innerhalb der von Paulus übernommenen Überlieferungen und dann auch im paulinischen Kontext dazu. Einmal wird über diesen Vorgang eine etwas nähere Angabe gemacht, nämlich es wird von den Juden gesprochen, „die auch den Herrn Jesus getötet haben", so wie sie die Propheten verfolgt haben (1 Thess 2, 15). Weiter wird seine νέκρωσις (2 Kor 4, 10) erwähnt, seine Tötung, die sich in Leiden, παθήματα (2 Kor 1, 5; Phil 3, 10), in θλίψεις, in Bedrängnissen (Kol 1, 24), in στίγματα, in Wunden (Gal 6, 17), vollzieht. Dies alles steht Paulus vor Augen, wenn er von dem Kreuze Jesu Christi spricht, und also sind diese Nöte und Schmerzen und Leiden und Ängste, die Jesus Christus erlitten hat im Zusammenhang mit seinem Kreuz, das, was dieses Kreuz charakterisiert. Es ist auch das, was dann den im Dienste Jesu Stehenden, der fortwährend in den Tod gegeben wird um Jesu Christi willen

(2 Kor 4, 11), überströmt an Leiden, was Paulus leibhaftig umherträgt in seinem eigenen, immer wieder geschehenden Absterben (2 Kor 4, 10).

Dies alles gehört also mit zum Kreuze Jesu Christi, aber dies alles ist für Paulus nun nicht etwa ein Gegenstand einzelner Betrachtung und Versenkung, sondern wird erwähnt, um die Realität und die Konkretheit des Sterbens Jesu zu betonen; so wie in diesem Zusammenhang dann ja auch gelegentlich vom „Leib Christi" die Rede ist, ausdrücklich Röm 7, 5; Eph 2, 16, oder sogar vom „Leib seines Fleisches" (Kol 1, 22) – so wie in diesem Zusammenhang das Blut Christi erwähnt wird, wobei dieses „Blut" im Sinne von Blutvergießen das Sterben bzw. den Tod kennzeichnet, zum Beispiel Röm 5,9 im Verhältnis zu 10, auch Röm 3,25; Eph 1,7; 2,13; Kol 1,20: „... er hat Frieden gestiftet durch das Blut seines Kreuzes" (vgl. auch 1 Kor 10, 16–27). In anderer Weise wird die Realität seines Todes dadurch unterstrichen, daß auf sein Grab hingewiesen wird, wie zum Beispiel in jenen katechetischen Formeln von 1 Kor 15, 3 oder auch in jener hinter Röm 6, 3f, also in jener hinter den Taufdarlegungen stehenden, formulierten Überlieferung, nämlich: gestorben und begraben (vgl. auch Kol 2, 12).

Aber wenn das der Vorgang ist – und wir haben es bewußt etwas ausführlich gemacht, um zu zeigen, daß für Paulus dieses Ereignis das konkrete geschichtliche Ereignis des Verbrechertodes Jesu Christi am Kreuz mit all seinen Leiden und Schmerzen ist –, wenn das der Vorgang ist, den Paulus meint, wenn er vom Kreuz Jesu Christi spricht – der leibhaftige Verbrechertod in Leiden und Blutvergießen –, wenn das sein Sterben ist, wie Paulus es seiner Überlieferung entnimmt und wie er es dann selbst durchreflektiert, dann ist natürlich die nächste Frage, was nach ihm und seiner Überlieferung in solchem Tod oder in solchem Sterben eigentlich geschah. Erst dann, wenn wir gesehen haben, was in solchem Tod geschah und was das Ergebnis solchen Todes ist, kommen wir dem Vorgang selbst näher, tritt das Ereignis ins Licht. Denn wir müssen uns klar sein, daß jedes Geschehen geschichtlicher Art, besonders jede Geschichte eines Menschen, nicht nur in ihren von außen und von allen konstatierbaren Vorgängen geschieht, sondern auch in ihrer inneren Ausrichtung und ihrer Auswirkung.

1. Das Geschehen des Todes Christi

Paulus spricht von diesem Geschehen des Todes Christi nicht viel, und das ist wiederum ein Zeichen dafür, daß ihm das Faktum dieses Sterbens an sich schon so sinnvoll ist, daß er es nicht weiter auszulegen braucht. Aber die Grundlinien seines Verständnisses sind doch deutlich und klar. In diesem Verbrechertod Jesu Christi am Kreuz vollzog sich nämlich – wenn man im Blick auf Röm 15,3 so sagen kann – ein Akt des Nicht-sich-zu-Gefallen-Lebens: „Denn auch Christus lebte nicht sich zu Gefallen" (Röm 15,3). Also geschah in ihm das Konträre zu dem, wie der Mensch sonst in seinem Vorkommen lebt. Denn vor diesem Satz von Jesus Christus, Röm 15,3, steht die Mahnung: „Wir, die Starken, müssen die Schwachheiten der Schwachen tragen und nicht uns zu Gefallen leben. Jeder von uns soll dem Nächsten zu Gefallen leben zum Guten zur Erbauung" (Röm 15,1f). Und nach diesem Satz, der also indirekt sagt, daß wir uns und nicht dem Nächsten zu Gefallen leben sollen, kommt dann die Begründung: „Denn auch Christus hat nicht sich zu Gefallen gelebt", was dann als Erfüllung des Psalmwortes 69,10 gesehen wird: „Die Schmähungen derer, die dich schmähen, sind auf mich gefallen." Das Nicht-sich-zu-Gefallen-Leben Christi wird also als ein Auf-sich-Nehmen der Schmähungen der Menschen verstanden, die diese gegen Gott richten, als ein Auf-sich-Nehmen lästerlicher Gottesschmähungen. Am Kreuz, in diesem Sterben, vollzog sich danach ein Nicht-sich-sondern-dem-Nächsten-zu-Gefallen-Leben, und zwar in der radikalen Weise, daß das, was an frevelhaften Schmähungen gegen Gott ihm, Christus, widerfahren ist, von ihm getragen worden ist.

Darin ist aber des weiteren nach Paulus die Annahme der Menschen in der liebenden Hingabe oder in hingebender Liebe gesehen. Ein paar Zeilen nach den eben zitierten Sätzen Röm 15,1ff heißt es in 15,7: „Deshalb nehmt einander an, da auch Christus uns angenommen hat zur Ehre Gottes." Eben in dem Auf-sich-Nehmen und Tragen, nämlich bis in das Sterben hinein, jener Lästerungen der Menschen gegen Gott geschah ein Die-Menschen-Annehmen. Dieses Sterben Jesu, dieser – äußerlich gesehen – Verbrechertod vollzog sich im konkreten Auf-sich-Nehmen der Menschen in ihren Schmähungen und also im konkreten liebenden Annehmen der Menschen. Das aber ist Ausdruck konkreter Hingabe an sie aus Liebe. „Was ich jetzt im Fleisch lebe", sagt Paulus Gal 2,20, also mein jetziges irdisches Leben, „lebe ich im Glauben an den Sohn Gottes, der mich geliebt hat und sich für mich hingegeben hat." „Christus hat euch geliebt und sich für uns hingegeben" (Eph 5,2; vgl. auch 5,25; 1 Tim 2,6; Tit 2,14). Und so kann dieses Sterben am Kreuz schlechthin auch als „Hingegebenwerden" (Röm 4,25) oder auch als „Lieben", als ἀγαπᾶν allein (Röm 8, 37), bezeichnet werden. Das, was also am Kreuz Christi, in seinem Sterben, nach Paulus sich ereignete, war die Aufsichnahme konkreter Schmähungen der Menschen, und zwar frevelhafter Schmähungen der Menschen, und darin natürlich aller konkreten Äußerungen der Feindschaft gegen Gott. Und, in dieser Aufsichnahme solcher konkreten Schmähungen und – implizit natürlich auch schon darin – solcher konkreten tönenden Taten, war es die Annahme und das Aushalten der Menschen als eine Weise des Nicht-sich-zu-Gefallen-Lebens oder, positiv formuliert, als eine Weise der Hingabe, der Selbsthingabe an die Menschen, und so also als eine Tat der ἀγάπη, des ἀγαπᾶν, der Liebe. Ebendies ist die innere Struktur des äußeren Vorganges der Leiden und des Sterbens Jesu am Kreuz nach Paulus: konkreter Vollzug von ἀγάπη, das heißt von Selbsthingabe in der Weise des bedingungslosen Auf-sich-Nehmens alles dessen, was die Menschen Gott antun, damit aber des grenzenlosen Gehorsams bis zum Sterben unter den feindseligen Handlungen der Menschen, des grenzenlosen Ertragens und Tragens dieser Menschen auf dem eigenen Leib, der durch sie seine Todeswunden erfährt.

Wir sehen: diese innere Struktur des Kreuzes läßt sich in der Tat am äußeren Vorgang keineswegs einfach ablesen oder höchstens durch gewisse Zeichen ahnen. Aber jedenfalls läßt sich diese innere Struktur des äußeren Vorgangs daraus nicht beweisen, und doch macht gerade sie die Wirklichkeit dieses Geschehens mit aus. Der äußere Vorgang ist vieldeutig – „nun ja, ein Verbrecher am Kreuz", denken die Juden und die Heiden –, und doch ist es ein Geschehen, dem nur die Interpretation gerecht wird, die es in dem Sinne versteht, daß darin sich die Hingabe dieses

Jesus Christus für die Menschen, die Annahme der Menschen durch diesen Jesus Christus vollzieht.

Diese innere Struktur ist dann mit Paulus in zwei Worten zusammenzufassen, nämlich in dem öfters vorkommenden ὑπὲρ ἡμῶν, in dem „für uns", in dem eben solches Sterben als ein Sterben „für uns" bezeichnet wird. Welchen Sinn hat im Horizont paulinischen Denkens dieses „für uns"? (1) Es läßt sich daraus erkennen, daß es einmal mit einer anderen formelhaften Wendung wechselt, nämlich mit dem περὶ ἡμῶν, „in bezug auf uns". Christus starb – wörtlich – „in bezug auf uns". Das meint ganz formal, daß sein Sterben es mit uns zu tun hatte, eben auf unser Dasein gerichtet war. (2) Weiter kann man diese innere Struktur des „für uns" sich verdeutlichen, wenn man nun sieht, daß dieses „für uns" wechselt mit „um unseretwillen", δι' ὑμᾶς; vgl.: 1 Kor 8, 11, wo es heißt, daß Christus um des Bruders willen gestorben ist, δι' ὃν ἀπέθανεν; und vgl. 1 Kor 8, 11 mit Röm 14, 15, wo es nun nicht δι' ὅν, sondern wo es im selben Zusammenhang heißt: ὑπὲρ οὗ, „für den er gestorben ist". (3) Und ein Drittes, inwiefern dieses Sterben mit uns zu tun hat und um unseretwillen geschehen ist, wird deutlich, wenn wir sehen, daß das „für uns" erläutert werden kann durch ein „für unsere Sünden", ὑπὲρ τῶν ἁμαρτιῶν ἡμῶν, welche Sünden eben zum Beispiel jene Schmähungen sind, von denen Röm 15, 3 sprach. „Für unsere Sünden" – 1 Kor 15, 3 in der übernommenen katechetischen Formel, Gal 1, 4 wahrscheinlich auch in einem übernommenen Satz – meint natürlich: für uns in unseren Sünden, und meint des näheren „für uns" in dem Sinne, daß dadurch die Sünden getragen und beseitigt sind. Es wechselt dann ja auch „für unsere Sünden" wiederum mit „um unserer Übertretungen willen" (Röm 4, 25) und bedeutet soviel wie: „Was er gestorben ist, ist er der Sündenmacht auf einmal gestorben" (Röm 6, 10), so daß er, der sie in den Sünden der Menschen auf sich genommen hat, gleichsam diese Sündenmacht hinwegstirbt und sie, die Sündenmacht, nun nur noch leere Hände hat. Das Sterben Jesu Christi „für uns" ist also ein Sterben, das es mit uns, den Menschen, zu tun hat, und zwar in dem Sinne, daß es um unseretwillen, um unseres Lebens willen geschah, so daß es unsere Sünden hinwegnahm und so die Sündenmacht entmächtigte.

Schon danach kann deutlich sein, daß das „für uns“, das jene Selbsthingabe in der selbstlosen, die Sünden der Menschen am eigenen Leib bis in den Tod aushaltenden Liebe Christi am Kreuz formelhaft umschreibt, primär nicht meint: „an unserer Stelle“, „statt unser“, sondern „uns zugute“, „uns zuliebe“. Das wird dann auch (4) durch andere Ausführungen bestätigt, zum Beispiel durch die Sätze in Röm 5,6ff, wo es heißt: „Denn Christus ist, als wir noch schwach waren (also zu der Zeit der Krankheit unserer Sünde, könnte man sagen), zu der Zeit für Gottlose gestorben. Denn kaum wird einer für einen Gerechten sterben, für einen Guten zu sterben, mag einer vielleicht wagen; Gott aber erweist seine Liebe für uns darin, daß Christus für uns gestorben ist, als wir noch Sünder waren.“ Hier ist es eindeutig, daß dem, daß er „für uns“ gestorben ist, der Sinn zugrunde liegt: „zu unseren Gunsten“, „uns zugute“, „uns zuliebe“ o.ä., und daß dieses „uns zugute“ in dem besteht, daß Jesus Christus „die Schwachen“, „die Gottlosen“, wie sie dort heißen, „die Sünder“, „die Feinde“ angenommen hat im konkreten Auf-sich-Nehmen und Tragen ihrer feindlichen Handlungen auf dem eigenen Leib, im konkreten „Blutvergießen“ durch und unter ihren Taten, also im konkreten „diese Taten ihnen abnehmen“, im konkreten „diese Taten hineinnehmen“ in seinen Tod, im konkreten „sie ersterben lassen“ in seinem Sterben. Das Sterben „uns zugute“ ist dabei ein unvergleichliches, denn es geschieht nicht für die Gerechten, sondern für die Schwachen, die Gottlosen, die Sünder, die Feinde – „für uns“.

Aber sehen wir uns nun den Tod Christi am Kreuz, dieses sich verschenkende, alle Menschen aushaltende Sterben, näher an, so ist es für Paulus das zentrale Ereignis des eschatologischen Heilsgeschehens überhaupt. In dem konkret geschichtlichen Ereignis dieses blutigen Verbrechertodes Jesu Christi vollzog sich nicht nur selbstlose Hingabe an die Menschen und seine sie aushaltende und in das Sterben hineintragende Liebe gegen die Menschen, vollzog sich nicht nur jenes „ihnen zugute“ seines Sterbens, sondern vollzog sich in einem auch damit seine Hingabe an Gott, sein Gehorsam, seine ὑπακοή, wie Paulus das bezeichnet. Und dieses Zweite macht die Wahrheit seiner Liebe zu den Menschen erst aus. Sein Kreuz ist nicht – das könnte es ja sein, äußerlich gesehen, wenn man es nicht einfach als Verbrechertod interpretiert – eine blinde Selbstauslieferung an die Menschen, eine rückhaltlose Zuneigung zu den Menschen, die im Grunde nur eine merkwürdige Sehnsucht seiner selbst erfüllt, sein Sterben ist nicht ein radikaler Akt bloßer Menschlichkeit, sondern sein Kreuz ist, indem es Hingabe an die Menschen ist, zugleich Hingabe an Gott. Jesu Christi Kreuz ist – das wird dadurch gesichert – in keinem Sinn unter dem Mantel der Nächstenliebe versteckte Selbstliebe, sondern eine Liebe zu den Menschen, die kritisch geläutert und so erst echte Liebe ist durch den Gehorsam gegen Gott, der sich darin vollzog. Seine ἀγάπη, um das Kreuzesgeschehen kurz so zu bezeichnen, erweist sich jetzt den Menschen gegenüber in einem δικαίωμα, sagt der Apostel, in einer Recht-Tat, die Maßstab und Ziel in Gottes Recht-Taten, in Gottes Gerechtigkeit hat, in dem Gerechten, das Gott in seinen Geboten anweist, das in seiner Treue zum Menschen gründet und das sie ausmacht (Röm 5,18). Und so erweist sich Jesu Christi ἀγάπη in seiner ὑπακοή,, in seinem Gehorsam gegen Gott und Gottes Willen und natürlich auch umgekehrt dieser Gehorsam in seiner Liebe. Nur im Gehorsam gegen Gott und Gottes Willen, der ja entschiedene Übergabe an Gott und Gottes Willen ist, geschieht in der Loslösung von sich selbst, in dem Nicht-sich- zu-Gefallen-Leben die Befreiung der Hinneigung des Menschen zum Menschen zu wirklicher Liebe, das heißt zur gerechten Liebe, eben zur Liebe Gottes und seines Willens. Nur im Gehorsam, das heißt in der gehorsamen Übergabe an Gott und im gehorsamen Sichüberlassen an Gott, das in den Willen Gottes eingeht, wird dieser Wille Gottes, seine Gerechtigkeit, die seine Liebe ist, seine Liebe, die seine Gerechtigkeit ist, getan. „Er wurde gehorsam bis zum Tod, bis zum Kreuzestod", heißt es in dem Hymnus von Phil 2,8, den wir nun schon öfters zitiert haben. Nur im Gehorsam gegen Gott ereignete sich das Sterben Christi am Kreuz als selbstlose Liebe zu den Menschen, nur in der Hingabe an Gott ist sie rettende Hingabe an den Menschen.

Dieser Zusammenhang wird aber noch in anderen Formulierungen sichtbar. Dieser Sachverhalt, ohne dessen Erkenntnis das Kreuz Christi nicht verstanden wird, kommt zum Beispiel auch zur Sprache, wenn es in dem auf Christus bezogenen Zitat, das wir auch schon hörten, nämlich Röm 15,3, heißt: „... die Schmähungen derer, die dich schmähten, sind auf mich gefallen." Alle Schmähungen der Menschen, die Jesus Christus auf sich nahm, galten Gott; Jesus Christus stellte sich sozusagen vor diesen Gott und nahm das, was Gott zugedacht war, in den konkreten Schmähungen auf sich. Er nahm sie anstelle Gottes auf sich, könnte man auch einfach, aber konkret sagen. Das tat er aber, indem er sich Gott zur Verfügung stellte, also im Gehorsam gegen ihn und aus Liebe zu ihm. Oder wenn es Röm 15,7 heißt, was wir auch schon gehört haben: „Nehmt einander an, da auch Christus uns angenommen hat zur Ehre Gottes", dann ist damit gesagt, daß die Annahme der Menschen am Kreuz Christi Gott zu Ehren und also in der Erfüllung seines Willens geschah. So wie Eph 5,2 formuliert wird: „Er gab sich hin für uns als Darbringung und Opfer für Gott zum Wohlgeruch" – „für uns" – „für Gott". Die Selbstaufopferung für die Menschen in Liebe ist zugleich Opfer für Gott. Nur als solches Opfer für Gott ist diese Selbsthingabe Liebe. Mit ihr hat Christus, wie es dann Röm 15,8 heißt, der „Beschneidung" gedient für die Wahrheit Gottes, um die Zusage Gottes an die Väter zu realisieren, um Gottes zuverlässige Treue herauszustellen.

Im Kreuz und im Blut Christi – wie gesagt wird, um die Konkretheit dieses Kreuzes Christi zu unterstreichen –, in Jesus Christus als dem Gekreuzigten erscheint damit die Zusage Gottes an Israel, die Bundestreue zu Israel und, nun über Israel hinaus, zu seiner Schöpfung, zu den Menschen (Röm 3,21). Diese Zusage Gottes ist an den Tag getreten, sie ist in der Geschichte aufgetreten und begegnet, und zwar in diesem konkreten Menschen und in dieser konkreten Weise, in der konkreten Annahme der Menschen und ihrer Sünden durch den darin Gott gehorsamen Jesus Christus, mit der Zusage Gottes aber auch seine Treue, seine Wahrheit und seine Gerechtigkeit.

Und das führt noch zu einem dritten Gesichtspunkt in diesem Zusammenhang, der versucht, das, was Paulus über das Kreuz reflektiert, sich deutlich zu machen. Dieser konkrete Verbrechertod Jesu Christi auf Golgotha ist als Geschehen der Hingabe Jesu Christi an die Menschen und an Gott, als Geschehen der Annahme und Übernahme der Sünden der Menschen durch Jesus Christus und der Aufsichnahme des Willens Gottes durch ihn –

Gottes Handeln selbst. Das geht schon aus den passiven Formulierungen, die in solchen Zusammenhängen fallen, hervor, wie zum Beispiel Röm 4,25, wo es heißt: „... der dahingegeben wurde um unserer Übertretungen willen". Oder denken wir an die passive Formulierung in jener Paradosis des Herrenmahles 1 Kor 11,23: „In der Nacht, da er ausgeliefert wurde..." Oder erinnern wir uns an das Passivum, das 1 Kor 5,7 in dem Satz erscheint: „Als unser Paschalamm ist Christus geopfert worden", u.ä.m. Das Passiv verrät schon, daß Gott es ist, der ihn so hingibt. Von Gottes Handeln in diesem Geschehen ist nun aber auch ausdrücklich die Rede, zum Beispiel Röm 8,32: „(Gott) schonte seinen eigenen Sohn nicht, sondern gab ihn für uns alle dahin."

Dabei wird in der aktiven Formulierung, die Gott zum Subjekt hat, die Herkunft des Begriffes bzw. der Aussage von Hingeben und Hingabe deutlich. Sie ist nichts als die Weitergabe jenes Begriffes, der im Blick auf den Gottesknecht in Jes 53 erkennbar war. Und also wird das Kreuz Christi in diesem Zusammenhang im Lichte des Gottesknechtsgeschehens gesehen als seine Erfüllung. Nur, kann man vielleicht sagen, ist diese Auslieferung Jesu Christi durch Gott und seine Selbstauslieferung noch radikaler – jetzt, bei diesem Jesus. Wenn er von Gott ausgeliefert wird, so wird hier, im Zusammenhang der paulinischen Formulierungen, nicht etwa gesagt wie Mk 9,31: „Er wird ausgeliefert in die Hände der Menschen" (vgl. Mk 10,33; 14,41); oder es wird nicht so gesprochen wie Jes 53,6 nach der LXX: „Der Herr lieferte ihn aus unseren Sünden" (vgl. auch 53,12: εἰς θάνατον – „in den Tod"), wiewohl so gesagt werden könnte und es der Sache nach richtig ist.

Aber das Sterben Jesu Christi am Kreuz ist für Paulus offenbar ein absolutes Ausgeliefertwerden, es ist eine Preisgabe schlechthin. Auch das ist in diesem Ereignis also noch eingeschlossen. Wenn Paulus vom Kreuz Jesu Christi spricht, so gibt auch er, in anderer Weise als etwa Mk es dann tut, die absolute Verlassenheit des Gottesknechtes in diesem Sterben zu verstehen. Das Ausgestoßenwerden und das Ausstehen des absoluten Nichts, das ist das Sterben in dieser Hinsicht. Aber das Ungeheure des Handelns Gottes wird auch noch anders zum Ausdruck gebracht, nämlich so, daß gesagt wird wie 2 Kor 5,21: „Den, der keine Sünde kannte, hat er für uns zur Sünde gemacht." Und so ist er, wie Gal 3,13 dann sagt, „für uns zum Fluch geworden". An dem Gekreuzigten und um ihn ist sozusagen nichts mehr als Sünde, nicht seine Sünde, sondern die Sünde der Menschen, die er auf sich nahm und die ihn nun sterben läßt. Der Gekreuzigte ist nur mehr Fluch, kann man mit Gal 3,13 sagen, er ist der Verfluchte, von dem die Schrift spricht, der allen Fluch der Verfluchten auf sich liegen hat. Er ist in seiner Person – aber das reicht eigentlich nicht zu, wenn man so formuliert – das Denkmal ihrer Sünde, der Sünde der Menschheit und ihres Fluches, die er auf sich genommen hat.

Dieses schlechthinnige Ausgeliefertsein, dieses Ausgeliefertsein dem totalen Nichts in die Gottverlassenheit hinein ist ein Ausgeliefertsein an diese Mächte der Sünde und des schlechthinnigen Fluches; er ist es für uns, uns zugute. Gott hat ihn dazu gemacht. Und so kommt in ihm und in diesem Geschehen gerade Gottes Liebe zutage, „die Liebe Gottes in Jesus Christus unserem Herrn", heißt es Röm 8,39. „Es erweist Gott seine Liebe zu uns darin, daß Christus, als wir noch Sünder waren, für uns gestorben ist", heißt es Röm 5,15: das Geschenk Gottes, in dem er sich selbst schenkte, das Sich-selbst-Schenken Gottes in dieser Gabe des Jesus Christus am Kreuz, das Geschenk der reinen Zuneigung, die Erfüllung der reinen Zusage, das Geschenk des Sichöffnens, des Zutuns Gottes für uns.

Wir sehen also: Im christologischen Denken des Apostels Paulus steht das Kreuz Jesu Christi im Mittelpunkt, und dieses Kreuz ist Jesu Christi geschichtlicher Tod. In ihm, also – von außen gesehen – in diesem makabren Verbrechertod, ereignete sich die selbstlose Hingabe eines Jesus an die Menschen in der Weise, daß er angenommen hat, was sie ihm an Untaten zufügten, sie damit auf sich genommen hat, und zwar als Tat der Liebe, und in einem damit als Tat seiner gehorsamen Hingabe an den Willen Gottes. In ihm ereignete sich somit dieser Wille Gottes und also in Jesu Christi Tat Gottes Tat. So vollzog sich in ihm geschichtlich Gottes Für-uns-Sein, „für uns", die wir die schwachen, gottlosen Sünder, die Feinde Gottes sind.

Soweit ist das über das Kreuz Christi von Paulus Gesagte verständlich. Man darf nur nicht vergessen, daß es sich um ein geschichtliches Geschehen handelt, dessen innerer und eigener

Sinn, der dieses Geschehen bestimmt und qualifiziert, der seine Wahrheit ist, allgemeiner und objektivierender, also äußerer Betrachtung verborgen bleibt und bleiben muß, weil, von außen gesehen, natürlich nicht der innere Sinn sichtbar wird. Das ist im übrigen keine Ausnahme des Geschehens von sonstigem historischem Geschehen, sondern das gilt eigentlich von jedem uns angehenden historischen Ereignis. Sein innerer und eigener Sinn, also es selbst in seiner Wahrheit, eröffnet sich immer nur einer sich darauf interpretierend einlassenden Erfahrung, einer Erfahrung, die wahr ist, wenn sie diesem Geschehen adäquat ist.

2. Das Ereignis der Auferweckung Jesu Christi von den Toten

Die Frage, die dann entsteht, ist natürlich die: Welche Erfahrung ist nun diesem Ereignis des Kreuzes Christi so adäquat, daß es dessen eigentliche Wirklichkeit begreifen kann? Diese Frage mag der heimliche Leitfaden unserer weiteren Überlegungen sein, und an seiner Hand stoßen wir zunächst darauf, daß im paulinischen Denken das Kreuz Jesu Christi untrennbar mit einem anderen Ereignis zusammengehört und zusammenzusehen ist, nämlich mit dem Ereignis der Auferweckung Jesu Christi von den Toten. Was ist damit gemeint? Was ist das Ereignis der Auferweckung Jesu Christi von den Toten im Sinne dieser übernommenen und vom Apostel nun etwas mehr reflektierten Formeln?

1. Wir sagten im Anschluß an den Apostel Paulus, daß im historischen Ereignis des Kreuzestodes Christi unsere, der Menschen, Unrechtstaten von Jesus Christus auf sich genommen wurden und in diesem Sterben also erstarben. Und wir sagten, daß sich in diesem konkreten geschichtlichen Vorgang die Liebe Gottes zu uns, den Menschen, oder das Für-uns-Sein Gottes erweist. Aber wie kann man das eigentlich sagen? Schließlich sind doch einmal in diesem historischen Sterben Jesu Christi faktisch nur die Schmähungen und Gewalttaten, dahinter natürlich auch der Haß und die Blindheit der damaligen beteiligten Menschen von Jesus Christus angenommen worden, so daß er diese auf seinem Leib bis ins Sterben trug.

2. Und schließlich ist er doch, ihre Sünden auf sich nehmend, unter diesen Sünden gestorben, diese haben ihn offenbar doch

überwunden, und die im Tod herrschende Sündenmacht, von der wir gehört haben, deren Explikationen die einzelnen Sünden sind, hat offenbar doch eindeutig den Sieg behalten. Kann man nicht sagen: Sie hat die Liebe, die Liebe Gottes, zu Tode gebracht?

3. Und ein Drittes: Wenn in Jesu Christi Tod, den er durch und mit den Sünden der damals beteiligten Menschen gestorben ist, Gott handelte, wenn er Gottes Eingreifen für die Menschen war: Ist dann nicht Gottes Wille zu Tode gekommen? Ist dann nicht Gottes Treue zuschanden geworden? Ist dann nicht Gottes Wahrheit unwahr geworden? Hat sich nicht Gottes δόξα, Gottes Herrlichkeit, als Ohnmacht erwiesen? Hat dann nicht der Tod über Gott gesiegt? Triumphiert dann nicht doch sein unentrinnbares Veto? Ist dann nicht doch jene Möglichkeit des Heiles in einer Welt, die in ihrem Vorkommen in das „Heil" des Todes gebannt ist, für immer abgetan? Wie kann denn im Sterben Christi, vorausgesetzt, es ist jene radikale Annahme konkreter Sünden durch die konkret aushaltende Liebe, mehr geschehen sein als eben doch nur ein – freilich radikales – humanes Ereignis, das aber doch, einmal geschehen, in die Vergänglichkeit des Geschehens eingeht und niemandem mehr hilft bzw. jedenfalls anders hilft als so, daß es vielleicht eine gewisse Vollgültigkeit besitzt? Wie kann also im Ernst und nicht als Phrase gesagt werden, daß „sich Jesus Christus für unsere Sünden gegeben hat" (Gal 1,4) und daß sich Gottes „Liebe für uns" darin „erweist, daß Christus gestorben ist für uns, da wir noch Sünder waren" (Röm 5,8)? Wie kann – allgemeiner gefragt – jenes historisch kontingente und dazu scheiternde Ereignis des Todes Jesu Christi ein alle Menschen aller Zeiten betreffendes Heilsereignis sein?

Die Antwort, die der Apostel gibt, in Übereinstimmung mit der Urkirche überhaupt, ist so, wie sie ihm in unmittelbarer Erfahrung gegeben worden ist: durch die Auferweckung des am Kreuz gestorbenen Jesus Christus von den Toten und seine Erhöhung zu Gott. Was ist damit gemeint?

Nach dem Apostel jedenfalls ein neues Handeln Gottes, das den Gott und den Menschen bis in den Tod gehorsam hingegebenen Jesus Christus betrifft. Das Geschehen selbst wird bekanntlich terminologisch mit dem Begriff ἐγείρειν, „auferwecken", im Aktiv oder Passiv, und mit ἀνιστάναι, „aufstehen machen" bzw.

intransitiv „aufstehen", im Substantiv ἀνάστασις, „Auferstehung", wiedergegeben, und zwar doch wohl ohne Unterschied der Bedeutung – jedenfalls bei Paulus. Beide Begriffe sind metaphorisch; sie werden sonst etwa vom „aufstehen", „aufstehen machen" eines Darniederliegenden oder vom „auftreten", „auftreten lassen" in der Geschichte u. ä. gebraucht. Aber sie kommen auch schon im übertragenen Sinn von „Totenerweckung", und zwar von Totenerweckung, die in das irdische Leben zurückkehren läßt, im Griechischen vor, bzw. im übertragenen Sinn von der eschatologischen Totenerweckung, Totenauferstehung im Jüdischen. Ein dritter, freilich seltener Begriff ist ζωοποιεῖν, „lebendig machen", und intransitiv ζῆν, „zum Leben kommen".

Dieses so – man könnte sagen – eigentlich recht alltäglich und metaphorisch bezeichnete Geschehen, in dem Gottes Wirken und Jesu Christi Tun eins sind, erhellt sich etwas mehr, wenn wir sehen, daß es nach dem Verständnis des Apostels eine Auswirkung der Macht und der Kraft Gottes ist, daß in ihm Gottes Macht und Kraft handelt, daß es also in einem betonten Sinn ein Akt Gottes ist. In einfacher Weise kann Paulus 1 Kor 6, 14 so sagen: „Gott aber hat den Herrn auferweckt, er wird auch uns auferwecken durch seine Macht", διὰ τῆς δυνάμεως αὐτοῦ. Und Eph 1, 19 erklärt der Apostel, daß die δύναμις Gottes, die er an unserem Glauben wirksam sein läßt, der ἐνέργεια τοῦ κράτους τῆς ἰσχύος αὐτοῦ, der Gewalt der Kraft seiner Macht, entspricht, die er an Christus am Werke sein ließ, als er ihn von den Toten auferweckte und zu seiner Rechten erhöhte. Also hier wird in Eph 1, 19f das, was sonst nur δύναμις heißt, pleophorisch umschrieben, und wir merken, wie der Autor versucht ist, die Totalität dieses Handelns in Gottes Macht zu umschreiben als „am Werke sein der Kraft seiner Gewalt" – oder wie man sonst übersetzen will. Die Auferweckung Jesu Christi ist ein Akt der Macht und „Energie" Gottes (vgl. auch Kol 2, 12).

Dasselbe kann auch in anderer Weise gesagt werden; Röm 6, 4 heißt es – etwas überraschend für unser Verständnis –, daß Jesus „Christus auferweckt wurde von den Toten durch die Herrlichkeit, die δόξα, des Vaters". Δόξα ist ja der „Machtglanz" in dem Sinne: die Macht in ihrem Glanz und der Glanz in seiner Macht, und eben durch diese δόξα Gottes ist Christus auferweckt worden von den Toten. Er ist es also, dieser Machtglanz Gottes, der Jesus Christus von den Toten erstehen ließ. Er ergreift diesen Jesus Christus inmitten der Toten und erhebt ihn in sich, in die δόξα hinein, er läßt ihn in sich aufstehen, er läßt ihn in sich aufgehen, könnte man fast sagen. Und endlich ist es auch der Geist, τὸ πνεῦμα, in dessen Kraft sich die Auferweckung Jesu Christi nach Paulus vollzieht – der Geist, der die Macht ist, in der Gott sich selbst entschließt und erschließt, die offen in die lebendige Gegenwart aufgehen lassende Macht, die ins Leben lichtende Macht, oder wie man sonst sagen will. Vom Geist in diesem Zusammenhang wird zum Beispiel Röm 1,4 auch in einer Formel gesprochen, die Paulus übernommen hat: „... zum Sohne Gottes eingesetzt in Macht kraft des Geistes der Heiligkeit aus der Auferstehung von den Toten ..." (vgl. auch Röm 8,11). Auf den kleinen Hymnus 1 Tim 3,16 kann man ebenfalls verweisen, in dem es heißt: „Der erschienen ist im Fleisch, gerechtfertigt im Geist ..." Nebenbei – die Auferweckung Jesu Christi von den Toten erscheint hier als eine Rechtfertigung Jesu Christi, die der Geist als die erschließende Kraft Gottes bewirkt. Die δύναμις – wenn man es freier formulieren will, kann man sagen: „die Dynamik Gottes" –, die ἐνέργεια, seine göttliche „Energie", die Energie, mit der Gott am Werke ist, seine δόξα, Gott selbst im Gewicht seines enthüllenden oder seines leuchtenden Glanzes, sein πνεῦμα, sein lebenschaffender, sein ins Leben aufgehen lassender Geist – sie sind also genannt als die, die bei diesem Geschehen der Aufweckung Jesu Christi aus den Toten wirksam gewesen sind. Wirksam war also – denn das trifft alle vier Begriffe – die Wunderkraft der in sein Licht und sein Leben aufgehen lassenden Allmacht Gottes, die diesen Jesus Christus ergriff.

Aber das Geschehen der Auferweckung Jesu Christi erhellt sich auch noch weiter, wenn wir beachten, was die Auferweckung von den Toten an Jesus erwirkte. Hier wird einerseits schon bedeutsam, daß im Sinn Pauli der Finger auf die Auferweckung *von den Toten* zu legen ist. Zur Verdeutlichung des Auferweckens und Auferstehens Jesu Christi wird von Paulus und seiner Überlieferung häufig ein ἐκ νεκρῶν, „aus den Toten", „aus der Reihe der Toten", hinzugefügt, und wir erinnern uns noch einmal, daß die formulierten Überlieferungen von dem Grab Christi sprechen, also von der Vollendung dieses Todes, vom realen Tod. Die Auferweckung Jesu Christi wird also für Paulus ein Geschehen aus dem Grabe, ein Geschehen am real Toten. Aber sie wird nun auch als Auferweckung „von den Toten" nicht eine Rückkehr in das irdische Leben, so wie der antike Mythos gelegentlich von Verstorbenen oder auch von toten Göttern berichtet, die ins Leben zurückkehren, sondern diese Auferweckung „von den Toten", aus dem Grabe – und das ist entscheidend – wird ein Aufgang in das Leben bei und für Gott sein. Das kann man sich verdeutlichen, wenn man das Verhältnis von Auferstehung und Erhöhung bei Paulus erwägt. Der Auferstandene ist bei Paulus ja primär der Erhöhte – „primär", das heißt im Blick darauf, wie er ihm zugänglich geworden ist. Auferstehung Jesu Christi von den Toten ist in einem bestimmten Sinn „erhöht werden", nämlich in dem Sinn, daß sie im Zuge und in der Kraft des Zieles der Erhöhung geschieht. Das entnimmt die Auferstehung Jesu Christi vollends dem Vorgang und der Vorstellung einer Wiederkehr in das irdische Leben und entrückt sie damit aus aller Analogie umlaufender Vorstellungen von Auferstehung.

Das gibt ihr einen singulären und – wie wir sehen werden – nur im Zusammenhang mit dem Kreuz begreifbaren Sinn. Beachten wir folgendes:

1. Einmal kann Paulus nicht nur von Tod und Auferweckung Jesu Christi, sondern auch von Tod und Erhöhung Jesu Christi sprechen. In diesem Fall werden einfach Tod und Leben – Leben schlechthin, nämlich göttliches Leben – einander gegenübergestellt, zum Beispiel Röm 14,9: „Denn dazu ist Christus gestorben und zum Leben gekommen – ἀπέθανεν καὶ ἔζησεν –, damit er über Tote und Lebende Herr sei." Das „zum Leben gekommen" meint den Eingang in das Leben, das das Leben Gottes ist, wie zum Beispiel 2 Kor 13,4 deutlich macht: „Denn er ist gekreuzigt worden aus der Schwachheit heraus, er lebt aber aus der Kraft Gottes" – ζῇ ἐκ δυνάμεως θεοῦ. Dem Sterben ist also das Leben aus der Kraft Gottes entgegengesetzt, das Leben, das nur noch von dem lebenschaffenden Gott her lebt; vgl. zu diesen beiden Begriffen – Tod, Leben – auch Röm 5,10; 6,3 f.10; 2 Kor 4,10. Aber Paulus kann denselben Sachverhalt mit dem übernommenen Gemeindehymnus Phil 2,5 ff auch anders und deutlicher formu-

lieren: „Er erniedrigte sich und wurde gehorsam bis zum Tod, bis zum Tod am Kreuz. Deshalb hat ihn Gott über die Maßen erhöht und ihm den Namen gegeben, der über allen Namen ist, damit sich im Namen Jesu jedes Knie beuge der Himmlischen, Irdischen und Unterirdischen und jede Zunge bekenne: Herr ist Jesus Christus zur Ehre Gottes des Vaters." Hier ist, wo sonst von der Auferweckung Jesu Christi gesprochen wird, ausdrücklich von der Erhöhung zur Macht des κύριος der Welt und der ἐκκλησία die Rede; dabei bildet Paulus noch eigens ein Wort für die Erhöhung, das auf diese Weise die Überschwenglichkeit und Unvergleichlichkeit dieses Erhöhtseins andeutet: er formuliert ja: ὑπερύψωσεν, „über jede Höhe erhöht". Wieder in einem anderen Vorstellungsschema spricht Eph 4, 10, nämlich in einem, das fast johanneisch ist: „Der herabgestiegen ist, ist er, und der hinaufgestiegen ist über alle Himmel, um alles zu erfüllen", nämlich im Sinne seiner herr-lichen Macht; „über alle Himmel" – das sind die Himmel der Welt, die Himmel, die zur Welt gehören, die Welthimmel, die Himmel, die sich die Menschen auch machen –, auch sie transzendiert der Erhöhte in seinem „Hinaufgehen", wie dort der Terminus lautet, auch sie werden seine Herrschaft.

2. Aber nun ist noch ein Zweites zu sagen. Auferstehung oder Auferweckung und Erhöhung können auch nebeneinander genannt und dann also unterschieden werden. Um auch hier nur ein paar Beispiele zu nennen: In der alten christologischen Formel, die Paulus in die Adresse des Römerbriefes aufgenommen hat und die wir schon gehört haben, heißt es: „... der geworden ist aus dem Samen Davids dem Fleische nach, zum Sohne Gottes eingesetzt in Macht kraft des Geistes der Heiligkeit aus der Auferstehung von den Toten" (Röm 1, 3). Hier ist deutlich die Auferstehung von Jesu Christi Inthronisation unterschieden, und zwar als das, woher die Inthronisation geschah: „aus der Auferwekkung von den Toten". Oder denken wir wieder an Röm 6, 9f: „Christus, auferweckt von den Toten, stirbt nicht mehr, der Tod hat keine Gewalt mehr über ihn. Denn was er gestorben ist, ist er der Sünde ein für allemal gestorben, was er lebt, lebt er Gott." Der Gestorbene und von den Toten Auferweckte lebt nun immer für Gott, und der Auferweckte ist in dieses Leben für Gott, in dieses Leben „aus der Kraft Gottes" (2 Kor 13, 4), für Gott erweckt

worden (vgl. auch Röm 8,11; 10,9; 1 Kor 15,24.44ff; Eph 1,20; Kol 3,1ff u.a.). Noch eine Stelle sei zitiert, weil sie den Sachverhalt völlig klarstellt (Röm 8,34), wo auch wahrscheinlich ein kleines Bekenntnislied verwertet ist: „Christus Jesus, der gestorben ist, vielmehr auferweckt, der zur Rechten Gottes ist, der auch für uns eintritt". Tod, Auferweckung, zur Seite Gottes für uns eintreten – das wird, wie wir sehen, hier nebeneinander aufgezählt.

Aber was ergibt sich nun aus diesem Befund? Einerseits steht die Erhöhung dort, wo sonst die Auferweckung Jesu Christi genannt ist, andererseits folgt die Erhöhung Jesu Christi der Auferweckung von den Toten. Man wird wohl sagen dürfen, daß die Auferweckung Jesu Christi schon das Geschehen der Erhöhung ist, in der diese ihr wirksames Ziel hat. Auferweckung Jesu Christi ist also ein Geschehen im Zuge und im Ziel der Erhöhung. Aber auch umgekehrt: Erhöhung Jesu Christi ist ein Geschehen in der Kraft der Auferstehung.

Damit, daß Auferweckung von den Toten und Erhöhung ein Vor-gang Jesu Christi aus den Toten ist, kann das Wesen der Auferweckung Jesu Christi von den Toten als ein Erhobenwerden des gestorbenen Jesus Christus in die Seinsweise bezeichnet werden, die durch „das Leben" schlechthin genannt ist, durch das lebendige, gottgewährte Leben, durch die Macht, die alle Macht transzendiert, durch Geist und durch δόξα. Für „Leben" und „Macht" geben uns die erwähnten Stellen schon Belege; was πνεῦμα betrifft, so kann man sicher an 1 Kor 15,44f erinnern, wo der Erhöhte selbst πνεῦμα ζωοποιοῦν, „lebenschaffender Geist", genannt wird oder wo von seinem σῶμα πνευματικόν, von seinem „Geistleib", gesprochen wird im Sinn einer realen Seinsweise, die durch das πνεῦμα bestimmt ist. Man kann dann auch an 2 Kor 3,17 denken, wo gesagt wird: ὁ κύριος τὸ πνεῦμα ἐστίν, „der Herr ist der Geist", was keine Definition ist, wohl aber ein Hinweis darauf, daß der κύριος und wo der κύριος und als welcher der κύριος begegnet, nämlich als πνεῦμα, als Geist.

Was die δόξα betrifft, so gibt es eine Reihe von Aussagen, die man anführen kann; ich erinnere nur an die letzte Zeile des kleinen Hymnus 1 Tim 3,16, den wir vorhin im Blick auf das πνεῦμα nannten: ἀνελήμφθη ἐν δόξῃ, „er wurde hinaufgenommen in die

Herrlichkeit". Ebendas ist die Erhöhung, und die Auferweckung geschieht ihrem Wesen nach so, daß darin jenes Zur-Glorie-erhoben-Werden sozusagen seinen Anfang genommen hat, welches sich vollendet im σῶμα τῆς δόξης (Phil 3, 21), „im Leib der Herrlichkeit", und welches sich darin wiederum vollendet, daß dieses σῶμα τῆς δόξης, also die Seinsweise in der δόξα Gottes und als δόξα Gottes, eben die δόξα τοῦ ϑεοῦ im κύριος widerspiegelt (2 Kor 4, 6), welcher – wie es nun 1 Kor 2, 8 heißt – κύριος τῆς δόξης ist. Wir sagten schon einmal – δόξα ist im Deutschen nicht recht wiederzugeben. „Herrlichkeit" ist ein Notbehelf, „Glorie" (gloria) kommt dem Wort schon näher. δόξα ist ja bekanntlich in der LXX die Übersetzung von כָּבוֹד, כְּבוֹד יְהוָה und vereinigt Macht und Glanz in einem. Sie ist das Aufglänzende und Aufstrahlende der Macht, und sie ist dann die Macht des Aufglänzens der Erscheinung. Der Machtglanz Gottes, der Jesus Christus von den Toten erweckte (Röm 6, 4), ist also auch der, in den und zu dem der von den Toten Erweckte erhoben wurde. In Jesu Christi Auferweckung von den Toten ereignete sich die Ermächtigung des Gekreuzigten, Gestorbenen und Begrabenen zur Glorie, zum Geist, zur Kraft (δύναμις), zum Leben, zur ζωή Gottes: die Ermächtigung durch den lebendigen, mächtigen Geist der göttlichen Glorie. Auferweckung Jesu Christi von den Toten ist die „Verwandlung" – Paulus spricht in bezug auf uns einmal von ἀλλαγησόμεϑα – in die Glorie des Geistes der Kraft und des Lebens Gottes.

Dabei muß man aber nun noch auf dreierlei achten:

1. Einmal ist Auferweckung Jesu Christi, wenn man sich das Phänomen vor Augen hält, wie es bei Paulus zur Sprache kommt, ein Geschehensvorgang, der die Geschichte der Person Jesu Christi betrifft. Es ist eine Verzerrung der paulinischen Aussagen, wenn man meint, den Sachverhalt mit „Weiterereignung des Kerygmas Jesu" schon beschrieben zu haben, wie man getan hat. Weder „Weiterereignung" trifft im Sinn des Paulus den Sachverhalt, denn es ist nicht einfach eine Transposition dieses Jesus in die weiterlaufende Zeit, noch ist „Weiterereignung des Kerygmas Jesu" richtig, denn es geht nicht um Jesu Verkündigung, sondern um seine Person, die als erhöhte – wir werden es noch sehen – u. a. in die Verkündigung eingeht, oder, besser gesagt, um die Per-

son, die als die zu Gott erhöhte Gott und sich selbst im Kerygma dann auch zur Sprache bringt. Es ist aber auch noch eine ungenügende Umschreibung des Sachverhaltes der Auferweckung Jesu Christi von den Toten, wenn sie als „Erscheinung Jesu Christi in das Kerygma hinein" verstanden wird. Hier ist zwar festgehalten – das ist zum Beispiel Bultmanns Meinung –, daß es um die Person Jesu Christi geht, nicht nur um sein Kerygma, aber auch der Eingang in das Kerygma reduziert sich auf ein Geschehen, das – wir werden es gleich sehen – sich aus der Auferweckung erst ergibt.

Wir könnten auch sagen: zu ihr gehört zwar der Eingang in das Kerygma, aber nur so, wie zur Geschichte im allgemeinen gehört, daß sie sich als Ereignis auch zur Sprache bringt, daß es sozusagen keine Geschichte gibt, die sich nicht auch zur Sprache bringt, soll sie denn als Geschichte erfahren und verstanden werden. Wo nichts geschieht, kommt auch nichts zur Sprache. Die Auferweckung Jesu Christi von den Toten ist aber in vollem Sinn Geschichte, sofern es nicht Offenbarung des Jesus von Nazareth in das Wort hinein ist, sondern Erhebung des Gestorbenen in die Glorie und Macht Gottes, in das Leben und den Geist Gottes und schließlich das Eingehen dieses κύριος, der Geist ist, in das apostolische Wort. Man nimmt dem Kerygma eine ganze Dimension, wenn man die Auferweckung Jesu Christi allein im Kommen des Kerygmas sieht. Man nimmt ihm nämlich die Dimension der κυριότης, „der Herrschaft", wenn man so sagen darf, die das Kerygma nur dadurch hat, daß der von den Toten in die Glorie auferweckte κύριος als solcher sich im Kerygma zur Sprache bringt. Freilich, es ist nicht einfach, das κύριος-Sein, zu dem der von den Toten auferweckte Jesus Christus erhoben wurde, angemessen zu beschreiben. Wir sehen es ja an den mannigfachen Bemühungen des Apostels und seiner Tradition, wir sehen es am Gebrauch einer ganzen Reihe von Begriffen, die das sich entziehende und doch zugleich sich aufdrängende Geheimnis des Vorganges zu erfassen versuchen und die doch nur sehr allgemeiner Art und eigentlich, vielleicht mit Ausnahme von δόξα, das dann aber unübersetzbar bleibt, nur analoge Begriffe sind. Aber das nahezu Unbegreifliche des Geschehens läßt sich natürlich nicht durch Reduktion auf einen auch nur zum Teil allgemeinverständlichen Vorgang begreiflich machen, jedenfalls nicht im Sinne des Apostels Paulus.

2. Man muß beachten, daß es sich immer um die Auferwekkung des *gekreuzigten* Jesus Christus handelt, das heißt aber – wie wir gesehen haben – um die Ermächtigung dessen zu Leben, Macht, Geist und Glorie, in dessen Sterben Gott sein Für-die-Menschen-Dasein geschichtlich realisiert hat, der selbst in seiner gehorsamen Hingabe die Annahme der Menschen, ihr Aushalten und Tragen geschichtlich vollzogen hat. *Dieser* ist von den Toten erweckt, nicht irgendeiner, dieser, der an jenem einen geschichtlichen Ort des Kreuzes die Liebe über die Sünde, sie auf sich nehmend, hat siegen lassen. Damit aber hat sie in ihm, der die Sünde unter ihrem Ersterben auf sich nahm, wirklich gesiegt. Denn nun ist eben er samt seinem Sterben am Kreuz als der für uns Gestorbene ein für allemal der Gegenwärtige und Lebendige und sich im Geist Erschließende, machtvoll Aufscheinende und kraftvoll Wirkende, nun ist er in seiner aushaltenden Liebe für immer todesüberlegen und also sündenüberlegen da, nun ist in ihm, dem von den Toten auferweckten und erhöhten Jesus Christus, die Sünder-tragende Liebe für alle Menschen und für immer wirksam, nun erweist sich das Dasein für die damaligen Beteiligten als ein Da-sein auch und jeweils für uns, für alle Menschen, nun enthüllt sich sein Sterben in der Tat als Für-uns-gestorben-Sein. Und Gott ist nicht desavouiert in seiner Zuverlässigkeit und Treue, in seiner Gerechtigkeit und Wahrheit. Vielmehr hat er sich als der Tote erweckende Gott, an den schon Abraham glaubte (Röm 4, 17), erwiesen, indem er Jesus Christus von den Toten erweckte (Röm 4, 24). Der Einspruch des Todes ist hinfällig angesichts dessen, daß der lebt – in der Macht des Geistes im Aufglänzen seines Heils –, in dem Gott den Tod überwunden hat.

3. Die Erscheinung des Auferstandenen

3. Und ein Drittes: Zur Auferweckung Jesu Christi von den Toten, zur Erhöhung des Kreuzes seiner Liebe, zur Aufnahme des Kreuzes, also des uns aufnehmenden Kreuzes, in die Liebe und in das Leben Gottes gehört im Horizont paulinischen Denkens nun auch noch die Erscheinung des Auferstandenen. Was hat sie

im Zusammenhang des Geschehens von Kreuz und Auferstehung für einen Sinn? Den Vorgang der Offenbarung Jesu Christi selbst an den Apostel haben wir schon erwähnt. Hier sei er noch einmal differenziert erinnert. Der Vorgang selbst ist ein ἀποκαλύπτεσθαι des erhöhten Jesus Christus, eine ἀποκάλυψις; und ἀποκάλυψις schließt ein: a) eine Aufdeckung eines Mysteriums (Eph 3,3); b) Erfahrung oder Begegnung des absolut verborgenen, erhöhten κύριος, also nicht nur daß man Bescheid bekommt, sondern daß er begegnet; c) Unmittelbarkeit dieser Enthüllung und Begegnung; d) Gegensatz zu jeder anderen Mitteilung, zum Beispiel auf dem Wege lehrhafter Überlieferung (Gal 1,11f); e) Unterscheidung von jeder mystischen Erfahrung (2 Kor 12,1ff); f) Besitznahme oder Ergriffenwerden, hier des Paulus, durch diesen Jesus Christus (Phil 3, 12: κατελήμφθην ὑπὸ Χριστοῦ Ιησοῦ); g) Eröffnung des Lebensraumes und des Lebenshorizontes; h) Erleuchtung des Herzens (2 Kor 4, 6); i) Erschließung in das apostolische Wort (Gal 1, 15f); k) Sendung und Ermächtigung.

Wir sehen, dieser Vorgang, der vom Blickpunkt des Apostels Paulus her das Ereignis der Erscheinung des Erhöhten zu verdeutlichen versucht, diese ἀποκάλυψις, ist ein sehr komplexer und jedenfalls ein grundlegender Vorgang, weshalb er von Paulus auch 2 Kor 4,6 neben den Schöpfungsvorgang gestellt wird. Bei Paulus handelt es sich um die Offenbarung des erhöhten Jesus Christus an ihn; dieser bringt sich ihm zur Evidenz. Aber solche Offenbarung stellt nun Paulus selbst in eine Reihe oder auf eine Stufe mit jenen Offenbarungen an die Apostel und Zeugen vor ihm, und zwar als Abschluß solcher Offenbarungen, wie wir aus 1 Kor 15,1–11 – vgl. 1 Kor 9,1; Gal 2,7ff – entnehmen können.

So gesehen, ist auch die Offenbarung Jesu Christi an ihn eine Erscheinung, ein Sich-sehen-Lassen – ὤφθη gilt auch hier – und, vom Apostel her gesehen, ein Sehen – eben das ὁρᾶν gilt auch hier –, offenbar eine Vereinfachung der Terminologie aus der Tradition. Diese Gleichsetzung der Vorgänge durch Paulus bestätigt uns nachträglich noch einmal, daß für Paulus die Auferweckung Jesu Christi von den Toten ein Geschehen der Erhöhung in die Macht Gottes ist, umgekehrt die Erhöhung ein Akt der Totenerweckung; deutlicher: daß die Auferweckung im Zuge der

Erhöhung und die Erhöhung in der Kraft der Auferweckung von den Toten geschieht. Dann aber nennt „Erscheinung" bzw. „Offenbarung" in jedem Falle den Vorgang der Auferweckung Jesu Christi von den Toten oder auch der Erhöhung Jesu Christi hinsichtlich dessen, daß Jesus Christus darin ans Licht kommt oder ins Licht tritt, nämlich ins Licht der Erfahrung der Zeugen und ihres Zeugnisses. Man kann auch sagen, wenn wir uns hier dabei auf Paulus beziehen, daß es für sein Verständnis zur Erhöhung des gekreuzigten, gestorbenen und begrabenen Jesus in das Leben, die Macht, den Glanz und den Geist Gottes gehört, daß dieser sie als solche nun auch bezeugt, und zwar grundlegend und abschließend an bestimmte Zeugen, an die Apostel. Mit anderen Worten: die Erhöhung des gekreuzigten Jesus Christus zur Präsenz ist zugleich ein Vor-gang in die Geschichte, sie schließt ein Hinausdrängen in die menschliche Erfahrung und ein Hinaustreten in die bezeugende Geschichte ein. Der Hingang Jesu Christi in den Tod und sein Untergang in ihn, der ein Aufgang des von den Toten Erweckten in das Leben ist, ist zugleich ein Vor-gang in die Geschichte, dann auch ein Vorgang der menschlichen Geschichte.

Dieser Vorgang des Erhöhten in die menschliche Geschichte, diese Offenbarung in die Erfahrung und dann in das Aussprechen der Offenbarung, in das Zeugnis, das Evangelium, ist aber von Paulus nun noch dahin verstanden, daß diese Offenbarung eine – noch verbergende – Vorausnahme jener Offenbarung ist, die das Dasein im ganzen dann zu Ende setzt, vor sein Ende unverborgen und endgültig bringt. Diese Offenbarung des Erhöhten bzw. Auferweckten, die dem Apostel zuteil geworden ist, ist für Paulus eine Prolepse der endgültigen Offenbarung Jesu Christi in der Parusie, welche ist eine alle Vorläufigkeit beendende Offenbarung des erhöhten κύριος. Das deutet sich wiederum in dem Begriff ἀποκάλυψις und ἀποκαλύπτειν oder ἀποκαλύπτεσθαι an, der neben dem, daß er auch die charismatischen und mystischen Enthüllungen bezeichnen kann – wie zum Beispiel 1 Kor 14,6.26.30; Eph 1,17; Gal 2,2 u.a.m. –, vor allem zweierlei bedeutet, eben einmal die Offenbarung des Auferstandenen bzw. Erhöhten an den Apostel, aber vor allem die eschatologische, die künftige und endgültige Offenbarung Jesu Christi – 1 Kor 1,7; 2

Thess 1, 7 – im Zusammenhang und in der Folge anderer eschatologischer Ereignisse, zum Beispiel des Gerichtes, das alles in das Rechte ordnet (Röm 2, 5; 8, 18ff; 1 Kor 3, 13 u. a. m.). Und daraus kann man ersehen, daß, wenn Paulus das Ereignis der Offenbarung Jesu Christi an bestimmte Zeugen ἀποκάλυψις nennt, er damit sozusagen in diesem Geschehen einen Vorgriff, eine Antizipation des Eschaton sieht, ein vorläufiges Sich-schon-zur-Erfahrung-Bringen, noch verdeckt und noch nicht endgültig und doch schon wirklich. Diese Macht, in die Jesus Christus auferweckt und erhöht worden ist, ist für Paulus auch eine Macht, die alle Zukunft in der Hand hat und kraft deren Jesus Christus sich sozusagen aus der Zukunft schon vor-schickt, das heißt aber, daß sie sich nicht nur ankündigt, sondern, indem sie sich ankündigt, auf jenes Ereignis verweist, das nun nicht mehr nur noch ein Einbruch in die Geschichte ist, sondern ein Ausbruch des Erhöhten, der die Geschichte kritisch beendet.

Freilich wird dieser Zusammenhang von Auferweckung Jesu Christi im Zuge der Erhöhung und Parusie – also offenbarer und endgültiger Ankunft und Anwesenheit des Erhöhten in Macht – bei Paulus nur selten formuliert. Man kann etwa auf 1 Thess 1, 10 verweisen: „... zu dienen dem lebendigen und wahren Gott und seinen Sohn aus den Himmeln zu erwarten, den er auferweckt hat von den Toten, Jesus, der uns dem kommenden Zorngerichte entreißt." Der Erwartete ist der von den Toten Erweckte, der von den Toten Erweckte bleibt immer – bis dahin – der Erwartete. Oder man kann auf jene Ordnung verweisen, die Paulus 1 Kor 15, 23 f aufzählt: „Der erste ist Christus, dann die zu ihm gehören bei seiner Parusie, dann kommt das Ende..." Das sind also die entscheidenden Stationen des Einbruchs oder auch Ausbruchs des Heiles Gottes: Jesu Christi Auferweckung von den Toten und seine Parusie, die alles beendet. Aber abgesehen von diesen spärlichen ausdrücklichen Belegen, läßt sich, wie wir noch sehen werden, für Paulus die Auferweckung Jesu Christi von den Toten und seine Erhöhung als solche ansehen, die in sich, weil sie Vorausnahme jener künftigen Parusie ist, immer schon auch Hinweis auf diese ist und sozusagen in dem, wie sie sich offenbart, nun schon das Künftige anzeigt bzw. in diesem begrenzten Sinn vorausnimmt. Zur Erhöhung des Gekreuzigten in die Macht Gottes gehört auch die Erhebung in den Willen, nun als der Erhöhte der endgültig und offenbar Heilende und Richtende zu sein.

Fällt so von dem Ereignis des Kreuzes und der Auferweckung Jesu Christi her ein Licht auf die Zukunft Jesu Christi und auf die Zukunft damit überhaupt, so wird auch in anderer Weise von diesem Zentralereignis her die Herkunft Jesu Christi erhellt. Denn in Kreuz und Auferweckung offenbart sich Jesu Christi Menschsein selbst schon als das Ereignis einer Entäußerung bzw. einer Hingabe. Die Aussagen, die hier gemacht sind, sind für Paulus mit dem Titel dieses Jesus Christus als des Sohnes Gottes verknüpft. Die Aussagen über „Sohn Gottes", Menschwerdung und dann Menschsein des Sohnes sind aber keine Mythologumena, sondern sind Aussagen, die die erfahrene Wirklichkeit Jesu Christi – also Kreuz und Auferweckung – nun so weit ins Licht stellen, daß auch sein Menschsein, seine Menschwerdung und sein Sohnsein als solche erscheinen. Das Zentralereignis von Tod und Auferweckung bzw. Erhöhung Jesu Christi enthüllt nämlich diesen Jesus Christus als den immer schon zu Gott Gehörenden, immer schon von Gott her zu Gott hin Anwesenden und immer schon in seinem Wesen Gott in seiner Person Begegnenlassenden, also enthüllt ihn als den – wie er mit der Chiffre genannt wird – „Sohn Gottes". Denn Sohn Gottes ist er nicht erst geworden, sondern war oder ist er immer; geworden ist er – wie wir Röm 1,3 hörten – „Gottes Sohn *in Macht*" (vgl. auch Gal 2,20; 4,4; Röm 5,10; 8,3.32).

Paulus hat den Begriff, wie uns eben die formulierte Tradition in Röm 1,3 zeigt, nicht selbst gebildet, sondern aus der Urgemeinde übernommen, er hat ihn kaum reflektiert. Ein paar Andeutungen über die Seinsweise dieses Sohnes, die, wie gesagt, vom Zentralereignis her erst als solche erkannt worden ist; finden sich aber doch. Am bekanntesten sind die Formulierungen in dem von Paulus auch aus der Urgemeinde übernommenen und angeeigneten Hymnus Phil 2,5ff, der von einem Verweilen in der Seinsweise Gottes spricht, ὑπάρχων ἐν μορφῇ θεοῦ, und noch deutlicher von einem Gottgleichsein dieses Sohnes, εἶναι ἴσα θεῷ, wozu dann noch die bedeutsame Kennzeichnung kommt, daß er solche Seinsweise nicht für eine Beute hielt, „sondern sich ihrer entäußerte", wodurch diese Seinsweise des Gottgleichseins als

Sohn eben als eine von Gott gewährte und von ihm, dem Sohn, als Gabe frei empfangene, frei übernommene und frei gehaltene charakterisiert wird.

Paulus meint also von der Selbstenthüllung des vom Kreuz zur Macht Gottes Erhöhten: wenn man Jesus Christus begegnet, dann begegnet man dem, der das Von-Gott-her-zu-ihm-hin-Sein als frei übernommene und frei behaltene Gabe in seiner Person begegnen läßt. Anders, aber auch charakteristisch ist die Begrifflichkeit und die damit verbundene Vorstellung in Kol 1, 15, wo Jesus Christus – übrigens auch in einem wahrscheinlich vorpaulinischen Hymnus – die εἰκὼν τοῦ θεοῦ ἀοράτου, wörtlich übersetzt: „das Abbild des unsichtbaren Gottes", genannt wird, wobei εἰκών das ist, worin das Abgebildete wesentlich erscheint, so daß es darin auf sich verweist. Man könnte demnach Jesus Christus als die Wesenserscheinung des unsichtbaren Gottes benennen, genauer: die ewig wesende Wesenserscheinung Gottes. Als solche wird er von Paulus in der Erfahrung des Erhöhten, der der Gekreuzigte und von den Toten Auferweckte ist, erkannt. Sie gehört zu dem „Reichtum der Glorie des Geheimnisses", das der verkündigte Jesus Christus ist, wie Kol 1, 27 sagt. Es macht das πλούσιος εἶναι, das „reich sein" (2 Kor 8,9), dieses Jesus aus. Wir sehen, es sind in der Tat verschiedene Begriffe und Vorstellungen, in denen Paulus das Phänomen des gekreuzigten und auferweckten Jesus Christus in seinem Verhältnis zu Gott zu erfassen versucht. Kreuz und Auferweckung in der Erhöhung enthüllen ihm den Jesus, der nun nicht erst in seiner Existenz und in seinem Handeln, sondern der auch schon in seiner Person den Gott begegnen läßt, von dem her und zu dem hin er ist, also den „Sohn".

4. Der Mensch Jesus

Dabei muß man die Paradoxie beachten: Jesus, den Gekreuzigten, als den Sohn; der Sohn als der Mensch Jesus. Denn auch von diesem seinem Menschsein redet Paulus unter Umständen ausdrücklich, und zwar auch außerhalb des Kreuzigungsereignisses. „Er ist geboren vom Weib" (Gal 4,4); „er ist Nachkomme Abrahams" (Gal 3,17); „er ist Nachkomme Davids dem Fleische nach", also seiner fleischlich-irdischen Existenz nach (Röm 1,3);

er ist ein Jude, ein Israelit, ein Stammesgenosse des Paulus dem Fleisch nach (Röm 9, 5); er ist „unter das Gesetz getan", also in der Sphäre des jüdischen Gesetzes aufgewachsen (Gal 4, 4); er hat „Brüder" (1 Kor 9, 5; Gal 1, 19); von ihm sind Worte überliefert (1 Kor 7, 10f); von einem Mahl mit seinen Jüngern ist erzählt (1 Kor 11, 23ff); das Bekenntnis vor Pontius Pilatus wird später noch 1 Tim 6, 13 hinzugefügt.

Dann aber wird natürlich auch noch auf sein Leiden, seine Bedrängnisse, seine Wunden, sein Blutvergießen, sein Sterben am Kreuz hingewiesen als auf konkrete Ereignisse eines konkreten Menschenlebens; und der Hymnus Phil 2, 5ff faßt es in 2, 7f zusammen: „Er wurde Menschen gleich, im Verhalten als ein Mensch erfunden ... gehorsam bis zum Tod, ja bis zum Tod am Kreuz." Aber nun ist dieses Menschsein zusammenzubringen mit seinem Sohnsein. Dieses Menschsein ist nun im Verständnis des Apostels kraft dessen, daß es das Mensch-geworden-Sein des Sohnes ist, von vornherein und seinem Wesen nach ein singuläres von Gott und von ihm selbst hingegebenes Menschsein, es ist mit anderen Worten Hingabe. In diesem Menschen, meint Paulus, begegnet von vornherein der, den Gott als seinen Sohn sandte (Gal 4, 4; Röm 8, 3), er, „der hinabstieg in die unteren Gegenden der Erde" (Eph 4, 9), „der erschienen ist" (1 Tim 3, 16), von dessen Epiphanie, von dessen In-die-Welt-Kommen die Rede ist (2 Tim 1, 10 u. a. m.).

Also schon sein Menschsein ist Sendung oder Schickung, ist Erscheinung und Ankunft eines völlig anderen, ist Einbruch eines Transzendenten, ist Zu-Kommen und Anwesen Gottes. Darin ist es aber eben als Menschsein schon und nicht erst in seinen Taten, wie Phil 2, 7 sagt, Entäußerung seiner selbst – ἑαυτὸν ἐκένωσεν. Begegnet man einem anderen Menschen, so begegnet man nie einem, der schon als Mensch sich entäußert hatte, dessen Menschsein schon Entäußerung ist, aber begegnet man diesem Jesus Christus und dem, was er sagt oder tut, so begegnet man dem, der sich entäußert hat in seinem Menschsein. Das meint nicht, daß in diesem Menschen nicht mehr Gott in seiner Fülle gegenwärtig sei (vgl. Kol 1, 19; 2, 9), sondern es bedeutet, daß er in ihm verhüllt ist und sein Gottes-Sohn-Sein und also seine Wesensherkunft in seinem Menschsein als das bewahrt, was sie ja nun auch in der Tat sind, als von Gott empfangene und nicht als selbst geleistete und behauptete, als in der Freiheit der Gabe gelebte und nicht etwa als Besitz behauptete. Begegnet man diesem Menschen, so begegnet man dem, der in seiner Selbstentäußerung schon in der Freiheit der Hingabe lebt. Mit anderen Worten: Jesu Sein und nicht erst seine Existenz ist Freigabe und Hingabe seiner selbst. Gerade in diesem Menschen als solchem begegnet man einem Nicht-sich-selbst-zu-Gefallen-Sein, man begegnet einem Für-uns-Sein. Natürlich weist sich dieses Sein erst in seiner Existenz aus, aber umgekehrt läßt sich auch sagen: Seine Existenz enthüllt es und läßt sein Sein erfahren.

Und nun ist auch in diesem Menschen, in solcher Menschwerdung, das heißt in seinem Kommen in die Welt und seinem In-der-Welt-Aufscheinen, für Paulus von vornherein auch schon die Gnade gegeben, wie er 2 Kor 8, 9 sagt: „Denn ihr kennt die Gnade unseres Herrn Jesus Christus" – nun wird das erläutert –, „wie er um euretwillen arm geworden ist, der reich war, damit ihr durch seine Armut reich würdet." Paulus denkt dabei nicht an die Armut des irdischen Lebens Jesu, sondern an die Armut, die das Menschliche überhaupt für ihn, den Sohn Gottes, darstellt. Da diese Armut des Menschseins für uns geschah, da aber in diesem Menschsein schon dem Wesen nach ein Für-uns-Mensch-Sein enthalten ist, so ist dieses Menschenleben als solches und noch vor allem Reden und Handeln schon Hingegebensein, es ist deshalb als solches schon Gnade für uns. Und so spricht ja Paulus auch von Jesus Christus ausdrücklich als von Gnade bzw. als von der Gabe Gottes (Röm 5, 15): „Die Gnade Gottes und die Gabe in der Gnade, die der eine Mensch Jesus Christus ist, ist auf die vielen übergeströmt."

Ist aber schon dieses Menschsein Jesu Christi, dieses Hingegebensein für uns Gnade- und Gabe-Sein, so ist es nicht verwunderlich, daß sich für Paulus wiederum dieses Menschsein vollendet und in seinem Wesen enthüllt in seinem Sterben am Kreuz, daß es dort zum Ziele kommt. Es kommt dort zum Ziel und tritt dort in seinem Wesen heraus, weil schon das Menschsein dieses Jesus eben die Hingabe ist, die sich nun im Kreuz zuletzt realisiert, in dem es zum Ziel kommt und sich offenbart als die gehorsame Hingabe seiner selbst in seinem Sterben. Ebendeshalb ist für Paulus auch alles von diesem Leben und dieser Person Jesu überhaupt eingefangen, deshalb ist von Paulus darüber alles ausgesagt, wenn von seinem Kreuz die Rede ist. Sein Kreuz ist für Paulus nichts Zufälliges, sondern schon mit seinem Menschsein gegeben – und umgekehrt: vom Kreuz her erscheint dieses Menschsein als solches schon als Entäußerung und Selbsthingabe.

Haben wir so das Ereignis von Tod und Auferweckung Jesu Christi einmal hinsichtlich seines äußeren Vorgangs betrachtet und zweitens hinsichtlich seines inneren Geschehens darzustellen versucht, soweit es im Lichte paulinischen Denkens aufscheint, so müssen wir nun noch an dritter Stelle eben dieses Ereignis hinsichtlich seiner Auswirkung betrachten. Denn auch die Auswirkung eines geschichtlichen Ereignisses ist als solche vom Ereignis nicht zu trennen, oder, besser gesagt, das Ereignis wird weiter beschrieben, wenn man nun auch seine Auswirkung betrachtet. Sie ist mit dem Ereignis gesetzt als dessen Ergebnis, könnte man auch sagen. Und „Ergebnis" meint nicht eigentlich sein Resultat, sondern das, was sich in, mit und unter dem Ereignis ergibt, mag das nun als solches bejaht oder verneint, vernommen oder nicht vernommen werden, zum Bewußtsein kommen oder nicht. Zum Gesamtphänomen eines geschichtlichen Ereignisses, das übersieht man oft, gehört auch das, was es selbst in seinem Ereignen gewährt. Das ist freilich ebenso verborgen und daher in seiner Auslegung umstritten wie die innere Ausrichtung des Geschehens oder selbst sein äußerer Vorgang. Auch diese kann man ihm nicht ansehen, aber wohl kann man das Ereignis erfahren bzw. kann es dahin auslegen und dabei die Wirklichkeit dessen, was es im Ereignen gewährt, erfassen. Aber was gewähren nun Tod und Auferweckung Jesu Christi in ihrem Ereignis nach der Ansicht des Apostels? Was ist das Ergebnis des Eingreifens Gottes in dem geschichtlichen Ereignis, das in Jesu Tod und Auferweckung seine Mitte hat, auf die hin schon Jesu Ankunft und Menschheit in ihrem Wesen gerichtet sind und von der seine offenbare Zukunft bestimmt wird?

5. Die Gerechtigkeit Gottes

In und mit Jesu Christi Tod und Auferweckung von den Toten, dem geschichtlichen Geschehen Jesu Christi in seiner Gesamtheit, das eben in Tod und Auferweckung zentriert, ereignet sich nun zuerst, ganz allgemein mit Paulus gesprochen, die Gerechtigkeit der Gnade Gottes oder die Gnade der Gerechtigkeit Gottes als Erfüllung und Enthüllung seiner Israel gegebenen Zusage und also seiner, Gottes, Wahrheit. Jetzt – und vergessen wir das nicht –, in diesem Ereignis des durch die Auferweckung und Erhöhung von Gott in die immerwährende Gegenwart und zur kritischen Zukunft erhobenen Kreuzestodes Christi, in diesem – wenn man es von außen sieht – durchaus kontingenten geschichtlichen Geschehen ist die Gerechtigkeit Gottes erschienen; und das meint: in der Wirklichkeit der Geschichte, unserer Menschengeschichte, an diesem bestimmten Ort begegnet die Gerechtigkeit Gottes in ihrem Zuspruch und Anspruch. Es ist die Gerechtigkeit Gottes, von der im Alten Testament als von der Jahwes Verhältnis zu seinem Volk grundlegenden und bestimmenden, kritisch waltenden Bundestreue die Rede ist. Sie ist dort in den Gerechtigkeitserweisen Jahwes demonstriert bzw. immer von neuem realisiert und enthüllt. Schon das Deborah-Lied spricht von diesen Erweisen der Gerechtigkeit Gottes, und von da ab „reißt", wie v. Rad sagt, „das Rühmen dieser iustitia salutifera nicht ab".

Bei Deuterojesaja erreicht dieses Rühmen der Gerechtigkeit Gottes seinen Höhepunkt. Es ist jene Gerechtigkeit צְדָקָה, צֶדֶק, die etwa auch in Psalmen zu Wort kommt, zum Beispiel Ps 48,11f: „Deine Rechte ist voll Gerechtigkeit, es freut sich der Berg Zion, die Töchter Judas jubeln ob deiner Rechten", und so in einer ganzen Reihe von Psalmen (50,6; 97,6); dann bei Jes 10,2; 41,2; 42,6 u.a. Und weil Gerechtigkeit Gottes diese Bundestreue Gottes meint, die sich in Gerechtigkeitstaten für Israel äußert, ist צֶדֶק, „Gerechtigkeit", bezeichnenderweise vielfach synonym mit יֵשַׁע, das heißt mit „Heil"; so zum Beispiel Jes 46, 13: „Ich lasse nahen meine Gerechtigkeit", צִדְקָתִי – und die LXX übersetzt τὴν δικαιοσύνην μου. „Nicht ist sie fern, und mein Heil verzieht nicht", mein Heil, תְּשׁוּעָתִי – die LXX übersetzt σωτηρία. „Geben werde ich dem Zion Heil, Israel meine Herrlichkeit", nun kommt der dritte Begriff: δόξα – die LXX übersetzt freilich δόξασμα, was aber denselben Stamm hat.

Und so finden sich denn auch andere Aussagen, die die Nähe dieses Begriffes der Gerechtigkeit Gottes, welche eben sein Heilswille und seine Heilstat ist, mit einem dritten Begriff sehen lassen, nämlich mit dem Begriff חֶסֶד, – ἔλεος, σωτηρία übersetzt die LXX, „Erbarmen", auch „Gnade" kann man sagen. Jer 9,24: „Wer sich rühmen will, der rühme sich dessen, daß er klug ist und mich erkennt; ich bin der Herr, der da auf Erden schafft Huld, Gerechtigkeit und Gericht", eben חֶסֶד, מִשְׁפָּט und dann צְדָקָה – ἔλεος, κρίμα, δικαιοσύνη (vgl. auch Ps 71,16). Und in der LXX findet man nun δικαιοσύνη oft als Übersetzung eben dieses חֶסֶד, „Huld", zum Beispiel Gen 19,19; 20,13 und an vielen anderen Stellen mehr. Und beachten wir auch, daß die LXX nun noch einen vierten Begriff, nämlich אֱמֶת, ἀλήθεια, unter Umständen mit δικαιοσύνη übersetzt, und zwar sechsmal im ganzen, darunter zum Beispiel Jes 38,19.

Diese Gerechtigkeit Jahwes also – im Alten Testament die in seinen Heilstaten an Israel sich erweisende Treue zu Israel, mit dem Gott den Bund nicht nur geschlossen hat, sondern hält –, die als solche das Heil, die Huld und des weiteren die Wahrheit im Sinne des zuverlässig bleibenden Gottes ist, wird nun von Paulus als ein Zentralbegriff aufgegriffen und mit ihm gesagt, was das Ergebnis dieses Ereignisses von Tod und Auferweckung Jesu Christi ist: Erscheinen der Gerechtigkeit Gottes. In Röm 3,1ff finden wir übrigens Gottes δικαιοσύνη mit seiner πίστις, seiner Treue, seiner ἀλήθεια und seiner δόξα zusammen, und Röm 3,24 wechselt δικαιοσύνη τοῦ θεοῦ mit χάρις – χάρις wiederum setzt Paulus ja für ἔλεος, Erbarmen. Und eben diese iustitia salutifera, solche Gerechtigkeit Gottes, ist in Jesu Christi Blut, in seinem Kreuz, ein für allemal erschienen, jetzt nicht mehr nur für Israel, sondern für alle Menschen. Für Israel hat Jesus Christus, wie Röm 15,7ff sagt, „die an die Väter ergangenen Zusagen" jetzt realisiert, aber auch der Heiden Mund kann nun preisen, nämlich seinen ἔλεος, sein „Erbarmen". Jetzt ist das eschatologische Treuegeschehen Gottes in diesem Ereignis erfüllt, das eschatologische Treuegeschehen Gottes aber, im Vollzug von χάρις als Gabe, als

Geschenk der Zuneigung Gottes, begegnet jetzt in diesem Jesus, der für seine Person und in seinen Taten „für uns" als grundloser Erweis der jetzt immer neu begründenden Liebe Gottes.

Aber was ist mit diesem Erscheinen der Gerechtigkeit Gottes in Jesus Christus, dem Gekreuzigten und Auferstandenen, im einzelnen geschehen, als was erfüllt sich dieses Ereignis, wenn man es im Hinblick auf das, was es ergibt, entfaltet? Wenn wir nur die entscheidenden Aussagen berücksichtigen, so kann man antworten: Es geschieht 1. darin im Sinn des Apostels eine Sühne und in der Sühne eine Versöhnung Gottes, eine Versöhnung der Welt mit Gott. Die Erscheinung der Gerechtigkeit Gottes in Jesus Christus ist die öffentliche Ausstellung dieses Jesus Christus, die Manifestierung Jesu Christi in seinem Tod als ἱλαστήριον, wie Röm 3,25 gesagt wird, als Sühnendes, als Instrument und Dokument der Sühne. Es ist nicht ganz sicher, wie man ἱλαστήριον wiedergeben soll. Sein Sterben weist als Sühnemal und Sühnemittel die Gerechtigkeit Gottes für Vergangenheit und Gegenwart auf. In Jesu Sterben sind die Sünden der Menschen in den Tod getragen, und eben darin gesühnt. Die Sünden sind von Gott nicht vergessen, sie sind nicht übersehen, sie werden nicht geringgeachtet, sie werden nicht mißachtet, sie sind in ihrem Gewicht zur Auswirkung gekommen in diesem sühnenden Jesus Christus. Gott hat den Sünden ihre Todesmacht, ihre Formation im Tod nicht abgenommen – er hätte dann ja seine eigene Gerechtigkeit vernichtet. Die Sünden haben getötet, aber er hat in seinem Sohn der Sünden Tod auf sich genommen und so im liebenden Annehmen und Aushalten seine Gerechtigkeit erfüllt und aller Welt erscheinen lassen.

In solcher Weise der Manifestation des Sühnenden und der Sühne ist Jesus Christus gekommen und ist dann zum Beispiel auch das Paschaopfer, das Sünden-Sühnende genannt (1 Kor 5,7 b). Er ist auch Opfer in einem anderen Sinn, zum Beispiel das den Neuen Bund stiftende Bundesopfer in 1 Kor 11,24 ff in der Herrenmahlparadosis. Dieser Bund ist durch das neue Opfer solcher Erscheinung der unerschütterlichen Gerechtigkeit Gottes und solcher Offenbarung der nicht wankenden Bundestreue Gottes gestiftet. Es ist der letzte Bund Gottes mit den Menschen, Erfüllung aller bisherigen Bündnisse, die nun, von hier aus gesehen, eben auf diesen einen Bund verweisen. Und es ist das letzte Opfer, das den letzten Bund gründet und dem letzten Bund zugrunde liegt, Erfüllung aller bisherigen Opfer. An einem, historisch gesehen, völlig zufälligen Ort, aber an diesem Ort als nun der geheimen Mitte der Welt hat sich die Treue Gottes als seine Gerechtigkeit im konkreten, Sünden und Sterben auf sich Nehmenden und so Sühnenden zuletzt und ein für allemal erwiesen. So – und nicht in alles verstehender, alles verzeihender Humanität, die die Sünde und ihre Macht, den Tod, nicht ernst nimmt –, so, wenn man so sagen will, mit Blut und Tränen konkreter Hingabe dieses Sohnes, seines Selbsts im anderen Du, hat Gott die Welt mit sich versöhnt.

Die Erscheinung seiner Gerechtigkeit, die seine Treue ist, die endgültige Tat seiner Treue, die seine Gerechtigkeit ist in Jesus Christus, ist auch Ausbruch seiner Versöhnung. Statt mancher anderer Sätze, die von der Versöhnung und dem Versöhntwerden durch das Kreuz sprechen – Röm 5, 10ff; Kol 1, 20ff; Eph 2, 14ff –, sei nur auf 2 Kor 5, 17ff verwiesen, wo Paulus am deutlichsten davon spricht: „Wenn einer in Christus ist, da ist neue Schöpfung. Das Alte ist vergangen, siehe, es ist Neues geworden. Das alles von Gott her, der uns mit sich durch Christus versöhnt hat und uns den Dienst der Versöhnung gegeben; denn Gott war in Christus, die Welt mit sich versöhnend, und rechnete ihnen ihre Sünden nicht an und stiftete unter uns das Wort der Versöhnung."

Hier ist deutlich: Gott hat die Welt mit sich versöhnt; er tat diesen Schritt der Versöhnung von sich aus; er tat ihn in Jesus Christus, und das meint natürlich, wie Kol 1, 20ff und Eph 2, 14ff deutlich zeigen können, das Kreuz Jesu Christi, den Kreuzesleib Jesu Christi – um es noch konkreter zu sagen; und er tat es als ein Nicht-Anrechnen der Sünden, weil als ein Auf-sich-Nehmen und In-sein-Sterben-Hinabtragen der Sünden der Menschen.

Gottes Versöhnungstat in Jesu Christi Kreuz betrifft den Kosmos, der nun mit Gott in Jesus Christus versöhnt ist. Diese in Jesus Christus vollzogene Versöhnung von seiten Gottes geht ein in das Wort und den Dienst der Versöhnung und wird nun von daher als geschehene Versöhnung der Welt angeboten und fordert den Kosmos auf, die Versöhnung anzunehmen. Sie ging ein in das apostolische Evangelium, das die geschehene Versöhnung nun verkündet, auffordert, sie anzunehmen und sich also versöhnen zu lassen, sich in diese Versöhnung, die Gott in Jesus Christus geschehen ließ, einzulassen. Aber für uns ist jetzt im Zusammenhang nur wichtig, daß die Manifestation der Gerechtigkeit Gottes endgültig seine äußerste Treue in Jesus Christus, Aufhebung der Feindschaft der Welt gegen Gott ist, und zwar von Gott her, ihre Versöhnung eben darin, daß Jesus Christus sie annimmt und aushält bis in sein sie liebendes Sterben. Das ist die Gerechtigkeit der Treue Gottes, des unwandelbaren Für-uns-Seins Gottes, Versöhnung durch den Tod der aushaltenden Liebe. Und das ist das, was das Ereignis der Gerechtigkeit Gottes in Jesus Christus in sich schließt und gewährt: Versöhnung der Welt mit Gott und infolgedessen auch die Chance der Menschen, sich untereinander zu versöhnen. Die Welt erhebt sich in und aus diesem Ereignis als versöhnte, sie kann nun, läßt sie sich auf dieses Ereignis ein, auch die geschehene Versöhnung Gottes realisieren, unter Umständen dahin, daß die Menschen sich gegenseitig versöhnen.

Sie erhebt sich aber auch als befreite, befreit von allem, wodurch sie gebunden ist, nämlich entscheidend von Sünde, Gesetz und Tod und auch von dem eigenen Selbst. Hierhin gehören die Aussagen, in denen terminologisch von ἐλευθερία, ἐλευθεροῦν, ἐλεύθερος, also „Freiheit", „befreien", „frei", gesprochen wird, hierhin gehören, ohne daß dies freilich ausdrücklich auf Tod und Auferstehung Jesu Christi bezogen ist, solche Aussagen, die den Sachverhalt unter dem Bild des Lösens oder Aus-Lösens, des λυτροῦν und der ἀπολύτρωσις, und auch des Loskaufens, des ἀγοράζειν oder ἐξαγοράζειν, darzustellen versuchen. Aber auch ohne diese spezielle Terminologie kommt der Gesichtspunkt, daß Jesus Christus in seinem Sterben und Auferstehen die Befreiung des Menschen und der Welt geworden ist, zur Sprache. Die Befreiung von der Sünde – wir hörten es schon – ist schon in der Formel ὑπὲρ τῶν ἁμαρτιῶν ὑμῶν gemeint – „für euere Sünden" (1 Kor 15,3; Gal 1,7a); es ist auch in solchen Sätzen wie Röm 6,10 ausgesprochen: Christus ist für die Sünde, das heißt der Sünde, gestorben, er ist ihr entstorben, die sich als unsere Sünden auf ihn gelegt hat, die wir in sein Todesgeschick einbezogen worden sind. Ausgesprochen ist der Sachverhalt zum Beispiel Eph

1, 17, wo gesagt wird: „In ihm (nämlich in Jesus Christus) haben wir die Erlösung durch sein Blut" – und wo das nun erklärt wird: „die Vergebung der Übertretungen" (vgl. auch Kol 1, 14). Und ebenso wird die Befreiung von der Sünde, die in Jesus Christus gegeben ist, in jenen Aussagen aus 1 Kor 6, 20 berührt, die den Lösegeldgedanken benutzen und so formulieren: „Ihr seid teuer erkauft." Jesu Sterben ist ein Loskaufen, und zwar, wie der Zusammenhang zeigt, von den Sünden, und dies geschieht um einen hohen Preis, eben um den Preis seines Sterbens. Dabei darf man sich nicht von dem Bild selbst verführen lassen, den Sachverhalt des Ereignisses nun vom Bild her näher zu entwickeln, vielmehr gilt es, auch bei ihm daran festzuhalten, daß das Sterben Jesu Christi insofern der Preis für die Befreiung der unter die Sünde Versklavten und diese Befreiung selbst war, als er in seinem Sterben die Sünde in den Sünden derer, die ihn zum Sterben brachten, ausgehalten und in den Tod hinabgenommen hat, in der gehorsamen Hingabe seines Sterbens stärker geworden ist als die Sünde, die ja nun von ihm getragen ist.

Damit hat Jesus in seinem Sterben und in seiner Auferstehung auch den Tod besiegt. Wir erinnern uns des Zusammenhanges, den Paulus zwischen Sünde und Tod sieht: in der Sünde eröffnet sich schon der Tod als ihr Gericht, die Sünde verlangt gleichsam als solche in sich den Tod und führt zum Tod. Die Sünde holt den Tod ein, er ist ihr Eintrag, in ihm wird ihre Macht erfahren, er ist ihre verborgene und unter Umständen öffentliche Gewalt. Hat Jesus Christus die Sünde auf sich genommen und so den Menschen in seinen Sünden angenommen, so hat er auch auf sich genommen den Tod der Sünden, die auf ihm liegen, und den Tod entmächtigt in seinem Sterben, das Auferstehen ist. In dem Ereignis von Tod und Auferstehung Jesu Christi ist mit der in der Liebe Christi versunkenen Sünde auch ihre Gewalt, der Tod, erschöpft. Wir hörten schon Röm 7, 24.25a: „Ich unseliger Mensch, wer wird mich retten aus diesem Todesleib. Dank sei Gott durch Jesus Christus unseren Herrn." Durch ihn, der am Kreuz den Tod der Sünde besiegt hat, wie seine Auferweckung von den Toten erweist, gibt es nun ἀνάστασις νεκρῶν, „Auferstehung der Toten" (1 Kor 15, 21f). Diese ist mächtig (Phil 3, 10) in ihrer δύναμις, in ihrer Macht, sie ist die Macht des Lebens schlechthin, das nun in Jesus Christus aufgetan ist, in dem Gott den Sieg gewährt (1 Kor 15,57).

Und mit dem Tod und der Sünde ist auch die Welt, genauer: die eigenmächtige, aus sich lebende Welt, überwunden. Sie ist ja in ihrer Ohnmacht, in ihrer Scheinmacht durch die Auferwekkung dessen, der ihre einzige und letzte Macht, den Tod der Sünde, in seinem Sterben überwunden hat, entlarvt. Das letzte ist jetzt nicht die Sünde und infolgedessen auch nicht die Todesgewalt, das letzte sind aber auch nicht die Welt und die Menschen in ihrer Selbstbehauptung, die, beide von der Sünde und vom Tod beherrscht, eigentlich nur Sünde und Tod in Betrieb setzen; das letzte sind deshalb auch nicht die Weltmächte und die Weltkräfte und jene unfaßbaren Weltströmungen, die ihre Macht ja nur davon haben, daß sich die Menschen ihnen, von der Sünde getäuscht, als einem letzten hingeben und sie also zu dem erst machen, wonach man sich richtet, worum man sich sorgt, vor dem man sich fürchtet, auf das man hofft. Alle diese Macht erweist sich als Ohnmacht dort, wo sie in ihrem Treiben ausgehalten und in den Tod gebracht ist, der zur Auferweckung von den Toten führte, am Kreuz Christi. Alle diese Macht offenbart sich als Ohnmacht, wo Kreuz und deshalb Auferweckung Jesu Christi ihre Macht erweisen und man sich deshalb eben auf Kreuz und Auferweckung Jesu Christi als auf die Macht Gottes einläßt. „Der die Mächte und Gewalten entwaffnet hat und öffentlich zum Spott gemacht und über sie" in dem Kreuz „triumphierte", heißt es Kol 2,15. An diesem Tod des von den Toten durch Gott Erweckten ist aller Tod und mit ihm alle Eigenmacht der Welt, die den Tod ja in sich trägt und verbreitet, zerschellt. Solche Entmächtigung der Welt als Ergebnis des Kreuzestodes Jesu Christi ist auch Gal 1,4 mit anderen Worten ins Auge gefaßt, und zwar so, daß dort die Selbsthingabe Jesu Christi mit der Aufhebung unserer Sünden und der Befreiung aus dem Bann der Welt im Zusammenhang gesehen wird: „... der sich hingegeben für unsere Sünden, daß er uns entreiße dem gegenwärtigen böse hereinstehenden Äon".

Die jeweilige Weltzeit als ganze hält uns fest im Bann ihrer Herrschaft, zum Beispiel durch Drohung oder Verlockung, durch ein Uns-Ängstigen oder auch durch ein Uns-übermütig-Machen.

Die Weltzeit als ganze hält uns fest im Bann ihrer Herrschaft, indem wir uns auf sie als auf eine selbstmächtige in unseren Sünden einlassen, in den Sünden der Eigensucht, Ungerechtigkeit und Selbstgerechtigkeit. Daraus gewinnt und darin behauptet die eigenmächtige Welt ihre Herrschaft. Macht Jesus Christus in seiner Hingabe am Kreuz den Sünden ein Ende, indem er sie in seinen Tod trägt, so bereitet er dem ein Ende, worin die Welt ihre Selbstmächtigkeit und Selbstherrlichkeit hat, welche tödlich ist.

Aber noch in einer dritten Variante wird der Sachverhalt der durch Jesu Christi Tod und Auferweckung geschehenen Entmächtigung der Welt und also der Freiheit berührt. Das geschieht in 1 Kor 7,21–24; dort heißt es: „Hat dich (der Sklave ist angesprochen) der Ruf (Gottes) als Sklave getroffen, laß es dich nicht bekümmern, sondern auch wenn du ein freier Bürger werden könntest, bleibe vielmehr ein Sklave. Denn der im Herrn berufene Sklave ist ein Freigelassener des Herrn, ebenso ist der Freie, der gerufen ist, ein Sklave Christi. Ihr seid um teuren Preis gekauft worden. Werdet nicht Sklaven der Menschen. Ein jeder, Brüder, bleibe in dem vor Gott, worin der Ruf ihn getroffen hat." Der Mensch wird, sofern ihn der Ruf des Evangeliums trifft, auch frei von der Freiheit, die die Menschen geben können, frei von den Menschen, also zum Beispiel auch frei von der Gesellschaft, bzw. von dem, was sie gewähren können, in diesem Falle dem Sklaven die Freiheit. Er wird, wenn ihn der Ruf des Evangeliums trifft – und das ist ja der Ruf der angebotenen Gnade und der angebotenen Freiheit durch Gnade –, davon frei, weil er als der von Jesus Christus in seinem Sterben Erkaufte und zu seinem Sklaven Gemachte in einer Freiheit steht, die alle irdische Freiheit transzendiert, als solche aber alle irdische Freiheit indifferent macht und so der Gesellschaft, die Freiheit oder Unfreiheit errichtet, ihre Macht nimmt.

Das heißt natürlich nicht, daß der Herr seinen Sklaven nicht die Freiheit schenken könnte und schenken sollte und also von innen her, weil er selbst wiederum in der Freiheit Christi lebt, dem anderen die Freiheit, irdisch gesehen, gewähren sollte. Von innen her hat sich in der christlichen Antike die Sklaverei gewandelt bzw. ist abgetreten. Das heißt also nicht, daß nicht auch die Gesellschaft ihre Formen von der Liebe bestimmen lassen sollte, aber es heißt, daß in Jesus Christus kraft Kreuz und Auferwekkung von den Toten der Mensch einen Stand der Freiheit gewinnen kann, der jede irdische Bindung übersteigt, auch die, die darin besteht, daß man vom Menschen Freiheit erwartet.

Daß Jesus Christus über uns verfügt, entnimmt uns also jeder menschlichen Verfügung bzw. jeder Sorge vor menschlicher Verfügung oder auch jeder Hoffnung auf menschliche Verfügung. Damit entnimmt die Tatsache, daß Jesus Christus durch Kreuz und Auferweckung der κύριος ist, dem menschlichen Verfügen überhaupt die Macht. Der Liebe Gottes in Jesus Christus, unserem Herrn, die uns in Kreuz und Auferstehung in sich aufgenommen hat, werden wir durch keine Macht der Welt entrissen; keine Macht ist also größer als die Macht dieser Liebe, denn sie ist in ihrer Macht aller Macht überlegen. „Denn ich bin überzeugt, daß weder Tod noch Leben, noch Engel, noch Mächte, noch Gegenwärtiges, noch Zukünftiges, noch Kräfte, noch Höhe, noch Tiefe, noch irgendein anderes Kreatürliches uns scheiden kann von der Liebe Gottes in Jesus Christus, unserem Herrn", sagt Paulus Röm 8,38f.

Sehen wir die Mächte eigentümlich zusammen – zum Beispiel die Macht des Todes, aber auch die Macht des Lebens, dann auch die Macht der Höhe und Tiefe oder die Macht der Zukunft oder die der Gegenwart –, keine ist mächtiger als die Liebe, die Gott in Jesus Christus erwiesen hat und die uns, von Gott her gesehen, nun unabdingbar festhalten will. Aber auch kein irdisches Geschick kann uns der Liebe Christi entwinden und ist stärker als sie. „Wer wird uns scheiden von der Liebe Christi: Bedrängnis oder Not oder Verfolgung oder Hunger oder Blöße oder Gefahr oder Schwert? So wie geschrieben steht: Um deinetwillen werden wir getötet Stunde um Stunde. Wir stehen da wie Schafe, die zum Schlachten geführt werden. Aber in alldem siegen wir Sieg über Sieg durch den, der uns geliebt hat", sagt Paulus ein paar Zeilen vor der vorhin zitierten Stelle, nämlich Röm 8,35ff. Die Welt, die uns als Weltzeit insgesamt an sich bindet, durch die verschiedensten Bindungen bindet zum Untergang, die uns feindlich bedroht und bedrängt, bedrückt und zerstört vor allem durch ihre ungreifbaren elementaren Kräfte und Strömungen physischer, psychischer, politischer, geistiger Art, die uns überfällt in unberechenbaren, überwältigenden Geschicken, aber auch begegnet in Gunst und Ungunst der Menschen und menschlicher Institutionen, auch sie ist in ihrer geheimen Kraft, nämlich dem Tod, in dem Augenblick zu Ende gekommen, da Gott sie in Jesus Christus am Kreuz ausgehalten und im Sterben auf sich genommen und hinabgenommen hat in den Tod, der sich in der Auferweckung von den Toten als Tod des Todes erwies.

Aber in diesem Ereignis des Kreuzes und der Auferweckung Jesu Christi ist auch das, was die Existenz zu den Sünden der Ungerechtigkeit und der Selbstgerechtigkeit provoziert, ist auch das Gesetz, welches das Gesetz Gottes im Mißbrauch der Sünde ist, abgetan. Indem Gott seine Gerechtigkeit in diesem Jesus Christus und seinem Blut, wie es heißt, „abseits vom Gesetz" in die Welt einbrechen ließ, indem er diese Gerechtigkeit in Jesus Christus als die seine nun erwies und manifestierte, indem er also die alles und alle tragende Liebe real als seine Gerechtigkeit begegnen läßt, bereitet er dem ein Ende, daß das Leben durch Gesetzesleistungen erlangt wird. Nun ist die Gerechtigkeit Gottes als seine allmächtige Gabe und Gnade in der Liebe des gestorbenen und auferweckten Jesus Christus da, nun bedarf es, um an der Gerechtigkeit Gottes Anteil zu bekommen und so gerecht zu werden, nur mehr der gehorsamen Annahme dieser geschenkten Gerechtigkeit im Glauben, freilich in einem Glauben, der in der Liebe am Werke ist (Gal 5,6). Nun bedarf es der Übergabe an die von Gott gewährte Gabe seiner Gerechtigkeit in Jesus Christus, des Sich-anheim-Gebens an diese Gabe der Gerechtigkeit, des Sich-ihr-Überlassens, und so nun bedarf es dessen, daß wir aus der Gabe der Gerechtigkeit gerecht werden bzw. gerecht leben, nämlich durch die Übergabe an sie. Nun bedarf es nicht mehr der Leistung aus dem Eigenen, das heißt der bloßen, blanken Eigenleistung, die den Menschen nicht aus sich selbst herausführt und von sich selbst wegführt, sondern ihn insgeheim, selbst wenn es die uneigennützigste Leistung zu sein scheint, doch in sich festigt, in sich, das heißt aber letztlich: im tödlichen Nichts. Nun ist der Fluch der Eigenleistung und des Gesetzes, das als Aufforderung zur Eigenleistung verstanden und als solches mißbraucht worden ist, zu Ende. „Christus hat uns losgekauft vom Fluch des Gesetzes, indem er für uns zum Fluch geworden ist, denn es steht geschrieben: Verflucht, wer am Holze hängt", heißt es Gal 3,13. „Er hat das Papier mit den Forderungen, das gegen uns war, ausgelöscht und beseitigt, indem er es ans Kreuz heftete", sagt Kol 2, 14. Am Kreuz hängt die von der Sünde als Eigenweg zum Leben mißverstandene und mißbrauchte Tora. „Er hat das Gesetz der Gebote, das aus bloßen Forderungen besteht, vernichtet" (Eph 2, 15). Nicht als ob das, was das Gesetz meint, nun auf einmal verkehrt wäre, aber das Gesetz hat ja das, was es meinte, selbst nicht erreicht und erreichen lassen; denn Eigenleistung erreicht nie, was das Gesetz meint. „Auch ihr, meine Brüder, seid dem Gesetz getötet worden durch den Leib (nämlich den Kreuzesleib) Christi, so daß ihr einem anderen gehört, dem von den Toten Erweckten" (Röm 7,4). „Ich bin durch das Gesetz, das Christus tötete, dem Gesetz gestorben, damit ich Gott lebe; ich bin mit Christus zusammen gekreuzigt worden" (Gal 2,19). Und da, wie wir sahen, die Menschwerdung Christi eine solche ist, die sich am Kreuz vollendet, da das Menschsein Christi schon als Menschsein hinzielt und hinweist, ja darauf hineilt zum Kreuz, da – paulinischer gesprochen – die Sendung Jesu Christi durch Gott in die Welt eine solche zum Kreuz ist, werden auch Geburt und Sendung Jesu Christi im Lichte der damit geschehenen Befreiung vom Gesetz gesehen; Gal 4, 4: „... unter das Gesetz getan" – und nun eben –, „damit er uns loskaufe". Der Weg des Gesetzes und damit der Weg der Leistung aus Eigenem und somit zu Eigenem – denn das ist mit Leistung dann gemeint –, der Weg des Gesetzes, der ja nur der Weg in das Selbstverhängnis und in die Selbstbefangenheit, in die Sünde und den Tod ist, weil der Weg in die Selbstbehauptung durch Ungerechtigkeit und Selbstgerechtigkeit – dieser scheinbare Heilsweg ist nun als solcher entlarvt und zu Ende. Man kann auch sagen: die Weisung Gottes im Sinne solchen Gesetzes ist zu Ende, die Weisung Gottes überhaupt und im Sinne der Tora, des Gebotes oder, deutlicher, des An-Gebotes der Liebe, des Anspruches der geschehenen Liebe, diese Weisung ist wieder freigelegt. Die Gerechtigkeit Gottes, die in Kreuz und Auferweckung Jesu Christi als Sühne, Versöhnung und Freigabe von Sünde und Tod und eigenmächtiger Welt in der Geschichte begegnet ist, diese Gabe der Gerechtigkeit Gottes in der Gabe der Versöhnung und Befreiung von Sünde und Tod erhebt nun selbst den Anspruch Gottes an uns, der von denen, die sich dieser Gabe überlassen und aus ihr leben, jetzt in jeder Weise unbefangen gehört und getan werden kann.

So ist das Gesetz im ursprünglichen Sinn der Weisung der Gnade Gottes – denn so war das alttestamentliche Gesetz ja auch verstanden –, der Weisung der zuvor ergangenen Bundestreue Gottes, durch die Gabe der Gerechtigkeit Gottes im Kreuz des Auferweckten wiederaufgerichtet. Paulus sagt ja Röm 3,31: „Beseitigen wir nun das Gesetz? Nein, sondern wir richten es auf." Wir richten es auf, indem wir nämlich durch unsere Verkündigung von Jesus Christus die Menschen dazu befreien, es wieder selbstlos tun zu können. Es ist der Anruf der Gnade, der nun laut wird, es ist „das Gesetz Christi" (Gal 6,2), das nun aufsteht. Forderung ist jetzt immer nur Paraklese, Zuruf, Aufruf, Bitte, Beschwörung, Befehl, Anweisung des Erbarmens Gottes, wie Röm 12,1 sagt.

Schließt so das Ereignis von Kreuz und Auferstehung Jesu Christi von den Toten als Ergebnis, als das, was es im Ereignen gewährt, die sühnende Versöhnung und Befreiung, die Freiheit von Gesetz, Sünde, Tod und Todesmächten ein, so kann nun seine Auswirkung auch noch positiv von Paulus bezeichnet werden, und zwar als Rechtfertigung, als Zuteilung von Weisheit – also weise machend –, als Heilung und Leben.

Der versöhnende und befreiende Gott ist vom Kreuz Jesu Christi her nun auch der, der den Menschen jetzt dort am Kreuz in Gerechtigkeit stellt und zum Gerechten macht. In Kreuz und Auferstehung Jesu Christi ist der Ursprung neuer und eigentlicher Gerechtigkeit gegeben. „Denn wie durch den Ungehorsam des einen Menschen die vielen zu Sündern wurden, so werden auch durch den Gehorsam des Einen die vielen zu Gerechten", heißt es Röm 5,19. „Wir sind gerechtfertigt durch sein Blut" (Röm 5,9); oder erinnern wir uns noch einmal an Röm 3,24: „... sie werden geschenkweise gerechtfertigt im Vollzuge seiner Gnade durch die Erlösung, die in Christus gegeben ist." Oder denken wir auch an jenen Parallelismus membrorum Röm 4,25: „... der dahingegeben wurde um unserer Übertretungen willen, auferweckt wurde um unserer Rechtfertigung willen". Das Leben des Menschen, wie er vorkommt, ist, da es sich ja als jene Bestreitung der

Geschöpflichkeit ständig vollzieht, nicht mehr in sich gerechtfertigt. Aber jetzt, in diesem Geschehen des Kreuzes und der Auferweckung Jesu Christi, hat sich ihm inmitten dessen, daß er ständig seine Geschöpflichkeit bestreitet, die Gerechtigkeit Gottes als Vergebung gezeigt, hat ihn die Gabe der Gerechtigkeit ergriffen. Und so ist sein ungerechtfertigtes, sein nicht aus sich selbst zu rechtfertigendes Leben in Jesus Christus gerecht, in der Gerechtigkeit seiner Liebe gerechtfertigt worden. Der Mensch ist von jenem Geschehen auf Golgotha her gerechtfertigt worden, und so ist sein Dasein endlich gerechtfertigt. Es ist nicht so – wie er vielfach meint – daß sein Leben gerechtfertigt sei kraft seines bloßen Menschseins; das ist im Sinn des Apostels eine Illusion; denn das übersieht, daß er wohl Schöpfung ist – und zwar unzerstörbare Schöpfung –, aber in der Hand und im Vollzug der Sünde ständig nur im Widerspruch gegen sie existiert.

Der Mensch meint auch vielfach, er sei gerechtfertigt durch seine Leistungen, worunter er merkwürdigerweise dann unter Umständen seine Vorzüge rechnet, seine Herkunft, seine natürlichen Gaben, seine Klugheit, vielleicht auch seine künstlerische Fähigkeit, seine Originalität, seine Genialität – aber das alles rechtfertigt ihn nicht, sondern ist auch nur innerhalb dieses seines sich ständig zugeneigten Menschseins zu leben, und dieses ist nicht gerechtfertigt. Auch diese scheinbar ihn rechtfertigenden Vorzüge sind Illusion, denn eben die Leistung im umfassenden Sinn des Wortes – also, recht verstanden, die Eigenleistung des Lebens, die sich auf sich stützende und auf sich berufende Leistung des Lebens – ist ja das, worin sich Selbstsucht und Selbstbehauptung, Selbstvertrauen und Selbsterbauung durchsetzen wollen, und ist so die Disposition für ungerechtes Handeln. Der Mensch ist nicht aus sich selbst gerechtfertigt, aber gleichwohl ist gerade dieser jetzt gerechtfertigt, weil gerecht in Jesus Christus, das heißt dadurch, daß Gott ihn in Jesus Christus in grundloser, nur in Gottes Liebe begründeter Versöhnung trägt. Von daher ist sein Leben gerecht, von daher ist er „Gerechtigkeit geworden", wie die prägnante Formulierung in 2 Kor 5,21 lautet: „Den, der Sünde nicht (aus Erfahrung) kannte, hat er für uns zur Sünde gemacht, damit wir in ihm Gerechtigkeit Gottes werden." Unsere, der Menschen, Sünde bedeckt ihn, den Sündelosen, und darin, daß sie ihn bedeckt und er sie trägt, sind wir – wie der pointierte Ausdruck lautet – „Gerechtigkeit Gottes geworden".

Aber Paulus kann das auch noch anders formulieren, nämlich so wie 1 Kor 1,30f – eine Aussage, die uns dann weiterführen wird: „Von ihm (von Gott) her seid ihr in Christus Jesus, welcher uns von Gott her zur Weisheit geworden ist und zur Gerechtigkeit und Heiligkeit und Erlösung, damit sich erweist, was geschrieben steht: Wer sich rühmt, der rühme sich des Herrn." Gott ist also in Jesus Christus für uns nun nicht mehr nur der Ursprung der Gerechtigkeit, unserer Gerechtigkeit, wie wir bisher gehört haben, sondern – wie 1 Kor 1,30f sagt – auch der Weisheit und der Heiligkeit. Die Aussage, daß Jesus Christus uns zur Weisheit geworden ist, deutet darauf, daß sich dem Menschen in Jesus Christus auch die Weisheit Gottes, auch das Geheimnis seiner Weisheit eröffnet hat (1 Kor 2,7), das er, Jesus Christus, ist (1 Kor 1,24), weil „in ihm", wie Kol 2,3 sagt, „alle Schätze der Weisheit und Erkenntnis verborgen sind". Er ist uns zur Weisheit geworden, zu der, die er ist, so daß wir nun weise sein können (1 Kor 2,6f; 12,8; Eph 1,8; Kol 1,9; 2,23), und macht also uns – das ist die negative Seite der Sache – entgegen aller Weisheit, die uns die Welt und das eigene Dasein gewähren, in einem paradoxen Sinn zu Weisen (vgl. 1 Kor 3,18f) – in einem paradoxen Sinn, der in diesem Fall für Paulus durch den Griechen vertreten wird; „... Griechen sind auf der Suche nach Weisheit" (1 Kor 1,22).

Es gibt ja für diesen Menschen, der auf der Suche nach Weisheit ist und eben meint, Weisheit erfahren zu können durch das Wort, das ihm die Welt entgegenbringt, keine größere Torheit, μωρία, nichts Unsinnigeres, als sich von dem gekreuzigten und auferstandenen Jesus Christus her zu verstehen, und zwar nicht nur deshalb, weil dabei die Erkenntnis und die Sprache und natürlich auch das Verständnis der Welt an ein scheinbar zufälliges Ereignis als die Entscheidung Gottes für uns gebunden ist und weil wir seltsamen Christen uns an dieses Ereignis heften, um gerecht, aber auch um weise zu werden, sondern auch deshalb, weil dieses zufällige Geschichtsereignis, wie man es von außen sehen kann, die Weisheit Gottes, das Geheimnis seiner Gerechtigkeit, ja die Gabe des Kreuzes ist, die in der Annahme des Kreuzes empfangen wird. Wer will schon sich und die Welt von diesem zufällig erscheinenden und jedes Rühmen, das heißt jede Selbsterbauung ausschließenden Angebot der Geschichte her verstehen? Aber gleichwohl, meint Paulus ist hier die Weisheit Gottes nun also der Ursprung dessen, daß die Menschen weise werden können, daß sich ihnen die Weisheit eröffnen kann, die Weisheit, die eben jenes ist, „was keinem Auge sichtbar und keinem Ohr hörbar ward und in keines Menschen Verstand eingedrungen ist" (1 Kor 2,9), was ihm nun aber geschenkt wird.

Doch Christus ist in Kreuz und Auferstehung auch unser ἁγιασμός, unsere Heiligkeit, der Grund unserer Heiligkeit, geworden. In der Annahme unseres Daseins, dieses gottlosen, schwachen, sündigen, gottfeindlichen Daseins, wie Röm 5,6ff sagt, in der Annahme unseres Daseins durch Jesus Christus sind wir in diesem nicht nur gerecht und gerechtfertigt, nicht nur weise geworden, sondern auch heilig, das heißt vom heiligen Gott ergriffen, in des heiligen Gottes Heiligkeit aus der Unheiligkeit gerissen. Dieser Sachverhalt wird freilich ausdrücklich nur angedeutet (zum Beispiel 1 Kor 5, 7), wo Paulus in bildhafter Redeweise sagt: „Schafft den alten Sauerteig (nämlich der Unreinheit) hinweg, damit ihr ein neuer Teig seid, wie ihr ja auch frei von Sauerteig seid. Denn" – nun folgt die Begründung für die Mahnung und Behauptung – „als unser Pascha ist Christus geschlachtet worden." Weil dieses Paschalamm geschlachtet worden ist, hat sich ihnen die Reinheit aufgetan, und sie sollen doch nun nicht wieder in die Unreinheit zurückfallen. Am Kreuze Christi sind sie neu und rein, sind sie heilig geworden. Einmal wird der Zusammenhang von Christi Kreuz und unserer Heiligkeit ausdrücklich ausgesprochen, nämlich in Kol 1,21f: „Euch, die ihr einst ferngehalten und Feinde wart in den Herzen durch die bösen Werke, hat er jetzt versöhnt in seinem Fleischesleib durch den Tod, um euch heilig und untadelig und unanklagbar hinzustellen vor seinem Angesicht." Die durch seinen Tod Versöhnten stehen als solche auch vor Gott als Heilige da; eben diese Versöhnung hat sie aus sich herausgerissen und zur neuen Schöpfung gemacht (vgl. auch Eph 5,25; Röm 8,3). Und endlich sei noch an den einen Satz aus dem späten Titusbrief erinnert, der dasselbe besagt: „... der sich für uns hingegeben hat, um uns zu lösen von jeder Gesetzlosigkeit und sich selbst ein Volk zu reinigen zum Eigentum" (Tit 2,14).

Noch ein Letztes in diesem Zusammenhang: Das Heilsgeschehen von Tod und Auferweckung Jesu Christi ist von Paulus auch noch als Eröffnung des Lebens schlechthin gesehen. Beim Gerechtfertigten und Versöhnten, beim Weisen und beim Geheiligten bricht die Zukunft nun als Leben herein. Und so kann Paulus die Auferweckung Jesu Christi von den Toten, die ja die Auferweckung des für uns Gekreuzigten ist, mit unserer Auferwekkung zusammensehen, und zwar als deren Beginn. „Gott hat den Herrn auferweckt, und er wird auch uns auferwecken durch seine Macht“ (1 Kor 6,14). „Der den Herrn Jesus auferweckt hat, wird auch uns mit Jesus zusammen auferwecken“ (2 Kor 4,14). Jesus Christus ist im Blick darauf der „Erstling der Entschlafenen“ (1 Kor 15,20), in dem als solchem „alle lebendig gemacht werden“ (1 Kor 15,22; vgl. die folgenden VV.). Und allgemein kann Paulus dann Röm 5,21 formulieren: „...denn wie die Sünde ihre Herrschaft ausübte im Tod, so übt auch die Gnade ihre Herrschaft aus durch die Gerechtigkeit zum ewigen Leben durch Jesus Christus unseren Herrn.“ Die Gnade, die in Jesus Christus erschienene Gerechtigkeit Gottes, herrscht durch die Gerechtigkeit, die sie eröffnet hat, und zwar so, daß sie dadurch das ewige Leben auftut und offenhält. Gnade, Gerechtigkeit, ewiges Leben – das ist im Grunde eines, und dieses eine ist beschlossen in dem Ereignis der Person Jesu Christi und ist verdichtet in dem einen Ereignis von Kreuz und Auferweckung Jesu Christi. Bemerkenswert ist in diesem Zusammenhang auch noch Röm 5,9f, wo gesagt ist, daß die durch Jesu Christi Sterben uns zugute geschehene Rechtfertigung und Versöhnung schon die zukünftige Rettung vor dem Zorne Gottes eingeleitet und eingebracht hat. Diese ist in Jesu Christi Leben, in dem Leben des für uns Getöteten begründet, in ihm hat sich unser ewiges Leben aufgetan.

6. Drei zusammenfassende „Formeln“

Aber auch im Blick auf alle diese Ergebnisse des Ereignisses von Tod und Auferweckung Jesu Christi gibt es, wie bei der Darstellung des zwiefältigen inneren Sinnes des Ereignisses selbst, eine zusammenfassende Aussage bei Paulus, die sich freilich, was die Auswirkungen des Ereignisses betrifft, vor allem in drei Formulierungen zur Sprache bringt, nämlich 1) daß wir dadurch, daß Jesus Christus gestorben und auferstanden ist, ihm gehören – εἶναι τοῦ Ἰησοῦ Χριστοῦ; oder auch „dem Herrn gehören" – εἶναι τοῦ κυρίου; 2) daß wir „für Jesus Christus" da sind oder auch „für den Herrn" – also εἶναι τῷ Ἰησοῦ Χριστῷ bzw. τῷ κυρίῳ; endlich 3) daß wir ἐν Ἰησοῦ Χριστῷ bzw. ἐν κυρίῳ – „in Jesus Christus, im Herrn" – sind. Ich veranschauliche diese drei „Formeln" – natürlich sind es keine reinen Formeln, sondern sozusagen Verdichtungen, die alles zusammenfassen, was sich aus dem ergibt, was Jesus Christus am Kreuz und in der Auferstehung tat –, ich veranschauliche das am besten, indem ich je einen paulinischen Satz dafür zitiere.

Das, was sich in Jesu Christi Tod und Auferweckung ereignete, kann einmal so gekennzeichnet werden wie Röm 14,7ff, wo gleich zwei Formulierungen in dem eben angegebenen Sinn zusammenkommen: „Denn niemand lebt sich selber, und niemand stirbt sich selber. Denn wenn wir leben, leben wir dem Herrn – τῷ κυρίῳ ζῶμεν, wenn wir sterben, sterben wir dem Herrn – τῷ κυρίῳ ἀποθνῄσκομεν. Wir leben oder sterben, wir gehören dem Herrn – τοῦ κυρίου ἐσμέν. Denn dazu ist Christus gestorben und ins Leben eingegangen – ἔζησεν –, damit er über Tote und Lebende Herr sei." Tod und Auferstehung Jesu Christi haben bewirkt, daß wir ihm gehören, sein eigen sind – mit Genitiv also: τοῦ κυρίου ἐσμέν – und daß wir ihm zugewandt leben, sozusagen immer auf ihn ausgerichtet, zu ihm hin offen sind, sei es im Leben oder im Sterben, also nie mehr allein sind. Mit Kreuz und Auferstehung hat er, da er uns in unüberwindlicher Liebe, in einer Liebe, die auch der Tod nicht überwindet, liebt, auf sich genommen, da er uns in seine todesüberlegene Liebe annahm und die Verfügung über uns damit faktisch dem Tod genommen und uns sich zugeeignet hat.

Eine zweite Stelle in 2 Kor 5,14f heißt: „Die Liebe Christi bedrängt uns, daß wir so urteilen: Einer ist für alle gestorben, also sind alle gestorben; und für alle ist er gestorben, damit, die da leben, nicht mehr sich selbst leben, sondern dem, der für sie gestorben und auferweckt ist" – also mit Dativ. Ihm ist das menschliche Leben, wie wir ja auch schon Röm 14,9f gesehen haben, jetzt zugewandt und für ihn ist es da. Dafür ist er gestorben und auferstanden. Die er in sich, in Tod und Auferweckung, zu eigenem Leben erworben hat, sind für ihn da. Sie sind ja auch drittens ἐν Χριστῷ Ἰησοῦ, in Christus Jesus. Diese „Formel“ wird zwar nirgends ausdrücklich mit Tod und Auferstehung Jesu Christi speziell in Zusammenhang gebracht, aber sie hängt für Paulus natürlich damit zusammen, denn der Ἰησοῦς Χριστός und der κύριος ist ja der auferstandene und gekreuzigte Herr. Sie meint nichts anderes, als daß er sich als der uns in sich schließende und uns bestimmende Lebensraum, als die personale Herrschaftsdimension eröffnet hat. Das aber geschah – wie wir nun immer wieder hörten – in der Erhöhung dessen zur Macht, der sich in seiner Hingabe an uns für unsere Sünden aufgetan hat, sie in sich, auf seinem Leib, in den Tod zu tragen. Die „Formel“ ἐν Χριστῷ oder ἐν Χριστῷ Ἰησοῦ oder auch an pointierten Stellen ἐν κυρίῳ ist wahrscheinlich von Paulus selbst gebildet worden, und es ist eine bezeichnende Bildung, die nur eine Analogie hat, die in ihrer Formulierung ebenfalls paulinisch ist: ἐν Ἀδάμ (1 Kor 15,22): „Denn wie in Adam alle sterben, so werden in Christus alle lebendig gemacht werden.“ Ἐν Ἀδάμ meint – das läßt sich jedenfalls aus einer Analyse des Adam-Begriffes zeigen –: 1. im Bereich Adams, 2. dadurch von Adam bestimmt; 3. im Bereich Adams und durch ihn bestimmt als der, von dem wir herkommen und über den wir nie hinauskommen und 4. dessen Wesensart wir teilen.

Analog aber ist ἐν Χριστῷ zu verstehen, ebenfalls dort, wo es pointiert gebraucht wird, zum Beispiel 1 Kor 1,30: „Denn von ihm (von Gott) her seid ihr in Christus Jesus, der uns von Gott zur Weisheit geworden ist…“; oder 2 Kor 5,17: „Wenn einer in Christus ist, ist neue Schöpfung. Das Alte ist vergangen, siehe, es ist Neues geworden.“ Ἐν Χριστῷ meint 1. ein Sein im Bereich Christi, 2. im Einfluß- oder Herrschaftsbereich Christi, der uns bestimmt; 3. er umfängt und bestimmt uns aber als der, von dem wir jetzt herkommen und zu dem wir jetzt hinkommen, und zwar 4. als die, die an seiner Wesensart teilhaben werden – οἷοι … τοιοῦτοι wird in diesem Zusammenhang 1 Kor 15,48 gesagt. Dabei ist es bemerkenswert, daß es um die Person Jesus Christi geht, die sich als dieser uns umfangende und bestimmende Herrschaftsraum in ihrer Geschichte, zentral in Tod und Auferweckung, erschlossen hat und erschlossen hält, daß also dieser Herrschaftsraum oder – im alten Sinn des Wortes – diese „Herrschaft" Christi die Herrschaft seiner Person ist. Es ist aber – kann Paulus auch sagen – mit In-Christus-Sein das Sein in der Dimension dieser in der Kraft von Tod und Auferweckung zu Gottes Macht erhöhten Person Jesus Christi gemeint. Diese selbst ist damit als solche gesehen, die nicht nur aus der Macht Gottes lebt, wie wir gehört haben (2 Kor 13, 13), sondern die so aus der Macht Gottes lebt, daß sie selbst Macht Gottes ist. Ebendas sagt Paulus ja auch, wenn er in 1 Kor 1, 23 f davon spricht, daß wir Christus, den Gekreuzigten, verkündigen, „Gottes Macht und Gottes Weisheit" – ϑεοῦ δύναμιν καί τοῦ ϑεοῦ σοφίαν.

Überblicken wir noch einmal das Gesagte, so können wir feststellen: Einmal, inmitten des Kosmos, dessen Wesen im Bann der Sünde Ver-wesen ist, dessen Fall im Bann der Sünde ständig Verfallen ist, ist Gottes Gerechtigkeit, welche ist seine Gnade, seine Treue und seine Wahrheit, erschienen. Gott wacht nicht nur mit seiner Gerechtigkeit, Gnade, Treue und Wahrheit über der Welt, sondern er ist in seiner Gerechtigkeit, Treue, Gnade und Wahrheit in die Welt eingetreten und hat sich in ihr manifest gemacht. Zweitens, das geschah nicht in zeitloser und in abstrakter Weise, etwa in der Form von Mythen oder auch in der Weise von Ideen, es geschah aber auch nicht mehr nur im konkreten Wort der Tora und der Propheten, in einem dadurch erwählten Volk inmitten der Völker, sondern dieses Eintreten der Gerechtigkeit Gottes und Sichmanifestieren im Kosmos geschah in einem einzelnen Menschen und in seiner Geschichte an einem historischen Ort und zu historischer Zeit und in einem historischen Vorgang, nämlich in Jesus Christus und seiner Geschichte. Drittens, diese konzentriert und manifestiert sich wesentlich in seinem realen Leiden und Sterben und in seinem realen Auferwecktwerden von den Toten, in seinem Kreuz und in der Erweckung des Gekreuzigten in Gottes Macht. Viertens, dieses reale Sterben am Kreuz war der Vollzug gehorsamer Hingabe an Gottes Willen und als solcher liebendes Aushalten und leibhaftiges Auf-sich-Nehmen des Tödlich-Bösen der Menschen, das Ersterbenlassen unter ihren Sünden und darin ihre, der Sünden, Annahme. Das reale Auferwecken dieses von den Sünden zum Tod erschöpften und diese

Sünden in seiner Liebe erschöpfenden Jesus von den Toten aber war das Hineinreißen des in den Tod und im Tod die Sünden tragenden Jesus in die Macht Gottes. Tod und Auferweckung Jesu Christi sind also, kurz gesagt, das Ereignis des Sieges dieser Liebe, die stärker ist als die Sünde und der Tod. Sie sind das endgültige Ereigniswerden dessen, daß Gott für diese Welt da ist, des Für-uns-Seins Gottes mitten in der Geschichte. Und fünftens, so ist hier in Jesus Christus der Ursprung eines versöhnten und befreiten Daseins und eines gerechtfertigten, weisen, geheiligten und dem Heile offenen Lebens, weil in Jesus Christus der Mensch, seiner eigenen Verfügung entnommen, ihm zu eigen ist, ihm zur Verfügung steht und in ihm nun den neuen Lebensraum hat, der ihm aufgetan ist.

Es ist klar, daß, wenn Gottes gnädige Gerechtigkeit und zuverlässige Treue in der Weise solchen geschichtlichen Ereignisses in der geschichtlichen Welt begegnet ist, einerseits sich diese Begegnung nun fortsetzen muß, um in der Welt zu sein, und andererseits der Mensch, der mit ihm konfrontiert wird, eine diesem Ereignis adäquate Entscheidung treffen muß. Damit ist der Weg unserer weiteren Überlegungen vorgezeichnet, die sich also einerseits mit der Vergegenwärtigung des Ereignisses Jesu Christi beschäftigen werden – mit dem Geist und dem Evangelium –, andererseits dann auch mit der Antwort, die dieser Begegnung Jesu Christi gerecht wird – also mit dem Glauben.

IV

Der Geist und das Evangelium

Wir sahen, daß zum Ereignis von Tod und Auferweckung Jesu Christi auch die Erscheinung des Auferstandenen bzw. nach Paulus die Erscheinung des Erhöhten gehört, das heißt aber, daß dieses Ereignis sich den Menschen, für die es geschah, im Ereignen auch ausdrücklich zueignen wollte; anders formuliert: daß es sich als geschichtliches Geschehen auch zur Erfahrung und zur Sprache bringen wollte.

Das geschah, wie wir ebenfalls schon gesehen haben, in der Selbstoffenbarung Jesu Christi in das Herz des Apostels hinein, so daß es, von ihm unmittelbar ergriffen, auf diese Weise Erkenntnis, γνῶσις, und Sprache, λόγος, gewann. Dies ist, wie wir sahen, der Ursprung des apostolischen Evangeliums gewesen, so daß man sagen kann: Tod und Auferstehung bzw. Erhöhung Jesu Christi ereignen sich in der Geschichte in der Weise, daß sie bzw. der gekreuzigte und auferweckte und erhöhte Jesus Christus selbst sich in dem durch Offenbarung hervorgerufenen und ermächtigten Wort des apostolischen Evangeliums niederlassen. Dabei ist nun auch eine δύναμις, eine Kraft, wirksam, die sich freilich in den ältesten Erwägungen über das Geschehen der Offenbarung an den Apostel – also Gal 1,11f; 1,15f; 2 Kor 4,6; 1 Kor 15,8; 9,1; Phil 3,12 – nicht ausdrücklich erwähnt findet, die aber dann im Umkreis der paulinischen Theologie in der späteren Reflexion des Epheserbriefes 3,3ff wenigstens angedeutet wird. Wir hörten schon diese Stelle, wo es heißt: „Mir wurde kraft Offenbarung das Geheimnis (nämlich Christi) bekanntgemacht... das anderen Geschlechtern der Menschen nicht bekanntgemacht ward, wie es jetzt seinen heiligen Aposteln und

Propheten geoffenbart wurde im Geist." Bei der Offenbarung der unmittelbaren Selbstenthüllung des Mysteriums Jesu Christi an den Apostel spielt also auch schon der Geist eine Rolle. Die Frage ist nun, was im Horizont des paulinischen Denkens unter „Geist" zu verstehen ist, soweit es den christologischen bzw. den heilsgeschichtlichen Zusammenhang betrifft.

1. Der Geist

Der Geist, von Paulus auch in den urchristlichen, traditionellen Formeln τὸ πνεῦμα ἅγιον, „der heilige Geist", genannt (Röm 5,5; 15,16 usw.), ist zunächst seinem Ursprung und Wesen nach τὸ πνεῦμα τοῦ θεοῦ, „der Geist Gottes" (zum Beispiel Röm 8,9; 8,14; 1 Kor 2,11.14 u.a.). Einmal – wiederum später (Eph 4,30) – wird er pleophorisch τὸ πνεῦμα τὸ ἅγιον τοῦ θεοῦ, „der heilige Geist Gottes", genannt. Und als solcher ist er einmal die Kraft, in der Gott um sich selbst weiß, das Vermögen, in dem Gott sich als in seinem Licht erkennt und erfährt. „Der Geist erforscht alles, auch die Tiefen Gottes; denn wer von den Menschen weiß um die Dinge des Menschen, wenn nicht der Geist des Menschen, der in ihm ist. So hat auch niemand Gottes Wesen erkannt außer der Geist Gottes", heißt es 1 Kor 2,11. Gottes Geist ist die Kraft seiner Selbsterhellung, die Macht seines Selbstbewußtseins, in dem er aus sich herausgeht, vor sich selbst hintritt und zu sich selbst kommt. In seinem Geist – kurz gesagt – erschließt Gott sich selbst, der Geist ist die Kraft der Selbsterschließung Gottes.

Er ist dies auch noch in einem anderen Sinn; er ist nämlich auch seine lebenschaffende Kraft – einmal wird er ja auch ausdrücklich πνεῦμα ζωοποιοῦν, „lebenschaffender Geist", genannt (1 Kor 15,45), nämlich dort, wo gesagt wird, daß Jesus Christus „zum lebenschaffenden Geist" geworden ist. Er erweist sich eben als solcher, in paulinischen Zusammenhängen, vor allem als die Kraft der Auferweckung von den Toten; zum Beispiel: „der unsere sterblichen Leiber auferwecken wird durch seinen in euch wohnenden Geist", heißt es Röm 8,11.

Gottes Geist ist primär, das heißt in seinem Ursprung, Gott selbst in der Kraft seiner lichtenden und lebenschaffenden Selbsterschließung. Ebendamit ist er auch der Geist Christi, denn Gott erschließt ihn in seinem oder als sein Licht, kann man immer auch sagen, in seinem Licht und in seiner Macht, und zwar in der Weise, daß er diesen in der Macht und im Glanz des Wesens Gottes, also in Gottes Geist, gegenwärtig sein läßt.

Wenn Paulus auch noch nicht wie der Hebräerbrief die Hingabe Jesu Christi mit dem Geist in Verbindung bringt, also in seinem Sterben die Wirksamkeit und ein Zeugnis des Geistes sieht – vgl. Hebr 9, 14: „... der sich durch den ewigen Geist als unversehrtes Opfer Gott darbrachte" –, so spricht er doch im Blick auf Jesu Christi Auferweckung von den Toten auch vom Geist; so Röm 8, 11, was wir eben zitierten: „... wenn der Geist dessen, der Jesus Christus von den Toten erweckte, in euch wohnt, so wird der, der Jesus Christus von den Toten erweckte, auch euere sterblichen Leiber lebendig machen durch seinen in euch wohnenden Geist." Dieser Geist wird uns lebendig machen, so wie er Jesus Christus lebendig gemacht hat, der Geist Gottes erweist sich auch und gerade hier als der lebenschaffende Geist. Oder denken wir an Röm 1, 4, wo in bezug auf die Erhöhung gesagt war: „... der da eingesetzt ist zum Sohne Gottes in Macht kraft des Geistes der Heiligkeit aus der Auferweckung von den Toten". Was da an Macht wirksam war, die Jesus Christus aus den Toten heraus in die Erhöhung des Sohnes Gottes versetzte, ebendies war das πνεῦμα τῦς ἁγιωσύνης, wie dort in Röm 1, 4 formuliert ist. Die Erweckung Jesu Christi von den Toten und seine Einsetzung in die Macht Gottes als Sohn sind in sich also Wirkungen und Zeugnisse der Kraft, in der Gott sich selbst erschließt. Und auch dieser Vorgang ist, wie wir gesehen haben, eine Erschließung, eine Selbsterschließung Gottes in diesem Jesus Christus. Vgl. auch 1 Tim 3, 16: ἐδικαιώϑη ἐν πνεύματι, „er wurde gerechtfertigt im Geiste"; auch noch Röm 6, 4: „... auferweckt wurde Jesus Christus von den Toten durch die Herrlichkeit des Vaters" – auch daran kann man denken, sofern man sich erinnert, daß δόξα und δύναμις und πνεῦμα miteinander wechseln können.

Gottes Herrlichkeit, die Macht Gottes in ihrem Glanz, welche ist der Geist in seinem mächtigen, ins Leben und ins Licht treten lassenden Wesen, war bei der Auferweckung Jesu Christi von den

Toten am Werk. In dieser wandelt also die in das Licht des Lebens stellende Macht des darin sich eröffnenden Gottes in der Weise, daß der erhöhte Jesus Christus selbst nicht nur aus dem Geiste Gottes nun lebt, sondern auch als Geist Gottes lebt, als Leben schaffender Geist, der im Geiste Gottes begegnet. Das deutet Paulus an, wenn er davon spricht, daß der Erhöhte ἐκ δυνάμεως θεοῦ (2 Kor 13, 4b), „aus der Kraft Gottes", lebt, daß der eschatologische Adam εἰς πνεῦμα ζωοποιοῦν, „zum lebenschaffenden Geist", geworden ist (1 Kor 15, 45) und daß der κύριος im πνεῦμα begegnet (2 Kor 3, 17). Der erhöhte Jesus Christus ist lebendig machender Geist, wirkt als solcher und läßt sich in ihm erfahren.

Im Geist und als Geist, in dem Jesus Christus sich zu erfahren gibt, eröffnet sich aber Gott selbst. Man achte für diesen Zusammenhang von Christus und Geist einmal auf folgende Aussagen nebeneinander: einmal Röm 8, 34b: „... der (es ist gemeint: Christus) auch für uns eintritt" – ἐντυγχάνει ὑπὲρ ἡμῶν, und 8, 26: „... er selbst, der Geist, tritt für uns ein mit unsagbarem Seufzen"; dazu 8, 27: „Er tritt im Sinne Gottes für die Heiligen ein" – wiederum ἐντυγχάνει, nun im Blick auf den Geist gesprochen. Des erhöhten Christus Eintreten, nämlich im Gebet für uns, ist des Geistes Eintreten, der erhöhte Herr tritt im Geist, in dessen Kraft er auferweckt und erhöht worden ist, aus dem und in dem er lebt, für uns oder uns zugute ein; das geschieht κατὰ θεόν, nach Gottes Willen, der sich so kraft des Geistes in Christus erschlossen hat und sich in ihm, der aus dem und in dem Geist, ja als der Geist lebt, offenhält.

Und als eine zweite Stelle; beachten wir 2 Kor 3, 17: „Der Herr ist der Geist; wo aber der Geist des Herrn ist, da ist Freiheit. Wir werden aber alle unverhüllten Angesichtes die Glorie des Herrn schauen und werden in dasselbe Bild verwandelt von Glorie zu Glorie, wie vom Herrn des Geistes." Darin sind folgende Aussagen gemacht:

1. „Der Herr ist der Geist." Das ist wie wir schon einmal erwähnten, keine Definition des κύριος, sondern das bezieht sich auf das vorhergehende Zitat: „Wenn einer sich zum Herrn wendet, dann wird die Decke", die auf dem Alten Bund und auf dem Herzen liegt, „weggenommen." „Zum Herrn wenden", meint Paulus,

das ist aber: sich dem Geist öffnen, „denn der Herr ist der Geist" in dem Sinne: er begegnet im Geist, er ist im Geist gegenwärtig und widerfährt uns im Geist, der selbst wiederum in der διακονία τοῦ πνεύματος, im „Dienst des Geistes", nämlich im Evangelium, erfahren wird.

2. Ebendies wird bestätigt durch die andere Aussage: οὗ δὲ τὸ πνεῦμα θεοῦ ἐλευθερία. Wenn der Herr sich im Geist öffnet, so erschließt er sich im Geist des Herrn, denn dieser ist die den Herrn eröffnende Kraft des Herrn, also die Kraft der Selbsterschließung des Herrn. Die Erfahrung des Herrn im Geist oder des Geistes des Herrn eröffnet aber die Freiheit.

3. Der Herr, der Geist ist und sich in seinem Geist begegnen läßt, ist auch der κύριος πνεύματος, der „Herr des Geistes", sofern er sich durch den Geist begegnen läßt, und zwar so – auch das ist bemerkenswert –, daß er im Geist, welcher ist der Geist der Glorie, uns, die wir seine Glorie im Evangelium, also durch den Geist, schauen, „von Glorie zu Glorie" wandelt. Der Geist des Herrn ist dieser selbst, sofern er sich in seinem Geist erschließt.

Solche Aussagen über den Geist, der die erhellende und belebende oder lebenschaffende Kraft des sich in Jesus Christus eröffnenden Gottes ist, werden natürlich noch durch andere Stellen, die ich hier nicht näher nenne, veranschaulicht werden können, zum Beispiel Phil 1,19 oder 1 Kor 6,17: „Wer sich an den Herrn hängt, ist *ein* Geist." Warum? Nun, der κύριος ist im Geist präsent und durch den Geist zugängig.

Noch eine dritte wichtige Stelle, die fast eine ganze Theologie des Geistes enthält, ist zu erwähnen (Röm 8,9–11): „Ihr aber seid nicht im Fleisch, sondern im Geist, da der Geist Gottes in euch wohnt. Wenn aber einer den Geist Christi nicht hat, so gehört er ihm nicht; wenn aber Christus in euch ist, ist der Leib (das selbstsüchtige leibliche Dasein) tot um der Sünde willen, der Geist (nämlich der, durch den Christus in euch wohnt) Leben um der Gerechtigkeit willen. Wenn aber der Geist, der Jesus Christus von den Toten auferweckt hat, in euch wohnt, dann wird der, der den Jesus Christus von den Toten auferweckt hat, auch eure sterblichen Leiber lebendig machen durch seinen in euch wohnenden Geist."

Wir haben gehört, wie oft hier vom Geist die Rede ist; wir werden auf die Sätze im einzelnen noch zurückkommen müssen. In unserem Zusammenhang genügt die Beobachtung, daß folgende Aussagen wechseln: der Geist; der Geist Gottes; der Geist Christi; Christus, der Geist; der Geist dessen, der Jesus Christus von den Toten erweckt hat; Gottes Geist, durch den er auch uns von den Toten erwecken wird – das wechselt miteinander und meint den einen Geist. Der Geist ist also Gottes Geist, Gottes Tote erweckender Geist, der sich als solcher in der Auferweckung Jesu Christi schon erwiesen hat. Dieser Geist Gottes ist aber damit zugleich der Geist Christi, des von den Toten Erweckten, der im Geist präsent ist. Aber der Geist Gottes im Geiste Jesu Christi ist Christus selbst im Geiste, dieser von den Toten erweckte Jesus Christus gibt sich in der Kraft seines Geistes, der der ihn und uns von den Toten erweckende Geist Gottes ist, zu erfahren. Jesus Christus hat sein Wesen im Geist, sofern er sich zu erfahren geben will; in seinem Geist, der der Geist des Gottes ist, der ihn von den Toten erweckt hat. Der Geist – kann man sagen – ist die Kraft der Selbsterschließung und des Anwesens Jesu Christi und darin Gottes. Er ist das Wehende des Anwesens Jesu Christi – kann man vielleicht genauer sagen.

Dieser Geist, also der in ihm erhöhte Herr und so in diesem die Macht des Tote erweckenden, ins Licht des Lebens erhöhenden Gottes, weht nun auch uns zu, und zwar so, daß er uns ergreift und sich unser bemächtigt. Eben auch dies gehört mit zu seinem Wesen, dieses Ergreifende und sich Bemächtigende – es ist sozusagen die andere Seite dessen, daß er die Kraft der Selbsterschließung Gottes in Jesus Christus ist. Gott erschließt sich im Geist Jesu Christi so, daß er sich für uns erschließt und Besitz von uns ergreift. Das aber geschieht nicht anders als in der Weise, daß er ihn und darin sich in Jesus Christus als Gabe schenkt und wir ihn empfangen. Der Geist Gottes, τὸ πνεῦμα τοῦ θεοῦ, ist auch – und das ist eine präzise Formulierung – τὸ πνεῦμα τὸ ἐκ τοῦ θεοῦ, „der Geist, der von Gott her weht" (1 Kor 2, 12), der aus Gott strömende Geist, dem das πνεῦμα τοῦ κόσμου, „der Geist der Welt", der Geist, in dem die Welt als solche sich lichtet und wirksam macht, entgegengesetzt ist. Gott hat ihn gesendet (Gal 4, 6); er hat ihn gegeben (Röm 5, 5; 2 Kor 1, 22; 5, 5); er hat ihn ausgegossen (Tit 3, 6), und er gibt ihn weiterhin (1 Thess 4, 8); er gewährt ihn, er reicht ihn dar (Gal 3, 5), und wir haben ihn empfangen (Röm 8, 15), u. a. m.; und empfangen ihn weiterhin (Gal 3, 14); und so haben wir ihn (Röm 8, 9b.23 u. a.); so „haben wir ihn", wie es einmal genau heißt (1 Kor 6, 19), „von Gott her".

Aber eben dieses Geben und Empfangen, dieses Darreichen und Besitzen geschieht so, daß der Geist sich selbst unser bemächtigt, und zwar in dreierlei Weise: 1. so, daß er sich uns, den Menschen, als unsere neue Lebensdimension eröffnet, und 2. so, daß er sich unser bemächtigt und nun in uns seinen Wohnsitz nimmt, sich uns zu seinem Lebensraum einräumt, und zwar 3. beides so, daß er dabei das κατά, die Maßgabe unserer Existenz, das, wonach sich unser Leben vollzieht, wird.

Es ist bemerkenswert, aber nach dem, was wir über das Verhältnis von Geist und Christus feststellen konnten, nicht mehr eigentlich überraschend, daß hier in bezug auf den Geist dieselben Formulierungen auftauchen, die wir schon im Blick auf Jesus Christus fanden. Sie sind alle fast in dem Abschnitt Röm 8, 1–10 versammelt. So wie wir in Christus Jesus sind (Röm 8, 1), οἱ ἐν τῷ Χριστῷ Ἰησοῦ, so sind wir auch ἐν πνεύματι, „im Geist" (Röm 8, 9). Christus hat uns – wir hörten schon davon – den Herrschaftsraum seiner Person eröffnet, er hat sich uns in seiner Herrschaftsdimension erschlossen. Er tat das in Kreuz und Erhöhung in die Macht Gottes, in jenem Geschehen, da er uns in seiner uns aushaltenden und hingebenden Liebe bis zum Tode annahm und so davon befreite, daß wir uns selbst gehören. In diesem Augenblick ist das ἐν Χριστῷ εἶναι gesetzt.

Aber was dort und damals und auf solche Weise gesetzt ist, das ἐν Χριστῷ Ἰησοῦ εἶναι, eröffnet sich uns, wird für uns gegenwärtig und erfahrbar, wird unsere geschichtliche Erfahrung in dem Im-Geist-Sein, ἐν πνεύματι εἶναι, denn eben im Geist erschließt sich ja Jesus Christus, gibt sich Jesus Christus zu erfahren. So sind wir in Jesus Christus in der Weise, daß wir in dem ihn uns erschließenden Geist sind. „Im Fleisch sein" ist der Gegensatz dazu, das heißt im Herrschaftsbereich des selbstmächtigen und selbstsüchtigen menschlichen Daseins sich aufhalten, „im Fleisch sein" ist die andere Weise des Menschen, zu sein. „Im Geist sein" – das ist Christus, der im Geist präsent ist, als den personalen

Herrschaftsbezirk unseres Lebens, das nun in ihm neu gegründet ist, haben. „Im Geist sein", worin man ist durch die empfangene Gabe des Geistes, ist soviel wie im Machtbereich des im Geist präsenten Jesus Christus sein.

Derselbe Sachverhalt wird nun auch, sozusagen von der anderen Seite her, so formuliert: nämlich einmal, daß Christus in uns ist – Χριστὸς ἐν ἡμῖν (Röm 8, 10); und dann, daß der Geist Gottes in uns wohnt (Röm 8, 9b). Das meint: Christus hat sich unser so bemächtigt, das er uns nun von innen her besitzt und bestimmt, er hat sich dieses Dasein als seinen Herrschaftsraum eingeräumt. Aber wie tat er das? – So, daß er sich als der unser Dasein von innen her Bestimmende im Geist erschloß – er also im Geist ist und der Geist in uns. Als solche, die unter der Herrschaft Christi sind und die die Herrschaft, den Herrschaftsbezirk Christi selbst darstellen, die demgemäß in der Herrschaft des Geistes sind und die die Herrschaft des Geistes ausmachen, in der Christus wirksam gegenwärtig ist, sind wir nun aber endlich auch κατὰ πνεῦμα – κατὰ πνεῦμα ὄντες, heißt es Röm 8, 5; κατὰ πνεῦμα περιπατοῦσιν, Röm 8, 4: „Sie vollziehen nach dem Geiste ihr Dasein." Dazu gibt es freilich nur und erst in Kol 2, 8 einmal die entsprechende Formulierung, nämlich daß wir κατὰ Χριστόν sind. Aber der Sache nach ist dort, wo das Leben nach dem Geist sich vollzieht, natürlich an ein Eingehen auf den im Geist mit seinem Anspruch gegenwärtigen Christus gedacht.

Doch wie vollzieht sich nun solches „im Geist", „vom Geiste Christi bestimmt", „nach dem Geiste Christi sich richten", das Gabe und Empfangen des Geistes gab. Wir können hier noch nicht das περιπατεῖν κατὰ πνεῦμα, also den Lebensvollzug, der dem Geiste folgt, oder auch das πνεύματι περιπατεῖν, das Leben im Geiste vollziehen, im einzelnen beschreiben. Dazu muß erst noch von den weiteren Vorgängen des Heilsereignisses in die Geschichte hinein berichtet werden, nämlich vom Geist in das Evangelium und in die Sendung einerseits und vom Geist und vom Glauben samt Erkennen, Hoffen, Lieben andererseits. Aber wir wollen mit einem Vorblick diese Frage beantworten, wie sich denn nun das κατὰ πνεῦμα περιπατεῖν, „nach dem Geist das Leben führen", oder das πνεύματι περιπατεῖν, „im Geist wandeln", vollzieht, um die Eigenart dessen, was im paulinischen Denken Geist

ist, noch vollständiger darzulegen. Dabei wird uns deutlich werden, daß der Lebensvollzug im Geist, so wie der Apostel Paulus ihn versteht, für Paulus einen zweifachen Sinn bzw. eine zweifache Gestalt hat, die aber durch den Geist als den Grund und das Ziel dieser Existenz in sich eine Einheit ist.

Christliche Existenz, Lebensvollzug in Christus und Lebensvollzug im Geist, ist einerseits – paulinisch gesprochen – ὁδὸς ἀγάπης, der Weg der Liebe; andererseits ζηλοῦν τὰ πνεύματα, Eifer um Geistesgaben, also – wenn wir das mit nicht ganz zutreffenden Begriffen ausdrücken würden – die ethische und die charismatische Existenz. Nicht zufällig sind im 1. Korintherbrief Kap. 12–14 so angeordnet, daß die Kap. 12 und 14 von der charismatischen Existenz sprechen, dagegen Kap. 13, in der Mitte, von der ὁδὸς ἀγάπης, vom Weg der Liebe, handelt. Und 14, 1 werden beide Weisen des christlichen Lebensvollzuges im Geiste nebeneinander genannt: διώκετε τὴν ἀγάπην, ζηλοῦτε τὰ πνευματικά, also: „Jagt der Liebe nach, eifert um die Geistesgaben." Allgemein wird nun die sogenannte ethische Seite des „In-Christus-Sein", das heißt ja: „im Geiste sein", dahin beschrieben, daß sich durch den Geist das Sich-selbst-Entnommensein und das Christus-Gehören realisieren bis in die konkrete Existenz hinein. „Oder wißt ihr nicht, daß euer Leib (euer leibliches Dasein) ein Tempel des Heiligen Geistes ist", heißt es 1 Kor 6, 19. Also, wenn der Geist uns bestimmt und wir die Existenz im Geiste erfüllen, so ist das in der Weise der Fall, daß wir nicht mehr uns selbst, sondern Christus gehören und diese neue Existenz eben das Nicht-mehr-sich-selbst-sondern-Christus-Gehören ausprägt. Und Röm 8, 9b besagt, wenn man es positiv wendet: Wenn einer den Geist Christi hat, so gehört er ihm. „Im Geiste leben" heißt also: sich selbst und seiner Eigenmächtigkeit entnommen und an Christus gebunden sein. Existenz im Geist ist das kraft des die Liebe Christi eröffnenden Geistes selbstlos gewordene Leben, das Christus zu eigen ist.

Christliche Existenz oder Existenz im Geist vollzieht sich so, daß der, den der Geist leibhaftig bestimmt, sich nun der Führung des Geistes auch anvertraut – πνεύματι ἄγεσθαι –, sich vom Geist führen läßt (Röm 8, 14; Gal 5, 18), sich also von der Christus zu erfahren gebenden, erhellenden und lebendig machenden Kraft leiten läßt. Existenz im Geist vollzieht sich so, kann man mit Paulus auch sagen, daß sie in seinen Spuren geht: „Wenn wir im Geist leben (und eben das tun wir, nämlich seitdem wir glauben und getauft sind), laßt uns auch in seinen Spuren wandeln", heißt die prägnante Formulierung Gal 5,25.

„Dem Geist auf den Spuren bleiben", das bedeutet aber: sich ständig in einem harten Kampf gegen das Fleisch, das heißt gegen das selbstsüchtige Dasein, für den Geist entscheiden, nachdem er und in ihm Christus der Horizont und die bestimmende Kraft unseres Lebens geworden sind. Erinnern wir uns, wie Paulus in Röm 7,7ff das Leben des Menschen, wie er als Mensch vorkommt, als ein ständiges Bestreiten seiner Geschöpflichkeit beschreibt. Das Leben des Christen nun ist für Paulus ein beständiges Bestreiten dieses Bestreitens, es ist weiterhin Kampf, aber jetzt ein Kampf des Geistes und im Geist und zusammen mit dem Geist gegen das selbstsüchtige, eben seine Geschöpflichkeit ständig bestreitende Dasein. Damit ist nicht gemeint ein Kampf des Geistigen im Menschen, etwa gegen das Sinnliche – das kann unter Umständen eine Variation dieses Grundgeschehens sein –, sondern ein Kampf des Geistes Christi, dem der Mensch sich ergibt, gegen den selbstsüchtigen Geist des menschlichen Daseins, zu dem durchaus auch die selbstsüchtigen geistigen Verfehlungen gehören, zum Beispiel und vor allem für Paulus die Selbstgerechtigkeit, die Selbsterbauung durch Leistungen, auch die κενοδοξία, die Ehrsucht oder Ruhmsucht, die Eitelkeit u.a.m.

Die Situation des Christen, das heißt dessen, der ἐν Χριστῷ, im Gnadenbereich der Herrschaft Christi, weil ἐν πνεύματι, im Machtbereich des Christus zueignenden Geistes, lebt, die Existenz des Christen ist für Paulus real eine andere als die des Menschen als Mensch. Sie ist anders geworden durch Christus und seine Anwesenheit im Geist in der Geschichte und in der Existenz, sie ist eine andere geworden durch unser Bemächtigtsein und Ermächtigt-worden-Sein durch den Geist. Die christliche Existenz ist um eine Dimension von jeder humanen Existenz unterschieden, eben um die Dimension des Geistes als einer durch Christus und seine tragende Liebe am Kreuz und seine Auferweckung von den Toten und Erhöhung in die Macht Gottes geschichtlich gewordenen Realität, um die Dimension des Geistes als der Realität der Eröffnung und des Offenseins der Gerechtigkeit Gottes in Christus mitten in der Geschichte.

Wenn man das nicht beachtet – und man neigt dazu, dieses nicht zu beachten, weil man heute gerne als Christ so sein will, wie eben alle Menschen und alle Welt sind –, redet man nicht von der christlichen Existenz, sondern von einer gerade noch christlich gefärbten, sozusagen christlich sich erinnernden, moralischen Existenz oder auch von einer menschlichen, am besten mitmenschlichen Existenz.

Paulus redet anders: er nennt *jetzt* – so konkret unterschieden ist das „jetzt" vom „damals", vom ποτέ – noch einen realen geschichtlichen Faktor zu allem Menschlichen hinzu, der auch nicht nur einer unter anderen ist, sondern der der bestimmende, der ausschlaggebende, der errettende Faktor geworden ist, nämlich den Geist. Er sagt so wie Gal 5, 13 ff: „Denn ihr seid zur Freiheit berufen, Brüder, aber ja nicht zur Freiheit, die Gelegenheit für das selbstsüchtige Fleisch bietet, sondern dient einander auf dem Wege der Liebe. Denn das ganze Gesetz ist in einem Worte beschlossen, in dem: Du sollst deinen Nächsten lieben als dich selbst. Wenn ihr aber einander beißt und freßt, seht zu, daß ihr nicht voneinander verschlungen werdet. Ich meine aber (nämlich mit dem, was er eben gesagt hat): Wandelt im Geist, und ihr werdet das Begehren des Fleisches nicht durchführen. Denn das Fleisch begehrt gegen den Geist, der Geist begehrt gegen das Fleisch. Die liegen einander im Streit, damit ihr nicht das tut, was ihr gerne tun wollt. Wenn ihr euch aber vom Geist führen laßt, dann seid ihr nicht unter dem Gesetz. Denn die Werke des Fleisches sind offenbar Unzucht, Unreinheit, Ausschweifung, Götzendienst, Zauberei, Feindschaften, Streit, Eifersucht, Zorn, Streitigkeiten, Abspaltungen, Neid, Trunkenheit, Gelage und dergleichen, von denen ich euch sage, wie ich vorher gesagt habe: die solches tun, werden die Herrschaft Gottes nicht erben. Die Frucht des Geistes aber ist: Liebe, Freude, Friede, Langmut, Güte, Gutsein, Treue, Sanftmut, Enthaltsamkeit; dagegen ist kein Gesetz. Die aber Jesus Christus gehören, haben das Fleisch samt seinen Leidenschaften und Begehrungen gekreuzigt.

An die Christen ist der Ruf der Freiheit ergangen, für die Christus uns frei gemacht hat, also zur Freiheit eines durch Christus von sich selbst, von Ungerechtigkeit und Selbstgerechtigkeit freien Lebens, zur Freiheit, die uns in und mit Jesus Christus geschenkt ist, die seine Freiheit ist. Solche Freiheit aber sollen wir nicht mißbrauchen, indem wir meinen, wenn Christus unsere Freiheit ist, dann können wir ruhig der Selbstsucht wieder uns ergeben und einander – wie es dann drastisch heißt – beißen, fressen, verschlingen. Solche Freiheit in Christus wird vielmehr ergriffen in der ἀγάπη und gipfelt im ἀγαπᾶν, in der Liebe, sie wird also realisiert dahin, daß einer den anderen liebt „als sich selbst"; sie ist also die Freiheit, endlich lieben zu können, weil man in der Liebe Christi geborgen ist und so von sich selbst loskommt und die Freiheit, die den Anspruch stellt, endlich zu leben, erfüllt. Das geschieht aber nicht anders in der christlichen Existenz als so, daß die beständige Antwort nun des neuen Faktors, der nicht unser Eigenes, sondern Christi Repräsentation und Manifestation ist, mit in Rechnung gestellt wird, nämlich des πνεῦμα, von dem wir uns führen lassen sollen, so daß wir bei der Freiheit bleiben, nämlich bei der Freiheit der Liebe.

Der Geist – Gottes Geist, Christi Geist –, der sich unserer bemächtigt hat und uns von außen und von innen her, sozusagen aus dem Raum des Tempels des Geistes, der Kirche, und vom Herzen her, bestimmt, liegt jetzt im Streit mit dem Fleisch und das Fleisch mit dem Geist. Der Geist geht uns von überall her an und will, daß wir ihm Gefolgschaft leisten, und das Fleisch widerstrebt ständig dem Geist, weil es sich verloren glaubt, wenn es sich nicht selbst behauptet – sich, das heißt seine tödlichen Wünsche –, und leistet erbitterten Widerstand gegen den Geist. Keines von beiden kann seine Intention erfüllen, weder Geist noch Fleisch, wenn man sie allein läßt.

Wir müssen deshalb, meint Paulus, eingreifen in dieses scheinbare Gleichgewicht und dürfen den Geist – damit aber Christus und zugleich Gott – nicht allein lassen, sondern den verborgenen Sieg des Geistes, nämlich am Kreuze Christi, nun auch offen in unserer Existenz realisieren dadurch, daß wir uns diesem Geist anheimgeben, von ihm uns führen lassen, seine Spuren aufnehmen oder, wie es Röm 8,13 drastisch heißt, im Geist die Praxis des konkreten selbstsüchtigen Daseins, also „die Taten des Leibes, töten". Und nun zählt Paulus in Gal 5, 13 ff auf, was jeweils durch das Fleisch, das heißt durch den eigenmächtigen Menschen, wie er vorkommt, und was jeweils durch den Geist, den Menschen, der sich in seinem Geist dem Geist Christi überläßt, erreicht wird. Auf der einen Seite nun alles, was da offen zutage liegt; aber beachten wir: auch hier finden sich darunter zum Beispiel ζῆλος, Eifersucht, ἔρις, Streit, usw.; und dann zählt Paulus, wie wir hörten, auf, was die Ziele und die Resultate, was die „Früchte des Geistes" sind. Gegen sie steht jedenfalls kein Gesetz, der Wille Gottes, sondern darin wird es erfüllt, so wie Röm 8, 4 gesagt wird: „... daß die Rechtsforderung des Gesetzes durch uns erfüllt wird, die wir nicht nach Maßgabe des Fleisches, sondern nach Maßgabe des Geistes unser Leben führen". Denn wer sich vom Geist, der Licht und Leben schaffenden Macht Gottes in der Präsenz Christi, ergreifen läßt, wer das Vom-Geist-ergriffen-Sein ergreift, ist abgelöst von sich selbst als von der Ungerechtigkeit und Selbstgerechtigkeit und eilt dahin in den Spuren des weisenden Geistes.

Aber Paulus kann nun über diese Existenz im Geiste und über die Kraft des Geistes noch spezieller reden, und zwar in dem Sinn, daß er das κατὰ πνεῦμα περιπατεῖν, das „nach Maßgabe des Geistes sein Leben vollziehen", nicht nur in Hinsicht auf seine Frucht, sondern auch in Hinsicht auf die Weise seines Vollzuges hier und dort entfaltet. Auch hier nur ein kurzer Vorausblick: Diese Existenz im Geist und durch ihn in Christus ist die Existenz des Glaubens. Denn der Glaube beruht, wie wir noch sehen werden, auf dem Kerygma des Geistes (1 Kor 2, 4f), und andererseits wird der Geist durch die Glaubensverkündigung empfangen (Gal 3, 2). Zur „Frucht des Geistes" gehört u.a. (Gal 5, 22) auch die πίστις, der Glaube. Im Glauben wird der Geist verwahrt. „Wir erwarten im Geist aus Glauben das Hoffnungsgut der Gerechtigkeit" (Gal 5, 5); in der Kraft des Geistes strömt man aber auch über mit Hoffnung (Röm 15, 13), in ihm, der uns ja die Gerechtigkeit Gottes in Jesus Christus erschließt, steht man glaubend in geduldiger Erwartung auf sie.

Aber auch und vor allem die Liebe ist eine Frucht des Geistes, wie es ebenfalls Gal 5, 22 schon geheißen hat; sie eröffnet sich als „Liebe des Geistes" (Röm 15, 30). „Denn die Liebe Gottes"

– die Liebe, die Gott in Sterben und Auferstehen Jesu Christi erwiesen hat – „ist in unsere Herzen ausgegossen durch den heiligen Geist, der uns gegeben worden ist" (Röm 5,5). Der Geist eröffnet sich selbst als Liebe Gottes, der Geist läßt sie uns als Liebe Gottes erfahren und durch uns, die von Gott Geliebten, in unserer Liebe, die doch nicht unsere, sondern Gottes Liebe ist, andere Menschen.

Der Geist gewährt uns sodann auch γνῶσις, Erkenntnis, „erleuchtete Augen des Herzens", daß wir die Hoffnung unserer Berufung, des Rufes, mit dem wir gerufen sind, erkennen (Eph 1,18); er gewährt Heiligung (2 Thess 2,13; Röm 15,16); er schenkt das Vertrauen des Gebetes zu Gott, dem Vater, und läßt die Angst verschwinden (Röm 8,15); er selbst betet in uns (Gal 4,6) und tritt im Herzen für uns ein mit unsagbarem Seufzen (Röm 8,26), wohl wissend um die Glorie des Erwarteten, deren Anwehen er ja selbst schon ist. Und so bezeugt er uns, was wir sind: Kinder und Erben Gottes (Röm 8,16).

So ließe sich noch manches sagen, zum Beispiel, daß er übernatürliche Freude, Freude im Leiden gewährt (1 Thess 1,6), Friede und Freude schenkt (Röm 14,17), der Geist der Milde ist (1 Kor 4,21), Gemeinschaft eröffnet (2 Kor 13,13) u.a. Aber es mag für uns im Zusammenhang deutlich sein: Der heilige Geist – der Geist Christi, der Geist Gottes – eröffnet in der Tat für unsere konkrete Existenz eine andere Dimension als die bisherige, nämlich die, in die er uns als die Macht des sich in ihm erschließenden Jesus Christus versetzt hat, eben in die Dimension Jesu Christi; er öffnet uns diesen Lebensraum und diese Lebensweise, indem er unser in sich verschlossenes Dasein zu einem offenen macht, offen zu Gott und zum anderen Menschen hin und so offen im eigenen Leben, und indem er uns gegen alle ständigen Verschließungen dieses Lebens offenhält in Glaube, Hoffnung, Liebe, Erkenntnis, Gebet u.a.m. In ihm, der in solcher Weise die Offenheit Gottes in Jesus Christus für uns in uns eröffnet, wirkt sich also tatsächlich die lebenlichtende Kraft aus.

Ebendies ereignet sich durch den Geist nun noch in einer ganz anderen Weise, nämlich in den Charismen, den Geistesgaben. Auch sie sind, wohlgemerkt, φανέρωσις τοῦ πνεύματος (1 Kor 12,7), das, worin sich der Geist auftut, und zwar so, daß er den

Menschen und die Gemeinschaft der Menschen offen sein läßt zu Gott hin und füreinander. Die konkreten Charismen werden genannt; einmal die Wortcharismen: Prophetie – womit die aufdeckende und überführende Rede gemeint ist, die um alle Geheimnisse weiß –, Offenbarungsrede, Weisheitsrede, Erkenntnisrede, alles Formulierungen von Paulus selbst; oder das Charisma der Paraklese, der Mahnung, auch das Charisma der Lehre werden genannt, aber auch das Charisma der Zungenrede, der Glossolalie – ein unartikuliertes Reden in Ekstase, was als „Engelszunge", „in Engelszungen reden" verstanden wird –, zugeordnet ist die Gabe der Auslegung dieser Engelszungen.

Zweitens: die Charismen der Erkenntnis, der γνῶσις, also nun sozusagen von der anderen Seite her gesehen (1 Kor 1,5; 13,2.8), und die der Unterscheidung der Geister – zum Beispiel der ἀποκάλυψις, der Eingebung, die man empfängt –, aber auch alle Erkenntnis, die in dem charismatischen Reden enthalten ist, also zum Beispiel in der Prophetie.

Und drittens die Tatcharismen im umfassenden Sinn: Machttaten, Machtwirkungen, Wunderkräfte, die Kraft der Heilung, Hilfeleistung jeder Art, aber auch die Charismen der Führung und Leitung, endlich – etwas verloren unter diesen Charismen – die des Glaubens, das heißt wohl im Sinne des Glaubens, der Berge versetzt. Wir können und brauchen im Zusammenhang hier nicht auf einzelnes einzugehen; die Angaben finden sich Röm 12,6ff; 1 Kor 12,4ff und vor allem 1 Kor 14.

Wir weisen im Sinn des Apostels nur auf folgendes hin: Einmal, diese Charismen sind ihrem Geschehen nach sehr unterschiedlich – das aussagende und angehende Wort, die erhellte Erkenntnis, die mächtige Tat –, aber in ihnen allen wirkt sich menschliches Vermögen in gesteigerter Intensität aus, in allen sind – wie der paulinische Ausdruck kautet – ἐνεργήματα, Kraftbetätigungen, Kraftwirkungen, wir können auch sagen: Energien, am Werk, die aus verborgenen Tiefen kommen und in verborgene Tiefen reichen.

Und ein Zweites: diese Charismen haben ein Ziel; sie alle dienen, sofern sie solche Charismen sind, der Erbauung, der οἰκοδομή, das heißt letztlich dem Aufbau der Kirche als Leib Christi, also der leibhaftigen Gemeinschaft derer, die ἐν Χριστῷ sind, dem

Ausbau jener Dimension, die ἐν Χριστῷ εἶναι, „in Christus sein", heißt; sie dienen dieser οἰκοδομή so, daß sie ihrer Lebendigkeit und aktuellen Präsenz dienen. Darin haben die Charismen überhaupt nur ihren Sinn. Deshalb sind sie fast alle ihrem Wesen nach auf den anderen Menschen und auf die Gemeinschaft der Menschen ἐν Χριστῷ ausgerichtet, sie sind alle ihrem Wesen nach ἀγάπη-Charismen, das heißt Gaben der ἀγάπη, wie ja auch 1 Kor 13 deutlich verrät. Sind sie nicht Formen und Entfaltungen der Liebe, fallen sie – und wenn sie noch so mächtig sind – leer in sich zusammen.

Und drittens: deshalb gibt es auch eine gewisse Abstufung unter den Charismen nach ihrem Nutzen, dem σύμφορον für die οἰκοδομή, und deshalb ist existentiell keiner ein Charismatiker, der nicht in der ἀγάπη steht und ἀγάπη übt; die Liebe ist das Kriterium für das Charisma. Das ist ja das Problem des 1. Korintherbriefes bzw. der korinthischen Gemeinde, die auf Charismen großen Wert legte und offenbar die ungewöhnlichen Charismen, zum Beispiel die Glossolalie, bevorzugte und im formalen Charismatikertum, sozusagen in der charismatischen Genialität als solcher, bei sittlicher Indifferenz das Charakteristikum der Charismen sah. Deshalb die apostolische Mahnung 12,31: „Eifert nach den größeren Geistesgaben" – die nun auch genannt werden, 14,1: „Eifert nach den Geistesgaben, vor allem nach der Prophetie", oder 14,39: „Eifert nach der prophetischen Rede, die Glossolalie hindert nicht." Die Charismen des Wortes sind die vornehmsten Charismen, denn sie dienen in erster Linie der Bildung, Bewahrung und Erbauung der Kirche, die primär vom Wort lebt. Daß ein formales Charisma eigentlich kein Charisma ist, ist neben 1 Kor 13 zum Beispiel auch 1 Kor 3,1f zu erkennen, wo Paulus an die Brüder schreibt, daß er zu ihnen nicht als zu πνευματικοί, als zu vom Geist Ergriffenen oder Charismatikern, hätte reden können, weil unter ihnen noch Eifersucht und Streit herrsche und weil sie sich in Parteien gespalten hätten.

Charismatiker sein – jedenfalls im vollen Sinn des Wortes: Menschen, die vom Geist ergriffen und durchdrungen sind und die Macht und das Licht des Geistes Jesu Christi und Gottes intensiv erfahren lassen – ist eine Sache der gesamten Existenz, ist eine Existenzform des Daseins im ganzen.

Und aus alldem ist nun noch erkennbar, daß nach Paulus der Geist, die Kraft der Selbsterschließung Gottes in Jesus Christus, den Menschen bis in die Tiefen seiner Möglichkeiten, also seiner Existenz, verwandelt. Er reißt ihn nicht nur in seine Dimension hinein, so daß er die herkömmliche Dimension, eben die seines selbstsüchtigen Daseins, preisgibt und ein neues offenes Dasein gewinnt, in dem und von dem er neu gelichtet und beansprucht ist, der Geist läßt den Menschen nicht nur in seiner sittlichen Existenz dann offen werden zu Gott, zum Nächsten und in sich selbst in Glaube, Hoffnung, Liebe, Erkenntnis, Gebet, sondern er bricht des Menschen Existenz auch auf bis in ihre natürlichen Vermögen, bis in ihre geistigen, seelischen und physischen Kräfte hinein, er erhellt und erleuchtet sein Dasein bis in seine Natur hinein so, daß er durch diese Kräfte, δυνάμεις, und Energien, ἐνεργήματα, die ja immer zugleich Dienste sind, die κοινωνία, die Gemeinschaft, lebendig werden und lebendig sein läßt, die durch den Geist entstanden ist, die Gemeinschaft ἐν Χριστῷ, das heißt für Paulus die Gemeinschaft des Leibes Christi der Kirche.

2. Der Leib Christi

Die Selbsterschließung Gottes in Jesus Christus in die Geschichte hinein um des Aufbrechens dieser Geschichte willen zu Gott hin und zum anderen Menschen hin endet ja – und damit kommen wir zu einem neuen Gesichtspunkt – in der Erbauung des Leibes Christi oder auch in der Befreiung und Bindung der Welt in den Leib Christi, das heißt in die Kirche, und zwar in einem zweifachen Sinn, der wesentlich freilich einen Vorgang meint. Dieser Zusammenhang von Geist und Kirche wird einmal an einer späteren Stelle in dem „Kirchenbrief", in Eph 2, 14–18, berührt, wo es wahrscheinlich im Zusammenhang eines übernommenen Hymnus heißt: „Er ist unser Friede, der beides zu einem gemacht und die Zwischenwand des Zaunes zerbrochen hat, die Feindschaft in seinem Fleisch, der das Gesetz der Gebote in Verordnungen vernichtete, so daß er die beiden in sich zu einem neuen Menschen schuf, Frieden stiftend, und sie beide in einem Leibe Gott versöhnte durch das Kreuz, indem er die Feindschaft in sich vernichtete; und er kam und verkündete den Frieden euch, die ihr fern, und den Frieden denen, die nahe waren; denn durch ihn haben wir den Zugang, wir beide, in einem Geist zu dem Vater."

Wir lassen alle Einzelheiten fort und entnehmen den Sätzen nur dies eine, daß Jesus Christus, „unser Friede", Juden und Heiden, das heißt die beiden heilsgeschichtlich unterschiedenen Menschengruppen, also alle Menschen, untereinander geeint und miteinander Gott versöhnt hat in einem Leib durch das Kreuz. Alle hat er auf seinen Kreuzesleib genommen, hat er am Kreuz auf sich und angenommen, alle hat er durch diesen Kreuzesleib, durch diesen die Sünden erschöpfenden Leib versöhnt zu Gott getragen. Und dieser alle Menschen umfassende und sie in und zum Frieden einende Kreuzesleib Christi wird nun aber als die allgemeine und tragende Dimension der Versöhnung durch den Geist erschlossen, und zwar zum Leibe Christi im Sinne der Kirche. Der Geist erschließt jene im Kreuzesleib allen Menschen offene Heilsdimension zur offenbaren und bleibenden des Leibes Christi, im Sinn der Kirche. Denn nachdem Paulus an unserer Stelle von dem Leib Christi am Kreuz gesprochen hat, fährt er fort, wie wir gehört haben: „Durch ihn haben wir beide (Juden und Heiden) Zugang zum Vater im heiligen Geist."

Aber welcher ist dieser Geist und in welcher Weise schafft er den offenen Zugang zum Vater? Darauf wird dann in den folgenden Sätzen, VV. 19ff, gesprochen: Es ist der Geist, der uns zum κατοικητήριον τοῦ θεοῦ, „zu der Behausung Gottes, gemeinsam aufbaut", zum heiligen Tempel im Herrn, welcher ja sonst im Epheserbrief der Leib Christi genannt wird. Der Geist – könnte man auch sagen – läßt die im Leib Christi am Kreuz allen Menschen geöffnete Dimension – geöffnet zu Gott und den anderen Menschen hin – sozusagen weiter heraustreten in die Geschichte durch die durch ihn errichtete offene Dimension im Leib der Kirche.

Man muß diesen Sachverhalt völlig konkret verstehen; primär ist der Leib Christi am Kreuz der Geschichtsraum, der alle Menschengeschichte in sich zu Gott und zum Nächsten hin aufgetan hat. Hier, an diesem konkreten Leib, sozusagen an diesem Punkt der Weltgeschichte, ist in die offene Dimension zu Gott und zum Nächsten hin der Mensch gegeben, in ihm ist das Dasein wieder absolut offen. Und dieser „Geschichtsraum", der im pointierten Sinn des Wortes unser Lebensraum ist, hält sich offen und baut sich auf im heiligen Geist, das heißt in der Selbsterschließungskraft dieses Jesus Christus. Der Geist räumt uns diese Dimension Christi auf Erden für alle Zeit ein. Deshalb und von daher ist diese konkrete, ins Geschichtliche erschlossene Dimension, die Kirche, auch nun „der Leib Christi" genannt. Die Kirche ist der durch den heiligen Geist im Geschichtlichen offenbarte Kreuzesleib Christi, sie ist die mit dem Kreuzesleib Christi gesetzte Heilsdimension, wie sie in der Kraft des heiligen Geistes gegenwärtig offensteht und offenbleibt auf Erden. Von daher hat sie einen ganz anderen Charakter als jede andere Gesellschaft, von daher hat sie ihr eigentümliches Wesen von oben her, das durch keine soziologische Analogie begriffen werden kann, von daher hat sie ihre Universalität, ihre Einheit, ihre Heiligkeit, von daher ist sie auch wesenhaft immer vor aller Gemeinschaft und vor jedem einzelnen in Christus, so gewiß dieser Leib Christi als die durch den heiligen Geist erschlossene Heilsdimension des Kreuzesleibes Christi durch eben diesen Geist in der konkreten Gemeinschaft der Gläubigen, die in Christus seine Glieder werden, realisiert wird.

Vielleicht kann man so sagen: Christus – Geist – Kirche gehören wesensmäßig zusammen; der Geist erschließt wesensmäßig Christus in die Kirche, denn Christus eröffnet sich und seine Kreuzesdimension zu seinem Anwesen in der Kirche durch den Geist. Die Kirche ist Christi Anwesen in der Kraft des Geistes, der seinen Kreuzesleib zum mystischen Leibe erschließt. So kann Paulus, eine Bekenntnisformel der Urgemeinde erweiternd, sagen: „Ein Leib und ein Geist" (Eph 4,4); der eine Leib Christi, die Kirche, ist der, den der eine Geist von dem Leib am Kreuz her sein läßt. So weht auch der eine Geist, der heilige Geist, wo der eine, durch ihn erschlossene Leib Christi am Kreuz im Leibe Christi, der Kirche, anwesend ist.

Aber in welcher Weise ist nun in der Kraft des Geistes die Kirche dieser Leib Christi? In der Weise, kann man mit dem Apostel antworten, daß sie durch die κοινωνία τοῦ ἁγίου πνεύματος (2 Kor 13,13), durch die Gemeinschaft, die der Geist schafft, zum Leib in vielen Gliedern, zum Leib derer, die in Christus sind und in ihm zueinander gewiesen und voneinander getragen leben. Die Kirche, die der Leib des Geistes, der Leib Christi ist, realisiert, aktualisiert und manifestiert sich als solche in den Gliedern in eben derselben Kraft des Geistes. Er läßt die Menschen ἐν Χριστῷ, in Christus, und er läßt Χριστὸς ἐν ἡμῖν, Christus in uns, sein; er läßt sie als von ihm ermächtigte existieren; er macht sie und ihre Gemeinschaft durch die von ihm bestimmte und bis in das Innerste von ihm erfaßte Existenz hinein zu einer lebendigen Macht.

So kann Paulus sagen: „Denn wir alle sind doch in einem Geist zu einem Leib getauft" (1 Kor 12,13). Im Wirksamwerden des einen Geistes, hier im Modus der Taufe, konstituiert sich Glied um Glied der eine Leib Christi oder Christus als der eine Leib, die Kirche. Im Anwehen des Geistes tritt Christi Anwesen als solches heraus. Deshalb kann die Kirche der Sache nach auch das Anwesen des Geistes genannt werden und nicht nur das Anwesen Christi. Hierher gehört 1 Kor 3,16f: Der vom Geist erbaute und durchwehte heilige Tempel ist die Gesamtheit derer, die sich der Geist als seinen Raum einräumt. In ihnen aber ist die Dimension, die sich im Kreuzesleib Christi als Dimension der Einigung und Versöhnung eröffnete, zur konkreten Dimension in der Kirche als Leib Christi auf- und ausgebaut, und zwar in denen, die, durch den Geist ergriffen und bis in die Natur hinein ermächtigt, in Christi Herrschaft leben und sie gegenseitig in ihrer Gemeinschaft erfahren lassen. Wird die Kirche also „Leib Christi" von Paulus genannt, so ist das für ihn nicht eigentlich bildhaft gemeint, sondern bezeichnet eine reale Identität mit dem Kreuzesleib als der Heilsdimension. Sie heißt „Leib Christi", weil sie der durch den heiligen Geist entschränkte Heilsraum des Kreuzesleibes Christi ist, dessen, der von den Toten erweckt ist.

In alldem aber und in all solchem Wirken des Geistes, der als die Kraft der Selbsterschließung Gottes in Jesus Christus Welt und Existenz des Menschen aufschließt für Gott, der die Welt und Menschen aufbrechende und zum Offensein ermächtigende Macht Jesu Christi ist, in all seiner in jeder Weise eröffnenden Wirksamkeit ist der Geist aber im Sinn des Apostels erst die Vorausgabe und als solche freilich auch die Garantie des ἔσχατον, des Letzten. Er ist ja die konkrete Weise, wie sich der das Letzte in seinem Kreuz und in seiner Auferweckung vorläufig in der Geschichte wirksam erstellende Jesus Christus begegnen läßt, wie also das ἔσχατον in Jesus Christus vorläufig, aber real begegnet. Die letzten Dinge haben sich in Jesus Christus, zuletzt in Kreuz und Auferweckung von den Toten, ereignet, aber der Geist läßt es nun in der Vorläufigkeit der Geschichte begegnen; er läßt – können wir auch sagen – das in die Geschichte eingebrochene Eschaton, die gehorsame Liebe Christi als die Gerechtigkeit Gottes, in seiner lebendig machenden und erhellenden Kraft erfahren. Aber darin und damit, daß der Geist dieses Letzte zu erfahren gibt, garantiert er es auch als das Äußerste, gibt er es zu erfahren als das, was immer über alle Erfahrung hinausliegt, aber eben, weil im Geiste dargereicht, auch gewiß als solches Erfahrung werden wird. Und so wird der Geist von Paulus in solchem Zusammenhang ἀπαρχή genannt, „Erstlingsgabe". Ἀπαρχή ist ein terminus technicus der Opfersprache und meint die Erstlingsfrucht, zum Beispiel den ersten Ernteertrag des Getreides, der Gott für das ganze geweiht wird; freilich ist der Begriff auch abgeschliffen gebraucht im Sinn des Besten, des Ersten, dem ein Zweites oder anderes folgt. Wenn Paulus aber Röm 8,23 von uns, den Christen, als denen spricht, „die wir den Geist als ἀπαρχή empfangen haben", so meint er es im prägnanten Sinn: wir haben die Erstlingsgabe, nämlich den Geist, empfangen, und diese ist nun sozusagen die erste Abgabe, die für das Ganze steht, was kommen wird.

Wir erwarten noch eine andere Gabe, denn diese Erstlingsgabe steht nur für diese künftige Gabe. Das ist aus dem Zusammenhang von Röm 8,23 deutlich, sofern dort gesagt wird, daß „wir auf die Sohnschaft warten" und daß wir bisher nur „auf Hoffnung hin", aber auch wirklich auf Hoffnung hin gerettet worden sind. Der Geist, den wir haben, eröffnet uns als Erstlingsgabe des Äußersten das Leben in der Hoffnung auf dieses Äußerste. Klarer noch im Blick auf den eschatologischen Sinn des Geistes ist der andere Begriff, der mit dem von ἀπαρχή wechseln kann, den Paulus ohne Unterscheidung auch für den Geist verwendet, nämlich ἀρραβών, „Angeld", eine Anzahlung, die einen Teil der Gesamtzahlung vorwegnimmt, aber als solche den Kaufvertrag schon gültig macht, eine Vorleistung, durch die sich der Verkäufer dem

Empfänger gegenüber zu weiterer Leistung verpflichtet. Und so sagt Paulus in bezug auf den Geist: „... Gott, der uns versiegelt hat und uns die Anzahlung – das Angeld, die Vorleistung – in unsere Herzen gegeben hat, nämlich den Geist" (2 Kor 1,22). Gedacht ist an die Taufe, die den Geist vermittelt; er ist eine Anzahlung Gottes, aber damit erst eine Vorleistung, durch die Gott sich freilich für das Ganze zur Auszahlung von allem verpflichtet hat.

Welches ist aber die Gesamtleistung, für die Gott im Geiste erst Vorleistung geleistet hat? Nun, in 2 Kor 5,5 wird es deutlich: die ζωή, das Leben selbst. Paulus sagt dort, daß wir Verlangen haben, „daß das Sterbliche vom Leben verschlungen werde. Der uns aber eben dazu bereitet hat, ist Gott, der uns den Geist als Angeld gegeben hat." Der Geist, den wir empfangen haben, weist auf das Eschaton des Lebens schlechthin und garantiert es natürlich dem, der πνεύματι περιπατεῖ, der sein Leben im Geist vollzieht. Man kann auch an Eph 1,13f denken, wo gesagt ist: „Im Glauben seid ihr bei der Taufe versiegelt worden mit dem verheißenen heiligen Geist, welcher ist das Angeld auf unser Erbe bis zur Erlösung, die Besitz ist ..." Im Geist ist das Erbe angezahlt und so die gewisse Aussicht auf den Besitz eröffnet, der am Tage der Erlösung übergeben werden wird (Eph 4,30).

Der Geist geht ja auch – wenn wir uns das vor Augen halten, was Paulus, abgesehen von diesen beiden Begriffen, über ihn in dieser Hinsicht sagt – in sich auf das Leben aus. Wenn er uns jetzt öffnet für Gott und den anderen Menschen, so hat er dabei das Leben im Sinn, dann eröffnet er schon das Leben im Geist. Τὸ φρόνημα τοῦ πνεύματος ζωὴ καὶ εἰρήνη, „das, was der Geist denkt – worauf hinaus er sinnt oder trachtet –, ist Leben und Frieden" (Röm 8,6). Der Geist will in sich als Geist Leben, und sofern er es jetzt schon eröffnet, indem er uns dafür öffnet, ist er auch schon Leben (Röm 8,10). Deshalb „wird Gott auch unsere sterblichen Leiber lebendig machen durch den in uns wohnenden Geist" (Röm 8,11); „... wer auf den Geist sät, wird ewiges Leben ernten" (Gal 6,8). Τὸ πνεῦμα ζωοποιεῖ (2 Kor 3,6), „der Geist macht lebendig".

Und so könnte man noch manches von Paulus in dieser Hinsicht zitieren; aber es mag genügen. Die Kraft der Selbsterschließung Gottes in Jesus Christus und die Kraft der Selbsteröffnung Jesu Christi ist der Geist; er als die Dimension, die sich neu aufgetan hat, als neue Bestimmung unseres Lebens bricht auch unsere existentielle Verschlossenheit auf für Gott und für den Nächsten, wenn wir uns auf ihn einlassen in Glaube, Hoffnung, Liebe und in den Charismen, die ihn wirken lassen, in denen der Geist unsere natürlichen Gaben befreit und erhöht zu Gaben der Erbauung des Ganzen. Im Wirken dieses Geistes, im Leibe Christi und in der Gemeinschaft mit Christus ist immer schon das im Geist Vorläufige gegeben, das sich endgültig einstellen wird, das Leben und das Erbe. Der Geist ist die Kraft, die Leben schafft, und die Kraft, die lichtet, jetzt schon in der Form des Lebensvollzuges und auch der Charismen und dann in der Form des Aufbrechens des Lebens als solchen. Im Geist ist das eschatologische Leben und die eschatologische Aussicht jeweils immer schon am Werk.

3. Das Evangelium

Nun entsteht die Frage, in welcher Weise der Geist uns diese Erfahrung schenkt, auf welchem Wege sich Gott eröffnet und Jesus Christus sich durch den Geist zu erfahren gibt.

Die Antwort auf diese Frage ist die: vor allem im Wort; das Wort ist die Form und der Weg des Geistes. Das Wort nicht allein, auch Zeichen, zeichenhafte Handlungen, wenn man so allgemein die Taufe oder ihren Vollzug und den Vollzug des Herrenmahles bezeichnen kann. Aber diese Zeichen sind nicht nur in das Wort eingebettet, nicht nur vom Wort durchdrungen, sondern sammeln sich und sprechen sich aus entscheidend und letztlich in dem einen Wort. Das Wort aber, in dem der Geist wirksam ist, ist nun primär das, was Paulus „das Evangelium" nennt, der Sache nach also das apostolische Wort im apostolischen Dienst. Dieses apostolische Wort im apostolischen Dienst, das Evangelium, erzeugt dann weiteres Wort, nicht nur als seine Fortsetzung – als Wort der apostolischen Schüler –, sondern auch als eine weitere Entfaltung in der Kirche, etwa in der Weise der Homologie oder der διδαχή, der Lehre, oder auch in der Weise der Hymnen und Lieder u. a. m. Auch in diesem ist oder bleibt der Geist am Werk. Der Zusammenhang zwischen Geist und Wort oder, genauer, zwischen Geist und Evangelium wird des öfteren beim Apostel bemerkbar.

Wir hörten schon, daß nach Eph 3,3ff das Geheimnis Christi den Aposteln und Propheten im Geist geoffenbart wurde. Eben diese im Geist gewirkte Erkenntnis wird nun im Evangelium ausgesprochen, und zwar so, daß dieses Evangelium einmal selbst vom Geist gewirkt ist, also Wort des Geistes ist und bleibt. Bezeichnend sind dafür etwa u.a. die Ausführungen, die Paulus 1 Kor 2,10ff macht: „Denn uns hat Gott es geoffenbart durch den Geist, denn der Geist erforscht alles, auch die Tiefen Gottes. Denn wer weiß um das Innerste des Menschen außer der Geist des Menschen, der in ihm ist; so weiß auch das Innerste Gottes keiner außer der Geist Gottes. Wir aber haben nicht den Geist der Welt empfangen, sondern den Geist, der von Gott kommt, damit wir das, was Gott uns gnädig gewährt hat, erkennen; das reden wir auch nicht in Worten, die von menschlicher Weisheit gelehrt worden sind, sondern in Geistesworten, indem wir Geistesdinge mit Geistesworten darlegen." Wir sehen: Hier handelt es sich deutlich um die Enthüllung des verborgenen Geheimnisses, die uns von Gott gewährt wurde, und diese Enthüllung geschieht durch den Geist, in dem Gott selbst sich erschließt. Der Geist von Gott her läßt das von Gott gnädig Gewährte erkennen, solche Erkenntnis aber spricht sich aus in Worten, die vom Geist gelehrt sind; das sind im Zusammenhang die apostolischen Worte, die als solche Geistesworte wiederum nur von denen verstanden und beurteilt werden können, die selbst den Geist haben.

Aber der Geist wirkt nicht nur das Evangelium, sondern der Geist ist dann im Evangelium, in dem von ihm ermächtigten apostolischen Wort, wirksam. Dieses Wort ist nicht eben ein bloßes Wort: „Unser Evangelium geschah unter euch nicht allein in Worten – das heißt in bloßen Forderungen –, sondern auch in Kraft und im Heiligen Geist und in ganzer Fülle", sagt Paulus zum Beispiel 1 Thess 1,5 (vgl. auch Röm 15,18). Im apostolischen Kerygma weisen sich Geist und Kraft aus, so daß, wer es annimmt, den Geist annimmt (1 Kor 2,5). Das Wort Gottes, also das Evangelium, ist „das Schwert des Geistes", wie Eph 6,17 formuliert. So ist dort, wo von der Wirksamkeit des Evangeliums die Rede ist, die wirkende und wirksame Kraft des Geistes gemeint. Der Brief Christi, den die Gemeinde darstellt, „ist nicht mit Tinte geschrieben, sondern mit dem Geist des lebendigen Gottes" (2 Kor 3,3); und der apostolische Dienst, der ja Dienst am Evangelium und mit dem Evangelium ist, ist nicht ein Dienst „des Buchstabens, sondern ein Dienst des Geistes" (2 Kor 3,4ff). Der Apostel dient dem Evangelium priesterlich, „damit die Darbringung der Heiden für Gott wohlgefällig sei, geheiligt im heiligen Geist"; das apostolische Evangelium macht die Völker zu einer vom Geist geheiligten Opfergabe, weil es den Geist in sich trägt, es wirkt sich aus im heiligenden heiligen Geist (Röm 15,16). Dabei muß man immer bedenken: in diesem Geist bringt sich Jesus Christus selbst und bringt sich Gott zur Erfahrung.

Das Evangelium verdankt sich aber nicht nur dem Geist, der darin zu Wort kommt, und im Evangelium spricht sich der Geist nicht nur aus, sondern es gilt in bezug auf das Verhältnis von Evangelium und Geist noch ein Drittes: das Evangelium erwirkt den Geist, es erweckt den Geist bei denen, die es hören und glauben. Paulus kann seine Verkündigung einmal dahin kennzeichnen, daß er sagt: Wir haben euch πνευματικά, Geist, ausgesät (1 Kor 9,11), aber er kann die galatischen Christen auch fragen, ob sie den Geist etwa aus Leistungen gegenüber dem Gesetz empfangen haben „oder nicht vielmehr aus der Predigt des Glaubens" (Gal 3,2), also aus dem Evangelium. Dieses vom Geist Hervorgerufene ruft durch den Geist wiederum Geist hervor, und so kann Paulus fortfahren: „... der euch den Geist gewährt und Kraft unter euch erwirkt, tut er das etwa aufgrund von Leistungen gegenüber dem Gesetz oder aus der Glaubenspredigt?" (Gal 3,5). Hier, wie auch 1 Kor 1,5ff, ist vorwiegend an den Geist der Geistesgaben gedacht, zu denen freilich, wie wir schon gehört haben, für Paulus vor allem das vom Geist eröffnete Wort und die vom Geist eröffnete Erkenntnis gehören.

Aber Paulus meint mit dem Geist, den das Evangelium erweckt, auch den Geist, der das neue Leben begründet und bestimmt, also den Geist, von dem wir gehört haben, daß wir in ihm sind, daß er in uns ist und daß wir nach ihm unser Leben vollziehen. Und so kann Paulus einmal in 2 Kor 11,4 im Blick auf die gefährdete Gemeinde formulieren: „Wenn da einer kommt und einen anderen Jesus verkündet, den wir nicht verkündet haben, oder ihr einen anderen Geist empfangt, den ihr nicht empfangen habt, oder ein anderes Evangelium, das ihr nicht angenommen habt, dann ertragt ihr das gut", aber mich wollt ihr nicht ertragen – ist der Zusammenhang. Positiv heißt das also: Die Verkündigung Jesu oder das Evangelium, in dem sie geschieht, läßt Geist empfangen.

Soviel mag deutlich sein: Das Heil, das in Jesus Christus Gott gnädig gewährte, erschließt sich im Geist Gottes oder Jesu Christi, dazu erschließt Gott sich aber selbst in das apostolische Wort hinein oder der Geist zum apostolischen Wort. Dieses verdankt sich dem Geist, aber er wirkt auch in ihm, und zwar so, daß das Evangelium wiederum den Geist erweckt. Der Geist bringt sich im Evangelium wirksam zu Wort, er kommt im apostolischen Wort wirksam zur Sprache.

Aber was ist nun mit dem Evangelium, das diesen Ursprung und diese Kraft und diese Wirkung hat, nämlich den Geist, im Sinn des Apostels des näheren gemeint? Beginnen wir damit, daß wir feststellen: es wird „Evangelium Gottes" genannt (Röm 1, 1; 15, 16 u. a.); dafür kann Paulus auch sagen „Wort Gottes", ὁ λόγος τοῦ θεοῦ (2 Kor 2, 17; 4, 2 u. a.). Er kann auch sagen „Gottes Zeugnis", τὸ μαρτύριον τοῦ θεοῦ (1 Kor 2, 1); die Unterschiede zwischen „Evangelium", „Wort", „Zeugnis" – sofern solche überhaupt zu fassen sind – lassen wir hier jetzt unerörtert. Wir sagen vielmehr, was dieser gemeinsame Genitiv – Evangelium, Wort, Zeugnis *Gottes* – bedeutet. Er meint primär nicht den, von dem das Evangelium verkündet, er meint auch nicht den, der das Evangelium sein eigen nennt, er meint mit Gott auch nicht den, der das Evangelium als das seine qualifiziert, es zum göttlichen Evangelium macht – das alles meint er der Sache nach natürlich auch –, sondern der Genitiv τοῦ θεοῦ, Gottes, meint vielmehr, daß es das Evangelium ist, das Gott selbst sagt. Das läßt sich an folgenden Ausführungen verdeutlichen: einmal an 2 Kor 2, 17 ungefähr, sofern dort steht: „Wir treiben es nicht wie so viele, die aus dem Wort ein Gewerbe machen, sondern wir sagen es aufrichtig, wir sagen es als von Gott her vor Gott in Christus" – ὡς ἐκ θεοῦ κατέναντι θεοῦ ἐν Χριστῷ λαλοῦμεν.

Wort Gottes ist danach also jedenfalls das Evangelium, weil es von Gott her vor Gott in Christus gesagt ist, wobei „in Christus", wie wir sahen, den meint, in dem Gott sich selbst offenbart. Wort Gottes ist die Rede, das λαλεῖν des Apostels, sofern diese Rede von Gott her vor Gottes Ohren, gebunden an Gott oder bestimmt durch Gottes Tat, geschenkt wird. Dieses Wort ergeht in der Verkündigung des Apostels als eines, das von Gott her zu ihm dringt, das vor Gott sich verantworten muß, das sich an Gottes Handeln in Jesus Christus hält.

Und ein Zweites (2 Kor 5, 18): „Das alles von Gott her (nämlich die neue Schöpfung), der sich mit uns durch Christus versöhnt hat und uns den Dienst der Versöhnung gegeben hat, so wie Gott in Jesus Christus die Welt mit sich versöhnte und unter uns das Wort der Versöhnung stiftete." Das apostolische Evangelium ist demnach Evangelium oder Wort Gottes auch deshalb zu nennen, weil Gott es als das Wort seiner Versöhnung gesetzt oder gestiftet hat, mit anderen Worten: weil es auf einer Satzung und Stiftung Gottes beruht. Mit dem Wort Gottes ist eine Stiftung Gottes in der Welt errichtet worden, das Evangelium ist Gottes Evangelium, weil es Gottes einmalige Gabe ist, die er für immer gewährt. Und ein Drittes: Der Zusammenhang von Gott und seinem Evangelium ist noch enger gekennzeichnet. Denn vor allem ist das apostolische Evangelium Gottes Wort, weil in ihm Gott selbst zu Wort kommt, Gott selbst in ihm redet. Gott ist es, der im apostolischen Evangelium sein Wort sagt. Das geht nicht nur etwa aus dem Gegensatz hervor, den Paulus einmal 1 Thess 2, 13 formuliert: λόγος ἀνθρώπων – λόγος θεοῦ, das Wort, das die Menschen sagen, und das Wort, das Gott sagt, sondern auch etwa aus solcher Aussage wie in Röm 10, 14: „Wie sollen sie an den glauben, den sie nicht gehört haben?" Sie haben ihn gehört im Evangelium, deshalb können sie glauben. Gott redet im Evangelium oder, wie Paulus sonst sagt: Gott ruft im Evangelium, er hat im Evangelium gerufen und ruft weiter im Evangelium, die Welt ist durch das Evangelium vom Rufe Gottes durchtönt. Paulus gebraucht dieses καλεῖν, dieses Rufen, im Aorist oder Perfekt und im Präsens. „Gott hat uns gerufen ... in die Heiligung" (1 Thess 4, 7); „Getreu ist Gott, durch den ihr gerufen seid in die Gemeinschaft mit seinem Sohne Jesus Christus, unserem Herrn" (1 Kor 1, 9); „Gott hat euch in den Frieden gerufen" (1 Kor 7, 15 u. a.), und einmal wird dabei ausdrücklich gesagt: „... zu was er euch auch gerufen hat durch das Evangelium" (2 Thess 2, 14). Vom weitergehenden Ruf spricht 1 Thess 2, 12: „... daß ihr einen Lebenswandel führt, der des Gottes würdig ist, der euch ruft in seine Herrschaft und Herrlichkeit" (vgl. auch 1 Thess 5, 24 u. a.). Die Christen, die diesen Ruf hören, den Ruf Gottes im Evangelium, und ihm gehorchen, sind dann die Gerufenen, οἱ κλητοί (Röm 1, 6.7; 1 Kor 1, 2.24 u. a.), und Paulus ist „gerufener Apostel". Nebenbei kann noch gesagt werden: die Offenbarung Jesu Christi an ihn, den Apostel, war ein Ruf Gottes, so wie sie eine Erscheinung war. Wir sehen: „sehen" und „hören", „sich zeigen" und „rufen" fallen in der Offenbarung zusammen. In diesem Ruf Gottes entstand dann das Evangelium, und das Evangelium verwahrt in sich diesen Ruf, und so ergeht er jetzt durch das Evangelium. Mit anderen Worten: im Evangelium Gottes wird Gottes Ruf laut und artikuliert sich.

Solches Evangelium Gottes ist das apostolische Wort aber auch nun als „Evangelium Jesu Christi" oder „Christi" (1 Thess 3, 2; 2 Thess 1, 8; Gal 1, 7 u. a.), ist „Zeugnis Christi" (1 Kor 1, 6), ist „das Wort des Herrn" (1 Thess 1, 8; 2 Thess 3, 1); „... denn von euch aus ist das Wort des Herrn erschollen", heißt es dann in 1 Thess 1, 8. Und auch das meint primär nicht das Evangelium von Christus, über Christus – das meint es natürlich der Sache nach auch und wird sogar einmal formuliert, dann freilich deutlich mit περί (Röm 1, 1 f): „das Evangelium Gottes *von* seinem Sohn", was dann Röm 1, 9 heißt: „das Evangelium seines Sohnes". Aber das besagt nicht, daß nicht auch und der Sache nach zuerst das Evangelium Jesu Christi wiederum das ist, das Jesus Christus selbst verkündet.

So sagt Paulus denn auch Röm 15, 18: „Ich werde mir nicht herausnehmen, etwas anderes zu verkündigen (λαλεῖν) als das, was Christus durch mich gewirkt hat zum Gehorsam der Heiden, in Wort und Werk, in der Kraft von Wundern und Zeichen, im Vermögen des Geistes." Derselbe Sachverhalt wird umgekehrt formuliert: „Ihr wißt, welche Gebote wir euch gegeben haben durch den Herrn Jesus" (1 Thess 4, 2; vgl. Röm 12, 1 u. a.). Und 2 Kor 13, 3 spricht Paulus von dem „in mir redenden Christus, der nicht schwach ist gegen euch, sondern seine Macht unter euch erweist". Auch an Eph 2, 17 kann man erinnern: „Er (nämlich Jesus Christus, der der Friede ist) kam und verkündete den Frieden", wobei an den erhöhten Kyrios gedacht ist, der das Evangelium verkündet.

Nun ist aber bemerkenswert: Dieses Evangelium, in dem und durch das Gott ruft und das Christus verkündet, in dem sich der Gott und Christus zu erfahren gebende Geist ausspricht, das deshalb auch schlechthin *das* Evangelium, *die* Botschaft oder *das* Wort im absoluten Sinn heißen kann (1 Thess 1,6; 1 Kor 4,15 u.a.), dieses Evangelium nennt Paulus nun auch „mein Evangelium" oder „unser Evangelium", „mein Wort" oder „unser Wort". Um an den Eingang des 1. Thessalonicherbriefes zu erinnern, so heißt es dort: Unser Evangelium, das *das* Evangelium ist – das dann schlechthin das Wort genannt ist und das dem zuvor „unser Evangelium" heißt –, ist „das Wort des Herrn" (1,8); und das auch an anderen Stellen. Aber „mein Evangelium" meint, wie Gal 1,11 zeigt, „das Evangelium, das von mir verkündet worden ist". Wir sehen also: Das vom Apostel verkündete Evangelium ist das Wort, das Christus spricht und in dem Gott ruft; und umgekehrt: der Ruf Gottes und die Verkündigung Christi sind eben dieses vom Apostel verkündete Evangelium. Beide – Wort Gottes und Wort des Apostels, Wort des Apostels und Wort Christi – fallen zusammen und liegen so ineinander, daß man, wenn man das apostolische Wort vernimmt, das andere vernimmt, das Wort, das Gott sagt und das Christus verkündet. Gott und Christus reden in, mit, durch das und unter dem Wort eines Menschen, des Apostels, der Mensch, in diesem Fall der Apostel, redet Gottes und Christi Wort. Dieses gar nicht Selbstverständliche, sondern für den Hörenden, aber natürlich auch für den Redenden recht Problematische, dieses Anstößige, daß Gott im Menschenwort redet, bringt Paulus einmal ausdrücklich zur Sprache, nämlich 1 Thess 2,13. Er ist sich des Sachverhaltes durchaus bewußt: „Wir danken Gott auch unaufhörlich dafür, daß ihr das Wort Gottes, das ihr von uns her zu hören bekamt – λόγον ἀκοῆς παρ' ἡμῶν τοῦ θεοῦ –, angenommen habt, nicht als Wort von Menschen – οὐ λόγον ἀνθρώπων –, sondern als das, was es in Wirklichkeit ist, als Wort Gottes – λόγον θεοῦ; als solches ist es auch am Werk unter euch, die ihr glaubt." Das Wort Gottes ist im Menschenwort verborgen und kann deshalb als bloßes Menschenwort erscheinen und zeichnet sich außer durch den Inhalt durch keinerlei Besonderheiten vor anderem Menschenwort aus. Es ist ein absolut menschliches Wort, das heißt zum Beispiel, es teilt das eigentümlich Geschichtliche dieses Wortes, die bestimmte Sprache, die bestimmten Formeln, die bestimmten Bilder, die bestimmten Begriffe, die bestimmten Denkweisen u.a.m.

Dieses Wort ist an sich durchaus kein menschliches Wort, aber es ist dadurch, daß Gott es in Menschenwort eingelassen hat, bis zu den Menschen vorgedrungen als Gotteswort und kann nun als solches in diesem menschlichen Wort wirksam werden, und freilich nur der Glaube, der sich diesem Menschenwort als Gotteswort öffnet und übergibt, vernimmt das Gotteswort im Menschenwort. Er hört dieses Wort, sagt Paulus, in ἀλήθεια, in Wahrheit, er hört nämlich Gott im Menschenwort. Das Ineinander von Gotteswort und Menschenwort im apostolischen Evangelium ist auch 2 Kor 5,20 angedeutet: „Für Christus kommen wir als Gesandte, so daß Gott durch uns aufruft; wir bitten für Christus: Laßt euch mit Gott versöhnen." Christus sendet seinen Gesandten: dieser richtet sein Wort aus, er ruft anstelle Christi und für Christus die Menschen auf, sich mit Gott versöhnen zu lassen. Indem der Gesandte so für Christus ruft, redet Gott durch ihn. Des Gesendeten Wort ist Gottes und Christi Wort.

Doch wodurch kommen das Wort Gottes und das Wort Christi im Wort des Apostels und also im Menschenwort zur Sprache? Wir können im Sinn des Paulus mit dem antworten, was wir bereits im Zusammenhang mit der Erscheinung des erhöhten Jesus Christus gesagt haben und was uns aus Gal 1,11.15f und 2 Kor 4,6 wie Phil 3,12 bekannt ist: Dadurch kommen das Wort Gottes und das Wort Christi in das Wort des Apostels und im Wort des Apostels zur Sprache, daß Gott Jesus Christus in seiner Glorie im Herzen des Apostels aufleuchten ließ zu seiner Erkenntnis und daß diese Erkenntnis Jesu Christi sich im apostolischen Evangelium niederschlug. Aber Paulus kann den Sachverhalt, daß er Gottes Wort und Jesu Christi Verkündigung in *seinem* Evangelium zu Wort kommen läßt, auch noch in anderen Wendungen darlegen, wodurch dann auch noch eine andere Seite des Vorganges und eine andere Eigenart dessen, was Evangelium ist, zutage tritt. Die unmittelbare Selbstenthüllung des erhöhten Jesus Christus an den Apostel, durch die Jesus Christus Erkenntnis und

Sprache des Apostels zum Evangelium bildete, hat den Apostel zugleich in den Dienst des Evangeliums gerufen und hat also sein Evangelium von vornherein zu einem Dienst-Wort, zu einem „amtlichen" Wort, besser: zu einem Mandat gemacht, das über jedes persönliche Wort also, auch das persönliche Wort des Apostels, hinausgeht. Mit dem Evangelium zusammen wurde durch die Offenbarung Jesu auch die ἀποστολή, die Sendung, das Apostolat, hervorgerufen und so das Evangelium zu einem apostolischen gemacht. In der Offenbarung Jesu Christi erstand nicht nur das Evangelium als das Wort Gottes in Christus, sondern es erstand auch die ἀποστολή, die Sendung, und diese als die διακονία, als der Dienst, und diese als die οἰκονομία, als das „Amt" des Wortes. Paulus wurde in der Offenbarung Jesu Christi zum Evangelium, zum Apostolat, das heißt aber zum Dienst und zur Verwaltung des Evangeliums ermächtigt. Beides – Evangelium und Apostolat – ist also schon vom Ursprung her nicht zu trennen, wohl aber zu unterscheiden, und jedes von beiden charakterisiert das andere – das Evangelium charakterisiert das Apostolat, das Apostolat das Evangelium. Beide Begriffe, die – wie gesagt – vom Ursprung her der Sache nach aufeinander hingerichtet sind, können auch einmal in einem Begriff zusammengefaßt werden, nämlich in ἐξουσία, das heißt in dem Begriff der Vollmacht. Paulus hat in Evangelium und Sendung, in Evangelium und Dienst, in Evangelium und οἰκονομία – in beidem, aber miteinander und zueinander – die ἐξουσία, die Macht und das Recht, εἰς οἰκοδομήν, zur Erbauung, der Kirche empfangen (2 Kor 10, 8; 13, 10).

Wir brauchen nicht alle Belege, die auf diesen Zusammenhang von Evangelium und Sendung bzw. Dienst bzw. Verwaltung eingehen, anzuführen; ich erinnere nur an die beiden ersten Kapitel des Galaterbriefes, in denen sich Paulus gegen solche Gegner wehrt, die mit dem Evangelium des Apostels auch sein Apostolat und mit seinem Apostolat auch sein Evangelium bestreiten wollen. Und man kann auch etwa an Röm 1, 5 denken, wo es heißt: „... durch ihn (den zum Sohne Gottes in Macht gesetzten Jesus Christus) haben wir Gnade (welche χάρις im Evangelium laut wird, ja das wirksame Evangelium ist) und Apostolat empfangen." Und so weiß sich Paulus auch gesendet „zum Evangelium": „Christus hat mich nicht gesendet zum Taufen, sondern dazu, das Evangelium zu verkünden" (1 Kor 1, 17; vgl. Röm 10, 15).

Was den Zusammenhang von Evangelium und Dienst bzw. Amt betrifft, so geht auch er aus manchen Stellen hervor, zum Beispiel 1) aus 2 Kor 5, 18f – was wir vorhin schon angeführt haben –, wo von Gott gesagt ist, daß er das Wort der Versöhnung stiftete (V. 19) und den Dienst der Versöhnung gab. Das Wort der Versöhnung wird im Dienst der Versöhnung laut, der Dienst der Versöhnung geschieht im Wort der Versöhnung. Und 2) aus der Formulierung in 1 Kor 9, 17 zum Beispiel: οἰκονομίαν πεπίστευμαι, „ich bin mit der Verwaltung, dem Amt des Evangeliums betraut", bzw. 1 Kor 4, 1: Wir sind οἰκονόμοι μυστηρίων θεοῦ, „Beamte der Mysterien Gottes" – wenn man das etwas scharf übersetzt –, welche Betrauung mit dem Amt des Evangeliums, wie Paulus vorher sagt, soviel ist wie eine Notwendigkeit, „die mir auferlegt worden ist".

Das Apostolat und das Evangelium, das Wort und der Dienst bzw. das Amt sind kraft des gemeinsamen Ursprungs, des Ursprungs in der Offenbarung Jesu Christi, einander zugeordnet und aufeinander gewiesen. Ihrer Herkunft nach gibt es nicht das eine ohne das andere, und das bedeutet, daß sich Evangelium und Sendung bzw. Dienst oder Amt gegenseitig – wie ich schon sagte – charakterisieren, der apostolische Dienst und das apostolische Amt sind von ihrer Herkunft her Dienst und Amt für das Evangelium, also für das Wort. Das ist Grund und Ziel des Apostolates und stellt die Quelle und Einheit aller Entfaltungen des Dienstes und Amtes dar.

Aber wichtiger für unseren Zusammenhang ist noch dieses: Wenn Gottes Wort in Menschenmund ist als Wort der Sendung und des Dienstes, dann ist es primär amtliches Wort. Das Evangelium, in das hinein der Erhöhte sich geoffenbart hat in der Kraft des Geistes, ist von vornherein, das heißt seinem Ursprung nach, Mandat; daß es neben ihm und in Zusammenhang mit ihm von Anfang an ebenfalls ein charismatisches Wort gibt, sei hier nur erwähnt. Aber es ändert nichts daran, daß die Linie des Vordringens Jesu Christi in die Geschichte hinein, also seines Eindringens zur geschichtlichen Präsenz, die ist: Offenbarung Jesu

Christi kraft des erschließenden Geistes in das Herz des Apostels, durch welche Erleuchtung und Ergriffenheit Jesus Christus zur Erfahrung, zur Erkenntnis und zur Sprache kommt in dem Evangelium, das nun als amtlicher Dienst dem Apostel auferlegt worden ist. Dieses Evangelium, in das hinein sich der gekreuzigte und auferweckte Jesus Christus für die Vorläufigkeit der Geschichte geoffenbart hat und in dem er als im Menschenwort zur Sprache kommt, fordert von dem, dem es aufgetragen ist, nun auch die Hingabe an das Evangelium, und zwar die Hingabe bis dahin, daß es auch durch die Existenz des Verkündigers – hier des Apostels – verkündet wird.

Sehen wir uns folgenden Tatbestand an. Es bestätigt sich das über den Charakter des Wortes Gesagte, wenn wir feststellen können, daß dem Wort, das hier gemeint ist, das das Wort Gottes, das Wort des Herrn ist, nach unseren Texten unwillkürlich eine merkwürdige Selbständigkeit, Selbstwirksamkeit zugeschrieben wird, so daß es manchmal erscheint, als dieses Wort eine Art Hypostase. So fragt Paulus die korinthischen Christen: „Oder ist etwa das Wort Gottes von euch ausgegangen? Oder ist es nur zu euch allein gekommen?" (1 Kor 14,36). Und so sagt er zur Gemeinde in Thessalonich (1 Thess 1,8): „Von euch her ist das Wort des Herrn hinausgetönt", und bittet sie (2 Thess 3,1), sie möchten im Blick auf ihn beten, „daß das Wort des Herrn laufe und gepriesen werde". Und später, im 2. Timotheusbrief, heißt es, daß das Wort Gottes nicht gefesselt ist, selbst wenn der Apostel gefesselt ist (2 Tim 2,9). Natürlich handelt es sich bei dem Wort Gottes, das hier gemeint ist, nicht um eine Hypostase im Sinne etwa der spätjüdischen Memra, aber es läßt sich angesichts der Texte nicht leugnen, daß Paulus es als eine Größe versteht, die auch ihm gegenüber frei ist und deren Geschick sich von dem seinen unter Umständen unterscheidet: Es ist nicht gebunden, auch wenn der Apostel gebunden ist. Und nicht nur dies – das Wort ist so eigenmächtiges und eigenwilliges Wort, daß es auch den Apostel selbst in seinen Dienst nimmt. Paulus redet ja auch davon, daß er Gott dient „am Evangelium" – ἐν τῷ εὐαγγελίῳ (Röm 1,9). Oder er spricht davon – wie wir schon gehört haben –, daß er das Evangelium Gottes priesterlich verwaltet – ἱερουργοῦντα τὸ εὐαγγέλιον τοῦ θεοῦ (Röm 15,16). Er spricht wiederholt von sich als dem Diener, dem διάκονος des Evangeliums (Kol 1, 23; Eph 3, 7 u. a.).

Zu diesem Dienst nun, in den ihn das Wort genommen hat und in dem das Wort Gottes ihn, den Verkündiger, hält, gehört aber auch die persönliche Hingabe des Verkündigers an das Wort, die dieses Wort erst als Evangelium Gottes freigibt. Diese persönliche Hingabe besteht zum Beispiel darin, daß er, der Apostel, dem Wort Gottes kein Hindernis bereitet. Der Apostel weiß, daß das größte Hindernis für das Wort Gottes immer sein Verkündigen ist. Solches Hindernis wäre etwa dies, daß er es aus unlauteren Motiven verschiedenster Art verkündet, etwa aus denen, die Paulus 1 Thess 2, 3 ff geradezu in einem „Predigerspiegel" aufzählt. In 2 Kor 2, 17 spricht er in diesem Zusammenhang von καπηλεύειν τὸν λόγον τοῦ θεοῦ, also davon, daß man mit dem Wort Gottes als Verkündiger auch Handel treiben und Geschäfte machen kann, daß man das Wort Gottes auch verhökern kann. Ein Hindernis ist aber auch dies, wenn sich der Prediger in seinem Wort und seinem Geist vor das Wort Gottes stellt und in seiner Predigt seine eigene rhetorische oder auch philosophische Gewandtheit oder überhaupt seine geistige Überlegenheit zur Geltung bringt (vgl. dazu 1 Kor 2, 1 ff). Und eine dritte Art von Hindernis für das Wort Gottes liegt darin, daß man – wie der Apostel 2 Kor 11, 16 ff es paradoxer Weise tun will – sich seiner eigenen Leiden und Leistungen rühmt und meint, wenn man davon spricht, das sei Wort Gottes; oder daß man – wie Paulus ebenfalls im Bewußtsein der Torheit, die darin geschieht – es wagt, von den eigenen geistlichen Erfahrungen zu reden, und meint, damit schon die Kirche zu erbauen. Und eine vierte Art von Hindernis deutet Paulus 1 Thess 2, 7 an, daß einer das Gewicht seiner amtlichen Autorität dort einsetzt, wo es gar nicht um amtliche Autorität geht, sondern darum, daß ein Zuspruch des Geistes geschieht. Natürlich sind das nur einzelne Beispiele dafür, daß man das nicht beherzigt, was Paulus für sich als Parole ausgibt: „Wir verkünden nicht uns selbst, sondern Christus, den Herrn" (2 Kor 4, 5).

Aber es gilt, damit das Wort Gottes in Menschenmund als Wort Gottes erfahren werde, nicht nur ihm kein persönliches Hindernis durch irgendeine Unlauterkeit zu bereiten, sondern auch positiv im Dienst sich ihm ganz und gar zur Verfügung zu stellen.

Das Wort Gottes kann sich als solches in Menschenmund erst dort entfalten, wo seine Verkündiger sich selbst und persönlich ihm anheimgeben. Und das meint nach Paulus etwa folgendes, daß er im „Geist des Glaubens" rede (2 Kor 4, 13), daß er „nicht in Arglist wandle und das Wort Gottes nicht verfälsche" (2 Kor 4, 2), daß er selbst „in Lauterkeit und Heiligkeit Gottes, nicht in fleischlicher Weisheit, sondern in der Gnade Gottes in der Welt sein Leben führe" (2 Kor 1, 12), daß er dazu und um seinetwillen, „damit ich nicht anderen verkündige und selbst unerprobt bin", Askese übe (1 Kor 9, 24ff), aber auch und vor allem daß er Urteile und Anfeindungen von seiten der Menschen und die daraus entstehenden Leiden und Anfechtungen mit Freuden auf sich nehme – neben 1 Kor 4, 9f; 15, 30f vor allem der 2. Korinther- und der Philipperbrief – und so also nicht nur selbst am Evangelium teilbekomme (1 Kor 9, 23), sondern sich vor allem in der eigenen überkommenen Schwachheit immer wieder Gottes Kraft erweise (2 Kor 12, 10), um sich um dieser imitatio Christi willen von Christus ihm nachbilden zu lassen (Phil 3, 17; 1 Kor 4, 16f u. a.) und so das Wort Gottes für die Angerufenen gleichsam zu verstärken durch ein anderes Wort, durch ein Wort, das man auch sehen kann, nämlich den apostolischen Wandel, die vom Wort Christi getragene und durchdrungene apostolische Existenz; so wie es Phil 4, 9 einmal heißt: „Auch was ihr gelernt und übernommen und gehört und an mir gesehen habt, das tut."

Zu solcher Existenz gehört dann auch, daß der Apostel allen zur Verfügung steht und um des Wortes Gottes willen für alle, für die Menschen und die Glieder der Kirche, da ist. „Gebt niemandem Anstoß, weder Juden noch Griechen, noch der Kirche Gottes. So erweise auch ich mich in allem allen gefällig und suche nicht das, was für mich, sondern den vielen nützlich ist, damit sie gerettet werden. Werdet meine Nachahmer, wie auch ich Christi Nachahmer bin", ermuntert Paulus die korinthischen Christen (1 Kor 10, 32ff); man kann auch andere Stellen vergleichen. So wurde von den Aposteln als den Dienern und Verwaltern nichts anderes gefordert, als daß sie treu, πιστός, erfunden werden (1 Kor 4, 2), und zu dieser Treue gehört eben die hingebende Sachlichkeit in bezug auf das Evangelium, das ihrem Dienst übergeben ist. Solche Treue und durch sie die reine Erscheinung des Evangeliums als Wort Gottes erfüllt sich dann in dem, was der Apostel παρρησία, Parrhesie, nennt. Parrhesie ist der Mut der Freiheit für Gott und die Menschen, sie ist die Offenheit für das zugemutete Wort Gottes und darin für Gott, für die Menschen, denen es gebracht wird, und für sich selbst (2 Kor 3,12; 7,4; Eph 6,19f; Phil 1, 20; 1 Thess 2, 2; Philm 8). Gott hat also sein Wort, durch das er in der Kraft des Geistes die Dimension Christi erschließt und Christi Leib in seinen Gliedern erbaut, so gegeben, daß es auf dem Grund der Offenbarung Christi und in der Macht des Geistes im Wort des Apostels laut wird, dem seine Verkündigung als Dienst und Amt übergeben worden ist und der es in seiner eigenen Hingabe an dieses Wort als Wort Gottes freigibt und wirken läßt.

So kann Paulus das Ineinander von Wort Gottes, Christus, Wort des Apostels und apostolischer Existenz bedenkend, einmal kühn formulieren (2 Kor 2,14–16): „Gott sei Dank, der uns allzeit im Triumph einherziehen läßt in Christus und den Wohlgeruch seiner Erkenntnis durch uns allerorten offenbart; denn Christi Wohlgeruch sind wir für Gott unter denen, die verlorengehen, und unter denen, die gerettet werden, den einen ein Geruch von Tod zu Tod, den anderen ein Geruch vom Leben zum Leben." Der Apostel mit seinem Evangelium ist der Weihrauchduft, der den Triumphzug Christi umwölkt und ankündigt, er führt als Geruch der Erkenntnis die Entscheidung über Leben und Tod herbei, die angesichts des Evangeliums immer von neuem auf dem Spiele steht.

In solchem Wort Gottes oder Evangelium also – und das ist noch ein neuer Gesichtspunkt – wird das, wovon es spricht, in der Weise des Zurufes und Anrufes präsent. So erweist sich das Wort Gottes als Wort *des* Gottes, der sein Wort durch den Menschen sagt, oder das Wort Christi als das Wort, in dem Christus selbst zu Wort kommt. Das läßt sich aus 2 Kor 5,19f etwas deutlich machen: Das Wort der Versöhnung, das Gott gestiftet hat und das das Evangelium im ganzen ist, ist nicht nur ein Wort, das von der Versöhnung berichtet und über sie redet, sondern ein Wort, in dem die Versöhnung, die Gott der Welt hat zuteil werden lassen, angeboten wird. Der Apostel bittet ja für Christus: „Laßt euch versöhnen mit Gott." Das Evangelium der Herrlichkeit Christi redet nicht nur über seine Glorie, sondern diese Glorie strahlt auf, wenn das Evangelium verkündet wird, wie 2 Kor 4,4 zeigt.

Natürlich bezeichnen solche Genitive neben ὁ λόγος und εὐαγγέλιον, wie wir sahen, auch den sogenannten Inhalt des Evangeliums, wie denn ja auch Paulus das Evangelium Gottes als Evangelium über den Sohn erklärt. Aber in welcher Weise handelt das Evangelium vom Sohn Gottes? In der Weise, daß es ihn unter der Verkündigung des Evangeliums gegenwärtig sein läßt, genauer: daß er sich unter seiner Ankündigung präsent macht. Darauf verweisen nun die eigentümlichen personalen Akkusative bei den Verben der Verkündigung. Es ist völlig ungriechisch, wenn man formuliert: εὐαγγελίζεσθαι τὸν Χριστόν, „den Christus verkündigen", oder auch καταγγέλλειν τὸν Χριστόν oder κηρύσσειν τὸν Χριστόν, und kann als Formulierung nur von der Sache her verstanden werden, davon nämlich, daß dieses Verkündigen eben diesen Jesus Christus unter seiner Proklamation begegnen läßt. Das zeigt besonders 1 Kor 11,26, wo vom Den-Tod-des-Herrn-Verkündigen im Herrenmahl die Rede ist, in dem die proklamative Vergegenwärtigung des Todes Christi in Wort und Handlung stattfindet. Aber nicht anders ist es, wenn etwa sonst in bezug auf das Evangelium vom καταγγέλλειν τὸν Χριστόν die Rede ist und wenn Paulus von seinem σοφίαν λαλεῖν, Weisheit sagen, redet (1 Kor 2,6) und damit, wie der Zusammenhang zeigt, meint, daß unter seinem Reden und der apostolischen Verkündigung die Weisheit Gottes, die verborgen war und in Christus, dem Gekreuzigten, erschienen ist, nun selbst zu Wort kommt.

Aber dieser Sachverhalt der Präsenz dessen, was das Evangelium verkündet, läßt sich noch an drei Beispielen besonders klar erweisen. Gal 1,6 sagt Paulus, daß Gott die Galater in die Gnade Christi gerufen habe, und Gal 5,4 hält er ihnen vor, daß, wenn sie sich nun wieder beschneiden lassen, sie aus der Gnade Christi herausgefallen sind. Demnach hat ihnen der Ruf Gottes, der ja im Evangelium ergeht, die χάρις, die Gnade, aufgetan, in der sie nun stehen und sich halten müssen. Im Zuruf des Evangeliums hat sich die Gnade selbst eröffnet. An der zweiten Stelle (Röm 1, 17) heißt es vom Evangelium, daß „in ihm die Gerechtigkeit Gottes offenbar wird"; und wie das Offenbarwerden gemeint ist, ergibt sich sofort aus dem folgenden Gegensatz, in dem gesagt wird, daß jetzt der Zorn Gottes über die Gottlosigkeit der Menschen offenbar wird. Und dieses Offenbaren des Zornes Gottes meint, daß er den Heiden aus und in ihrer Geschichte begegnet.

Und nicht anders ist es zu verstehen, wenn jetzt im Evangelium die Gerechtigkeit Gottes offenbar wird: sie tritt im Evangelium zutage und den Menschen entgegen, sie begegnet im Evangelium den Menschen. Das ist auch prägnant formuliert etwa in 2 Tim 1, 10f, wo von der „Epiphanie unseres Retters Jesus Christus" die Rede ist. Von diesem wird gesagt, daß er den Tod vernichtet hat, nämlich am Kreuz, und „Leben und Unsterblichkeit ans Licht gebracht" hat, und man erwartet nun als Fortsetzung: in der Auferstehung von den Toten, jedoch wird jetzt fortgefahren: „durch das Evangelium", dessen Herold der Apostel ist.

Es stehen also das Heilsereignis des Kreuzes Jesu Christi und das des Wortes nebeneinander. Das Heilsereignis des Evangeliums besteht eben darin, daß Christus selbst durch das Evangelium des Apostels Leben und Unverweslichkeit, die in Christi Auferstehung und Erhöhung sich ereignet haben, ins Licht stellte und so präsent werden ließ. Danach ist es nicht verwunderlich, daß Paulus 2 Kor 4, 2 in bezug auf den λόγος τοῦ θεοῦ von einer φανέρωσις τῆς ἀληθείας spricht, was, wenn man es prägnant übersetzt, nichts anderes heißt als „Erscheinenlassen der Wahrheit". Im Wort läßt der Apostel die ἀλήθεια, die Wahrheit, erscheinen. Welcher Art diese Präsenz des Heilsereignisses und der Heilsgaben im Wort ist, wird von Paulus nicht näher erörtert, und wir wollen dies jetzt auch nicht tun, obwohl man einige Dinge sagen könnte. Als solches Wort Gottes ist nun eben das εὐαγγέλιον eine δύναμις θεοῦ, eine Macht, ein Machtwirken Gottes, aber auch ein Machtmittel Gottes (Röm 1, 16; 1 Kor 1, 18). Im Evangelium ist Gott mächtig, und zwar „zur Rettung", heißt es 1 Kor 1, 21f u. a. m. Diese δύναμις, diese Macht, wird aber nur von denen erfahren, die sie annehmen und ihr gehorsam werden.

Und damit kommen wir, indem wir noch manches andere in diesem Teil auslassen – nämlich zum Beispiel die Fortsetzung des Wortes Gottes vom apostolischen Evangelium einerseits in das Evangelium der Apostelschüler und -nachfolger, andererseits in das charismatische Wort –, schließlich noch zu einigen Gesichtspunkten über den Glauben.

V

Der Glaube

Ist Gottes Gerechtigkeit, die Treue seiner Gnade und Wahrheit, in der Geschichte des sich und seiner Welt verfallenen Menschen konkret in Jesus Christus erschienen und hat sie sich in der Kraft des Geistes im Evangelium des apostolischen Dienstes bleibend zur Begegnung erschlossen, so dringt sie gleichsam noch weiter vor, nämlich bis dahin, daß sie in das menschliche Dasein einbricht und sich seiner von innen her bemächtigt: das aber geschieht im Glauben. „... wenn du glaubst in deinem Herzen: Gott hat ihn auferweckt von den Toten, wirst du gerettet werden; denn mit dem Herzen glaubt man zur Gerechtigkeit..." (Röm 10, 9f); Gott möge euch geben, „daß Christus durch den Glauben in euren Herzen wohne" (Eph 3, 17 u.a.). Was ist mit diesem Glauben gemeint?

1. Wir berichten nur noch summarisch: einmal, er bezieht sich jedenfalls auf das Evangelium. Dieses ist selbst schon ein „Wort des Glaubens" (Röm 10, 8). „Wir haben eben diesen Geist des Glaubens nach dem Schriftwort: Ich habe geglaubt, deshalb habe ich geredet; auch wir glauben, deshalb reden auch wir" (2 Kor 4, 13). Der Glaube bezieht sich auf das Evangelium, hat eine Zuordnung und Ausrichtung auf das Evangelium. „Gott beschloß, durch die Torheit des Kerygmas die Glaubenden zu retten" (1 Kor 1, 21); das Evangelium „ist nämlich eine Macht Gottes zur Rettung für jeden, der glaubt" (Röm 1, 16), weil in ihm die Gerechtigkeit Gottes enthüllt wird, das heißt begegnet. Der Glaube ist auf das Evangelium bezogen, weil das Evangelium die Tat Gottes in Jesus Christus begegnen läßt. Er bezieht sich also, wenn er sich auf das Evangelium bezieht, letztlich auf das darin verkündete Heils-

geschehen. Und so kann Paulus auch sagen: „Jetzt ... ist die Gerechtigkeit Gottes erschienen ... durch Glauben an Christus für alle, die glauben" (Röm 3, 21f). Glaube ist also jedenfalls eine Weise des Menschen, auf das Heilsgeschehen in Jesus Christus, das im Evangelium begegnet, zu antworten. Er ist es, weil das Heilsgeschehen im Evangelium zu Wort kommt. Es ergeht das Wort, und es erfolgt die Antwort, das Gegen-Wort; das Gegenwort ist der Glaube.

2. Solcher Bezug des Glaubens auf das Evangelium läßt sich aber noch näher beschreiben. Der Glaube geschieht nämlich im Hören oder, kann man fast sagen, als Hören. Dieser Sachverhalt ist natürlich überall dort vorausgesetzt, wo, wie wir gesehen haben, dieser Anspruch Gottes im Evangelium ein Rufen genannt wird (Röm 8, 30; 9, 24; 1 Kor 1, 9 und viele andere Stellen) und wo die Christen als Gerufene, ihr Christsein als Ruf bezeichnen (Röm 1, 6.7; 8, 28 u. a.). Auch Eph 1, 13 f ist dieser Sachverhalt, daß Glauben ein Hören ist, angedeutet, wo es heißt: „In ihm (in Christus) seid auch ihr, die ihr das Wort der Wahrheit gehört habt, das Evangelium eurer Rettung, als ihr zum Glauben gekommen wart und versiegelt worden seid mit dem verheißenen heiligen Geist." „Das Wort der Wahrheit", das Evangelium, das rettet, das Hören dieses Wortes, das Zum-Glauben-Kommen machen den Vorgang des Christwerdens (nach Eph 1, 13 f) aus. Ausgebreitet wird der Sachverhalt an einer Stelle, die wir auch schon öfters berührt haben, die wir aber noch einmal vor Augen führen wollen, nämlich in Röm 10, 14–17: „Wie sollen sie den anrufen, den sie nicht im Glauben erfaßt haben? Wie sollen sie glauben an den, den sie nicht gehört haben? Wie sollen sie hören, und es ist keiner, der verkündigt? Wie sollen sie verkündigen, wenn sie nicht gesandt sind? So wie geschrieben steht: Wie lieblich sind die Füße derer, die das Gute verkündigen. Aber nicht alle haben dem Evangelium gehorcht. Isaias nämlich spricht: Herr, wer hat unserer Verkündigung geglaubt? Also kommt der Glaube aus der Verkündigung, die Verkündigung kommt durch das Geschehen Christi." Darin ist die Kette der Geschehnisse – jetzt von rückwärts gesehen – diese: Sendung der Boten, Verkündigung durch sie, Hören des Verkündigten, Glaube, Anrufen, also Bekenntnis.

Und eine andere Folge in diesem Zusammenhang (10, 17) ist:

ῥῆμα Χριστοῦ, „Ereignis Christi", דָּבָר des Messias, das Gehörte, die ἀκοή, was zu hören gegeben wird, die Verkündigung, und die πίστις, der Glaube. Also: 1) Der Glaube kommt aus der Predigt, die selbst das Wort des Geschehens Christi vernommen hat. 2) Die Verkündigung der Gesandten wird gehört und in ihr Gott selbst. 3) Aus diesem Hören entsteht der Glaube. Glauben schließt demnach das Hören in sich; das Hören, und zwar Gottes im Evangelium, wird zum Glauben. Im Glauben hört man, im Hören kommt man zum Glauben. Glauben ist eine Weise zu hören, Hören ist eine Weise, zum Glauben zu gelangen. Der Glaube beginnt damit, daß der Mensch sich aus der Zerstreuung der gegen ihn andringenden vielfältigen Rufe, der Heils- und Unheilsrufe, die aus der Welt und dem menschlichen Dasein ihm entgegenschallen, daß der Mensch sich inmitten dieser Rufe auf den Ruf des Evangeliums sammelt. Er entsteht aber damit, daß der Mensch, so auf diesen Ruf gesammelt und abgewendet von anderen Rufen, diesem Ruf sich hörend öffnet oder ihn offen hört. Glaube ist also jedenfalls ein Sichöffnen des Menschen für das, was ihm im Evangelium zu hören gegeben ist, ein Sich-zum-Hören-dieser-Wirklichkeit-Loslassen, ein Sich-im-Hören-für-das-Zugerufene-Freigeben, ein Im-Hören-dem-Gehörten-Trauen und Sich-ihm-Anvertrauen. So ist Glauben im Hören ein erstes Ausbrechen und Aufbrechen aus der in sich verschlossenen Existenz in das Zukommende des Zugesagten, hier der in Christus Jesus erschienenen Gerechtigkeit Gottes.

Damit ist noch etwas anderes, noch mehr gesagt: jener errettende Zug auf das Evangelium enthüllt sich nun als der Sachverhalt, daß das Evangelium den Glauben hervorruft; denn das κηρύσσειν, das Verkündigen, ruft das Hören hervor, dieses aber ist der Beginn des Glaubens (Röm 10, 14). Und so kommt der Glaube aus der ἀκοή (Röm 10, 17); nebenbei: ἀκοή ist שֵׁמַע, das Gehörte, das zu hören gegeben wird. Und so kann Paulus auch 1 Kor 15, 11 sagen: „So verkündigen wir, und so seid ihr zum Glauben gekommen", so ist der Ruf des apostolischen Evangeliums am Werke in euch, und ihr glaubt.

Der Glaube ist aber nicht nur ein Hören, das nicht nur ein An-Hören, Hin-Hören ist, wie wir gesehen haben, sondern ein vernehmendes und wahrnehmendes, ein sich anvertrauendes Hören im betonten Sinn, das Hören des Glaubens verdichtet sich zum Gehorsam und vollendet und bewahrt sich im „Gehorchsam". So ist es sehr bezeichnend, daß der Glaube von Paulus in engen Zusammenhang mit dem Gehorsam gebracht wird, ja daß er als Gehorsam bezeichnet werden kann, und zwar wiederum als Gehorsam gegen das Evangelium und die darin laut werdende Tat Gottes in Jesus Christus oder diesen selbst. Man vergleiche dafür, daß Glaube Gehorsam ist, etwa Röm 16,19 mit 1,8. Röm 16,19 heißt: „Denn euer Gehorsam ist zu allen gedrungen"; und Röm 1,8 heißt dasselbe: „Denn euer Glaube wird in der ganzen Welt verkündet." Wenn der Glaube näher charakterisiert werden soll, dann wird er unter Umständen auch ὑπακοὴ πίστεως, „Gehorsam des Glaubens", genannt (Röm 1,5; 16,26). Oder es wird von ihm schlechthin als der ὑπακοή, dem Gehorsam, gesprochen (Röm 15,18). Dieser Gehorsam ist aber Gehorsam gegen das Evangelium, wie Röm 10,16 ausdrücklich gesagt wird: „Aber nicht alle haben dem Evangelium gehorcht." Das kann auch so formuliert werden: „Ihr seid von Herzen gehorsam geworden der Lehrformel, der ihr übergeben worden seid" (Röm 6,17). Und ein anderes Mal kann von einer ὑποταγή, einem „Sich-Unterwerfen im Bekenntnis zum Evangelium Christi" (2 Kor 9,13), die Rede sein. Aber damit und darin, daß dieser Glaube Gehorsam gegen das Evangelium ist, ist er eben Gehorsam gegen Christus selbst; oder umgekehrt: Gehorsam gegenüber dem Evangelium ist er, weil er Gehorsam gegen Christus ist, der im Evangelium zu Wort kommt, ὑπακοὴ Χριστοῦ, Gehorsam gegen Christus (2 Kor 10,5 f), und damit auch gegen die Gerechtigkeit Gottes; Röm 10,3: „Sie wissen nicht um die Gerechtigkeit Gottes", ist in bezug auf die Juden gesagt, „und sind bestrebt, die eigene aufzurichten. Sie haben sich der Gerechtigkeit Gottes", nämlich die in Jesus Christus erschienen ist, „nicht unterworfen". Dementsprechend ist Unglaube Ungehorsam, und die Ungläubigen sind die Ungehorsamen (vgl. Röm 11,30.32; 10,21; 15,31 u.a.).

Daß Glauben aber nicht nur ein Hören, sondern auch ein Gehorsam ist, sozusagen ein gefestigtes Hören, ein entschiedenes Hören, das zeigt an, daß der Glaube eine Entscheidung impliziert. Er ist eine Übergabe des Hörenden an das Gehörte und eine Anheimgabe des Hörenden an das zum Hören Gegebene. Er ist eine entschiedene Abwendung vom bisher Gehörten und eine entschiedene Zuwendung zu dem, was zu hören ist. Er ist eine vom Hörenden aud das Gehörte hin vollzogene Abkehr und eine auf das Evangelium hin vollzogene Hinkehr zu dem darin Gesagten. Und so werden ja auch 1 Thess 1, 9 die πίστις und das πιστεῦσαι, das Zum-Glauben-Kommen, der Thessalonicher damit umschrieben: „...man vermeldet..., wie ihr euch hingewendet habt zu Gott, fort von den Göttern, zu dienen dem lebendigen und wirklichen Gott." Oder es kann das Zum-Glauben-Kommen als ein ἐπιστρέφειν πρὸς κύριον, als ein Sich-hinwenden zum Herrn (2 Kor 3, 16), bezeichnet werden.

Glaube also, der hörender Gehorsam ist, impliziert nach Paulus eine μετάνοια, eine Umkehr, wenn er auch diesen Begriff in solchem Zusammenhang nicht gebraucht. Wie diese Entscheidung des Glaubens strukturiert ist, kann man aus einem anderen Zusammenhang entnehmen, nämlich aus Röm 4, 17 ff, wo Paulus den Glauben Abrahams schildert, des „Vaters aller Glaubenden", eben des Glaubens, der im Modus der Verheißung das Paradigma des christlichen Glaubens ist. Der Glaube Abrahams teilt deshalb mit unserem Glauben dieselbe Struktur mit Ausnahme dessen, daß er sich auf die ἐπαγγελία Gottes, auf Gottes Zusage, bezieht und noch nicht auf die Erfüllung in Jesus Christus. Also wird formuliert, daß sich sein Glaube auf den „Gott" bezieht, „der die Toten lebendig macht" (4, 17), und noch nicht auf den Gott, „der Jesus, unseren Herrn Christus, aus den Toten erweckt hat" (4, 24b).

Und von diesem Glauben und als solchem vom Glauben aller gilt, a) daß er „gegen die Hoffnung", die sich vernünftigerweise aus den berechenbaren oder wenigstens abwägbaren Möglichkeiten ergibt, „auf Hoffnung hin", die die Zusage Gottes eröffnet, glaubt (V. 18); b) daß er als Glaube die menschlichen Möglichkeiten nicht einfach übersieht und ihnen nicht ausweicht, sondern im Gegenteil sie wohl beachtet und in Rechnung stellt: „Abraham sah die Erstorbenheit des Mutterschoßes der Sara usw.", heißt es in diesem Zusammenhang – also daß der Glaube sich nicht über die irdischen Möglichkeiten täuscht; c) daß er sich aber bei aller Nüchternheit und allem Realitätssinn gegen den offenbaren Widerspruch der sogenannten Realitäten so fest an die blanke Zusage Gottes hält, daß er nicht an ihr zweifelt, das heißt nicht im Unglauben gegenüber dieser Zusage in Zwiespalt gerät und so – und das ist der Unglaube – sich sowohl auf die eine Stimme der sogenannten Realitäten als auch auf die andere, nämlich Gottes Zusage, verläßt und damit in Widerspruch mit sich selbst kommt; d) daß der Glaube dieser Glaubenden, die sich der Zusage Gottes übergeben, sich ihr völlig und ungeteilt anheimgeben, im Glauben stark wird, in einem Glauben, der voll überzeugt ist von der Macht Gottes, seine Zusage auch durchführen zu können; e) daß der Glaube, so die Glaubenden im Glauben bestärkend und sich Gott überlassend, Gott die Ehre gibt. Das ist eigentlich die Grundstruktur dieser Ablösung von sich selbst, daß der Glaubende im Vollzug des Glaubens nichts anderes tut, als Gott die Ehre zu geben, und darin sein Zutrauen zu ihm erweist, daß er also nicht den Verhältnissen und auch nicht dem eigenen Urteil die Ehre gibt, das freilich nicht übergangen werden darf und nicht zu übergehen ist. Alles in allem ist damit nichts anderes als der Gehorsamscharakter eben dieses Glaubens beschrieben, der ein bewußtes Sichunterwerfen unter das völlig unbegründet erscheinende Wort des allmächtigen und treuen Gottes meint, ein Sichunterwerfen, das ein einheitliches, zweifelfreies Gott-das-Ansehen-Geben und Selbstlos-von-sich-Absehen meint.

Was hier im Blick auf den Glauben Abrahams gesagt ist, gilt nun auch mutatis mutandis umfassend vom Glauben der Christen, wie Röm 10,2–4 zeigt. Der Gehorsam des Glaubens ist ein Sich-der-Gerechtigkeit-Gottes-Unterwerfen in Jesus Christus, also der im Evangelium zur Sprache kommenden gnädigen Bundestreue, und zwar unter ausdrücklichem Verzicht auf alle ἰδία δικαιοσύνη, auf alle Eigengerechtigkeit, in der der Mensch meint bestehen zu können. Der Gehorsam des Glaubens ist ein Sichablösen von jeder Selbstsicherung und jeder Selbsterbauung in den Leistungen, und zwar der Werke und der Erkenntnis. Er ist die radikale Entscheidung für Gott als für den, durch den ich gerecht bin. Was aber glaubt der Glaube?

3. Das ist durch das bisher von ihm Gesagte eigentlich schon beantwortet. Denn wenn er ein das Evangelium – und darin letztlich Gott – hörender und ihm sich gehorsam überlassender und sich an das Evangelium bindender Glaube ist, dann glaubt er das, was das Evangelium verkündet, alles, was sich in ihm zur Sprache

bringt, das Evangelium, dessen Mitte aber Jesus Christus und das Ereignis Jesus Christus als ein Ereignis der Erscheinung der Gerechtigkeit Gottes ist, so daß der vorbildliche Glaube Abrahams, der Glaube an Gott ist, „der die Toten lebendig macht", „das Nichtseiende ins Sein ruft", an den Schöpfergott, daß eben dieser Glaube an den Schöpfergott nun der Glaube an den eschatologisch handelnden und gehandelt habenden Gott wird, nämlich an den, der Jesus Christus von den Toten erweckt hat. Dies ist aber zugleich der Glaube an den Gott, „der den Gottlosen gerecht macht" (Röm 4,5). Dieser Glaube wird nun bei Paulus im Blick auf die Person und die Geschichte Jesu Christi vielfältig entfaltet, wie wir bisher sahen: Christi Kreuz und Menschwerdung und Herkunft, aber vor allem auch Christi Wirken als Erhöhter und seine Zukunft werden einbezogen. Und dies alles gehört zur πίστις Χριστοῦ wie Paulus des öfteren formuliert, zum Glauben an Christus. Aber die Mitte dieses Geschehens, Jesu Christi Tod und Auferweckung und sein κύριος-Sein, findet sich nun in den alles zusammenraffenden, das entscheidende Geschehen fixierenden Glaubensformeln, die oft in einem ὅτι-Satz zitiert werden, zum Beispiel Röm 10,9: „Wenn du glaubst, daß Gott ihn auferweckt hat von den Toten..."

Daraus ergibt sich schließlich noch folgendes:

1. Der Glaube glaubt nicht eigentlich an die Formeln, sondern an das, was sich in ihnen und zu ihnen verdichtet hat. Er ist immer ein personales Verhältnis zu Christus und eine Annahme seiner Geschichte, er ist nie lediglich Zustimmung zu Sätzen.

2. Andererseits ist das, was er glaubt, in Sätze zu fassen und nicht ein vages und beliebiges Ungefähr. Denn das Ereignis, dem er sich gehorsam als dem rettenden Ereignis anheimgibt, das er hört und dessen Hören ihn zum Gehorsam bringt, ist kein ungefähres, sondern ein konkret geschichtliches und konkret geschichtlich zur Sprache gekommenes.

3. Glaubt der Glaube das, was sich in solchen Homologien von dem Ereignis und der Person Jesu Christi verdichtet hat, so glaubt er nie ein Einzelnes und ein Isoliertes, sondern ist der gesamten Person und dem gesamten Ereignis Jesu Christi gehorsam und damit im Zusammenhang mit dem, was das Ereignis in seinem Ereignen gewährt. Denn die gesamte Person und das Ereignis in seiner

Gänze ist in der Glaubensformel, die eine Homologie ist, auf das Wesentliche verkürzt, zur Sprache gebracht.

4. Glaubt der Glaube an die Heilsperson und das Heilsgeschehen Jesu Christi, wie sie im Evangelium und als dessen tragende und formende Mitte in der variablen, doch einheitlichen Glaubensformel zur Sprache kommt, dann glaubt er immer schon mit den anderen Glaubenden, das heißt mit dem Glauben der Kirche. Das Evangelium, wenn man die Glaubensformeln summarisch so nennen will, ist selbst vom gemeinsamen Glauben her gebildet und will gemeinsamen Glauben erzeugen. Eben dieses eine Ereignis, wie es im Evangelium und dann verdichtet in der Glaubensformel abgekürzt zur Sprache kommt, ist das eine, einheitliche, einigende, eben den Glauben auf sich ziehende und so gemeinsame Evangelium.

5. Aber noch ein Letztes ist im ganzen zu sagen: Ist Glaube dies, ist er vom Evangelium hervorgerufen als das Nun-auf-das-Evangelium-Hören und ihm Gehorchen in der Gemeinschaft der Hörenden, dann ist er letztlich selbst χάρις, dann ist er selbst Gnade und nicht Leistung, sosehr er auch Entscheidung ist, dann ist er zuletzt Gabe und nicht Produkt dessen, was der Mensch selbst tut. Ἐκ πίστεως ἵνα κατὰ χάριν, sagt Paulus einmal (Röm 4, 16), „aus Glaube, damit es in der Weise der Gnade geschehe"; aber eben „in der Weise der Gnade", weil Glaube selbst χάρις ist – man könnte sagen: weil Glaube die Entscheidung des Gehorsams als Gnade ist.

Wir haben nur einen Teil des Ganzen einer Theologie des Paulus vorgetragen. Weiter wäre jetzt davon zu sprechen: daß der Glaube in der Liebe am Werke ist und sich zur Hoffnung aufschwingt, weil das, was geglaubt wird, eben das Zugesagte ist; dann wäre noch in einem weiteren Kapitel über die Herablassung Jesu Christi in das Zeichen hinein, also über Taufe und Herrenmahl nach dem Apostel, zu sprechen, und endlich wäre noch zu reden von dem, was nun durch das Evangelium aufgrund des Glaubens mittels der Taufe und des Herrenmahles sozusagen entsteht, nämlich die Kirche. Es wären ihre Struktur und ihr Wirken zu nennen. Aber das müssen wir in einem Teil II unserer Abhandlung darstellen. Endlich wäre über die paulinische Eschatologie zu reden.